哲学思想の50人

Diané Collinson FIFTY MAJOR PHILOSOPHERS - A Reference Guide

ディアーネ・コリンソン 山口泰司＋阿部文彦＋北村晋 訳

FIFTY
MAJOR
PHILOSOPHERS
A Reference Guide

青土社

哲学思想の50人

Diané Collinson FIFTY MAJOR PHILOSOPHERS - A Reference Guide

ディアーネ・コリンソン 山口泰司＋阿部文彦＋北村晋 訳

FIFTY

MAJOR

PHILOSOPHERS

A Reference Guide

青土社

哲学思想の50人　目次

哲学思想の50人

〔　〕内は訳者の補注

はじめに

本書でとりあげる各哲学者のために私が用意したのは、その哲学の主眼を説明する短い文言と、その哲学者の生涯にまつわる資料と、その思想の若干の側面についての――必要な場合には他の哲学者たちの思想との結びつきにも触れた――簡潔な解説とである。私は解説のために、個々の哲学者のいろいろな側面のうち、私にはとりわけ重要で興味深く、その人の仕事の特徴をよく表わしていると思われるものを、選んだ。私の狙いは、読者に各哲学者の視点を手短なかたちでいささかなりとも共有してもらえるように、という点にあった。本書には、まだ生きている哲学者は含まれていない。

興味をもった読者は、各項目《エッセイ》の終りに私が用意した資料から、さらに先のいっそう詳しい研究に乗り出すことができる。最初に掲げられているのは、テキストのなかの数字によって示された注である。次に掲げられているのは、その思想が当該哲学者の思想に何らかの点でかかわりをもつ、本書でとりあげられている他の哲学者の一覧である。第三に掲げられているのは、当該哲学者の主要な著作の詳細である。第四に掲げられているのは、ここからさらに踏みこんだ読書に相応しい書物の一覧である。

本書の巻末には、哲学用語の短い用語解説が付されている。ここには、本書によく出てくる専門用語や専門用語に準ずるものについての、簡単な説明が含まれている。概して言えば、こうした用語の簡単な説明は、それが最初に出てきたときに掲げておくことができたが、後からまた出てくる度に説明を繰り返すのも無理な相談であった。そこで、その用語が説明されたあとにまた出てきたり、まだ説明されずに出てきたりするときには、その用語や同族語が用語解説の見出し語になっていることを示すために、ゴシック体で印刷されている。しかしその用語がテキストのなかで簡単に説明されているときには、そのかぎりでない。用語解説の項目は、そこで説明されている用語の明確な定義とも、その完璧な説明とも、解すべきではない。それらはただ、哲学の分野にまだ親しんでいない読者のために、最初の足場を提供しようとするだけのものなのだから。

一冊の書物に五〇人の哲学者を盛りこむためには、多くの情報をとても窮屈な形で示すことがどうしても避けられなかった。各哲学者の仕事のうちただ一つか二つの側面を解説しようとするだけでも、直ちに理解してもらうのには内容が濃すぎる資料はこれを提供しないよう努めるしかなかった。すでに述べたとおり、各項目には補足を付することによって、私の書いたことがらについて議論をしたり、さらにこれを先に進めたりするための手段を用意しておいた。どの項目も、さらなる研究という本道への案内役をはたしてくれると考えたからである。言いかえるなら、どの項目も、探究心の旺盛な読者がそれに従えば、これら五〇人の哲学者の誰もが受けるに値する批判的理解と正しい評価を享受できるような論及や指摘を含んでいると、考えたのである。

ディアーネ・コリンソン

ミレトスのタレス

Thales of Miletus
about 624–546 BC

西洋の哲学は、小アジアのイオニア沿岸にあったミレトスで紀元前六世紀にはじまったと言われている。イオニアは東洋と西洋が出会う場所であり、またホメロスの生誕の地でもあった。最初の哲学者たちであるミレトス学派のタレス、アナクシマンドロス、アナクシメネスは、東方の影響を受け、ホメロスの伝統を受け継いでいたばかりでなく、エジプトやバビロニアの数学や、イオニア経由の交易路を通じて流入した様々な思想や情報などにも精通していた。

　ミレトスのタレスについてわれわれが知っていることは、彼自身の著作が何も残されていないため、他の人が書いた報告を拠り所にしている。彼は、ギリシャ人によく見られるとおり、多方面にわたってきわめて有能であったようだ。彼は、エジプトに旅をし、天文学や幾何学をはじめ、土地や水の測量と管理に関わる実際的な技能などを学んだらしい。ヘロドトスによれば、彼は紀元前五八五年に起こった日食を予言した。彼はまた、幾何学の知識によって、船をあやつったり、日中のある時刻にピラミッドがおとす影を拠り所にピラミッドの高さを測量したりすることができた。ヘロドトスは、軍隊に橋の架かっていない川を渡らせるという問題を、タレスがどのように解決したかを伝えている。彼は、川の水が軍隊の野営地の背後に流れるようにして、浅くなった水路を歩いて渡れるようにしたのである。彼はまた政治的にも明敏で、イオニア中央部のテオスに統一評議会を開設し、他の都市を市区に区分したりより小さな町区に区分したりするようイオニア人に勧告したとも伝えられている。彼は、数学の歴史において、幾何学の証明の考案者として重要な役割を果たしている。プロクロスによれば、[★1]タレスは幾多の定理を生み出した。それらは、論理的に正しい順序を踏んで提示されていたわけではないが、後に幾何学の証明に対して要求されるようになる**演繹的**方法で相互に関連づけられていたと言う。

　しかし、タレスが哲学者という称号を得たのは、これらの広汎にわたる業績のためではなかった。むしろそれは、彼が世界についての合理的な記述と説明を試みたためである。このような合理的企てこそが、彼の思想を、世界についての彼以前の神話を土台にした説明からはっきりと分かつものである。タレスは、万物の始源は何かという問いを立てた。彼が与えた答えは、水であった。彼について記した人々によれば[★2]、彼は、あらゆるものは水から生成し、地球は丸太のように水の上に浮かんでいると主張した。アリストテレスは、彼の『形而上学』の中で、この見解について論じている。彼は、タレスが、地球を支えている水もまたそれ自体何かに支えられているはずだとは考えなかったようだと指摘している。アリストテレスによれば、水が始源的基体であり、他のものは水から生成するかぎりでその本性を保持しているのだとする仮説にタレスが到達したのは、あらゆるものが水分によって育まれ、種子も精子も水分をもっているという事実を考察してのことだったと言う。

タレスの思想も他のミレトス学派の人々の思想も、彼らについて書き記している人々の見解や理解によって型どられていることを忘れてはならない。三〇〇年の時を隔ててタレスについて間接的にしか知ることのなかったアリストテレスは、タレスが言おうとしたことを十分に理解していなかったかもしれない、という指摘もある。タレスは、世界とそれを取り巻く水――無限に下方へと広がっている水――についての当時よく知られた考え方の一翼を担っていたのであり、そのため、彼には究極的な支えに関してアリストテレスが提起したようなやっかいな問題はなかったのだ、というのである。地球が水の上に浮かんでいるということは、ホメロスの伝統の一部でもあれば、エジプト人の信念でもあり、水を万物の支えとみなすことから水を万物の始源とみなすことへの変化はわずかなものである。しかし、水と他のあらゆるものの関係についてのタレスの思想の詳細は知られておらず、アリストテレスはタレスのもっと広い考え方の中からある程度独自に推測したのかもしれない。注目に値するのは、どうやらタレスは、彼の宇宙発生論を、つまりは宇宙についての理論を神話や言い伝えを拠り所にするのではなく、自然的世界の観察によって、具体化したようだ、という点である。

宇宙の本性についてのタレスの第二の重要な主張は、「万物は神々でみたされている」というものである。彼が本当に言いたかったことはまったく明らかでないが、一般には、ある種の生命力が世界に染み渡っていると言おうとしたのだと受け取られている。すなわち、万物は、ある意味で、万物を一つにするような共通の生命力を吹きこまれているか、それを分有しているかのどちらかだ、というのである。水と「万物における神々」との関係を彼が説明したかどうかは知られていないが、水があらゆるものの始源だという**前提**が与えられている以上、両者の間には何らかの関係があることを否定するのは難しいだろう。

世界の本性についてのタレスの見解は、一見したところ、哲学というよりむしろ自然科学の理論のように見えるかもしれない。その哲学的内実と重要さについては、目のさめるような明晰さをもってニーチェが次のように説明している。

ギリシャ哲学は途方もない幻想から、つまりは水が万物の起源であり母胎であるという命題から始まるように思われる。このような幻想を真に受けて手間をかける必要が本当にあるのだろうか。その通り、三つの理由から必要である。第一の理由は、その命題が事物の起源について何かを明確に述べているからである。第二の理由は、それが象徴や伝説を用いずになされているからである。第三の最後の理由は、その命題には、万物は一であるという観念が、まだ蛹の状態でしかないが含まれているからである。第一にあげた理由は、タレスを依然として宗教家や迷信家の仲間に置くものである。ところが、第二の理由は、彼をこうした仲間から引き出し、自然哲学者としての姿をわれわれに示す。しかし、第三の理由によって、タレスはギリシャ最初の哲学者になるのである。★3

★注

［参照頁については、H.Diels-W.Kranz, *Die Fragmente der Vorsokratiker*. 3Bde., 1951-52, Berlin を底本とする『ソクラテス以前哲学者断片集』（内山勝利、国方栄二、藤沢令夫、丸橋裕、三浦要、山口義久、日下部吉信、角谷博、鎌田邦宏、高橋憲雄、中畑正志、山田道夫訳、岩波書店、一九九六～九八年）を用い、翻訳に際しては底本を同じくする『初期ギリシャ哲学者断片集』（日下部吉信編訳、ちくま学芸文庫、二〇〇〇～二〇〇一年）も参照した］

1　プロクロスは、エウデモスによって書かれた『幾何学の歴史』から情報を得た。エウデモスは、いくつかの定理をタレスに帰し、タレスがそれらの定理を航海におけるある種の実際的問題を解決するために使ったにちがいないと主張している。G.S. Kirk, J.E. Raven, M.Schofield, *The presocratic philosophers*, 2nd edn (Cambridge University Press, Cembridge, 1983),pp.2 and 85-6（『ソクラテス以前哲学者断片集』第I分冊、一五五～六頁）を見よ。

2　プラトン、アリストテレス、テオフラストス、シンプリキウス、ディオゲネス、そしてエウデモスは、タレスの思想の重要な報告者たちである。G.S. Kirk, J.E. Raven, M.Schofield, *The presocratic philosophers*, pp.1-6 and 76-99（同書、一五〇～一六〇頁）を見よ。

3　Fredrich Nietzsche, *Early Greek Philosophy*, tras. Oscar Levy (Russell and Russell, New York, 1964), p.86.（『ニーチェ全集』２「悲劇の誕生」塩屋竹男訳、理想社、二九八～二九九頁）

本書の次の項を参照
アナクシマンドロス、アナクシメネス、ピュタゴラス

タレスの著作

『航海用天文学』をタレスの作であるという人たちがいた。しかし、それはサモスのポコスによって書かれたという人たちもいる。他の様々な著作がタレスに帰せられたが、タレスに帰してよいかどうかはどれも確かではない。

参考文献

テクスト

- Diels, H. (ed.) (1964) *Die Fragmente der Vorsokratiker*, 11th edn (Weidmann, Zurich).これは、ギリシャにおけるソクラテス以前の哲学者のテクストである。
- Freeman, K. (ed.) *Ancilla to the pre-Socratic philosophers*; a complete translation of the fragments in Diels (Harvard University Press, Cambridge, Mass., 1983).
- Kirk, G.S., Raven, J.E., Schofield, M. *The presocratic philosophers*, 2nd edn (Cambridge University Press, Cambridge, 1983).これは、私が参考文献として使用したものである。

総覧

- Barnes, J. *The pre-Socratics* (2 vols, Routledge and Kegan Paul, London, 1979; 1-vol. edn, 1982)
- Dicks, D.R. 'Thaies', *Classical Quarterly* vol. 9 (1959), pp. 294-309
- Emlyn-Jones, C. *The Ionians and Hellenism* (Routledge and Kegan Paul, London, 1980)
- Guthrie, W.K.C. *A history of Greek philosophy* (6 vols, Cambridge University Press, Cambridge, 1962-81;

paperback edition, vols IV and V, 1986)
- Stokcs, M.C. *One and many in presocratic philosophy* (University Press of America, Lanham. distr. by Eurospan, London, 1986)
- Taylor, A.E. *Aristotle on his predecessors* (Open Court, La Salle, III, 1977)

アナクシマンドロス

Anaximander
about 610–546 BC

　アナクシマンドロスは、タレスより少しだけ年下だったと考えられている。テオフラストスは彼を「タレスの後継者にして弟子である」とみなしていた。タレスと同じように、アナクシマンドロスは、哲学者というだけではなく、天文学者でも地質学者でも数学者でも自然［物理］学者でもあったようだ。グノーモン（日時計の影を落とす真っ直ぐな棒）を最初にギリシャに紹介したのはおそらく彼である。そして、アガテメロスによれば、彼こそ「はじめて人の住む地域を書板の上に描き出そうとした」[★1]人物である。彼が書いたと言われている『自然について』という本の一つの断片が残っている。様々な報告から考えると、この本はかなり大部のもので、**宇宙発生論**、天体や生物の発達についての説明、博物学や生物学や気象学や天文学や地理学ならびに世界の地図などの研究、そして、人間や動物の生活のあらゆる側面についての論考を含んでいる。彼は、彼につづく多くの有能な思想家に対して知的勇猛心のよい手本を示した。

　アナクシマンドロスによれば、世界を形成する根源的な原質は、ト・アペイロン（to apeiron）、すなわち境界も限界も限定ももたない基体である。これによって彼は、ト・アペイロンが空間的に無限であると言いたかったのかもしれないし、ト・アペイロンが物理的世界のどんな物質とも似ていないという意味で無限定だと言いたかったのかもしれないし、また、その両方を言いたかったのかもしれない。彼によれば、ト・アペイロンは、あらゆるものを差別なく包括するものであり、また、天と地の一切がそこから存在するようになる起点でもある。土、空気、火、水は何らかの仕方でこの無限定な基体から生み出される。諸事物は絶えざる運動状態にあり、この無限なるものから生まれ、死してこの無限なるものへと帰っていく。アナクシマンドロスは、公平というある種の究極的な均衡ないしは状態が、おそらく熱と冷、乾と湿といった宇宙的な対立物同士の相互作用を通じて、万物の間で維持されていると信じていたようだ。プルタルコスからの以下の引用は、このような宇宙発生論の詳細な内容の一部を示している。

彼［アナクシマンドロス］は、永遠なるものから熱と冷を生み出すものがこの世界の生成にあたって分かれ出て、これからある種の炎の球が、木を取り巻く樹皮のように、大地周辺の空気のまわりに生じたのだと言う。そして、これが解体して環状のものに閉じこめられたとき、太陽や月や様々な星が形成されたのである。[★2]

アナクシマンドロスは、大地は、円筒形をしていて、幅に対して三分の一の深さを有し、したがって円柱を造るときの円筒形石材のようなものだと信じていた。彼によれば、大地は「何ものによっても支えられておらず、あらゆるものから等距離にあるため、その位置にとどまっている」。彼は人類の起源について鋭い洞察を行い、次のように主張した。すなわち、最初の生き物は湿りの中から生まれ、棘のある膜に覆われていた。人類は生物の発達上後になってから出現した。彼は、事態はそのようであったに違いなく、人類は他の種類の生物から生み出されたのだと論じた。なぜなら、他のほとんどの生物が［生後すぐ］自活するのに、人類には長い養育期間が必要で、もし最初から今あるような形をしていたら生き延びることさえできなかっただろうからである。

アナクシマンドロスの著作の現存している断片は、シンプリキオスが行った彼の見解についての説明の一部として見いだされる。

そして、もろもろの存在するものが生成する始源は、「必然性にしたがって」それへの消滅が生じるものでもある。「というのも、もろもろの存在するものは、〈時〉の定めにしたがって、互いの不公正に対する報いを受けてその償いをするからである」と、やや詩的な言葉で語っている。[★3]

右の引用の最後の節は、それに先立つ語句がアナクシマンドロスの著作からの直接の引用であることを示しているという点で、注解者たちの意見は一致している。しかし、この断片の本当の意味とそれが置かれている文脈に関しては、ほとんど意見が一致していない。一つの興味深い推測によれば、不公正に対して報いを受けるという比喩でアナクシマンドロスが提示しているのは、ものごとの根底にあってそれらの表面上の姿を説明してくれるような、一つの

形而上学的原理である。というのも、自然のあらゆるところで生じている変化や対立やギブ・アンド・テイクも、結局のところ全体としてはそれによって一つの均衡や「公正」状態が保たれるような、調べ上げては修復するというプロセスの一環でしかないのだというのが、この引用文の含意かもしれないからである。このような見解は、ト・アペイロンは「原理でも元素でもある」ものとして「万物の舵を取る」、というアナクシマンドロスのものとされている見解とも合致する。そのうえ、対立物の相互作用は、アナクシマンドロス自身がその詳細をどのように理解していたかについては不明であるが、彼の自然哲学の説明においては非常に重要な役割を果たしているのである。

おそらくわれわれは、形而上学者としてのアナクシマンドロスをあまり重視しすぎるべきではないだろう。広汎な歓呼と尊敬を集め、知的巨人としての名声を打ち立て、知的偉業の基準となったのは、明らかに、彼の形而上学的見解ではなく、彼の驚くほど包括的な自然哲学であったのだから。それでもやはり、彼の思想の形而上学的含意をあれこれ考えることは、とりわけ、このような初期の哲学者たちがしばしばわれわれの中に引き起こしてくれる興奮を味わうことは、つまり、われわれのほとんどが子供の頃したように、大胆で無邪気で素朴なやり方で宇宙の起源やその根本的な本性について思いをはせる興奮を味わうことは、おもしろいことである。

★注

1 G.S. Kirk, J.E. Raven and M. Schofield, *The presocratic Philosophers*, 2nd edn (Cambridge University Press, Cambridge, 1983), p.104.（『ソクラテス以前哲学者断片集』第I分冊、一六四頁）

2 Ibid., p. 131.（同書、一六六～七頁）

3 Ibid., p. 118.（同書、一八一頁）

本書の次の項を参照

アナクシメネス、タレス、ヘラクレイトス

アナクシマンドロスの著作

自然や星に関する書物がアナクシマンドロスの作とされているが、それを彼の作とすることが正しいかどうかは確定できない。

参考文献

テクスト

- Diels, H. (ed.) (1964) *Die Fragmente der Vorsokratiker*, 11th edn (Weidmann, Zurich). これは、ギリシャにおけるソクラテス以前の哲学者のテクストである。
- Freeman, K. (ed.) *Ancilla to the pre-Socratic philosophers*; a complete translation of the fragments in Diels (Harvard University Press, Cambridge, Mass., 1983).
- Kirk, G.S., Raven, J.E., Schofield, M. *The presocratic philosophers*, 2nd edn (Cambridge University Press, Cambridge, 1983). これは、私が参考文献として使用したものである。

総覧

- Barnes, J. *The pre-Socratics* (2 vols, Routledge and Kegan Paul, London, 1979; 1-vol. edn, 1982)
- Emlyn-Jones, C. *The Ionians and Hellenism* (Routledge and Kegan Paul, London, 1980)
- Guthrie, W.K.C. *A history of Greek philosophy* (6 vols, Cambridge University Press, Cambridge, 1962-81; paperback edition, vols IV and V, 1986)
- Kahn, C.H. *Anaximander and the origins of Greek cosmology* (Columbia University Press, New York, 1960)
- Stokcs, M.C. *One and many in presocratic philosophy* (University Press of America, Lanham. distr. by Eurospan, London, 1986)
- Taylor, A.E. *Aristotle on his predecessors* (Open Court, La Salle, Ill, 1977)

アナクシメネス

Anaximenes
about 585–528 BC

アナクシメネスはミレトス学派として知られている哲学者三人組の三番目だった。彼は、紀元前五四〇年頃活躍したと考えられており、ディオゲネス・ラエルティオスは、おそらく紀元後三世紀にまとめられた彼の『ギリシャ哲学者列伝』の中で、アナクシメネスがアナクシマンドロスの弟子であったという記録を残している。

　アナクシマンドロスと同じように、アナクシメネスは、万物の第一原理は無限定なものであると主張した。しかし、アナクシマンドロスとはちがって、彼は、その第一原理が何であるかを明確に述べる用意があった。すなわち空気である。アリストテレスの弟子だったテオフラストスは、アナクシメネスが他の物質的基体は希薄化と濃縮化の過程を通じて空気から派生すると信じていたと伝えている。すなわち、

> それ［空気］が希薄化されると火になり、それが濃縮化されると風になり、さらに雲になり、さらに（一層濃縮化されると）水になり、さらに土になり、さらに石になる。そして他のものはそれらからできている。彼もまた運動を永遠であるとし、それによって変化もまた生じると言う。★1

アナクシメネスの著作の一つの現存する文言は、「空気であるわれわれの魂がわれわれを一緒に結びつけ統括するように、風［あるいは気息］が全世界を包んでいる」★2である。

　アナクシメネスではなくアナクシマンドロスがミレトス学派の哲学の頂点であるとしばしば考えられているが、アナクシメネスの方がいくつかの点でより進んだ思想家だと言うこともできる。たしかに彼の説は、どのようにして土、火、水が始源物質である空気から生じるのかを明確にしているのだから、タレスの説を押し進めたものではあるが、

無限定な基体を始源的基体と仮定するのを避けている点では、アナクシマンドロスの説より一段進んでもいる。その上、彼の説は、自然過程の観察に基づいているので、神話ではなく常識を拠り所にしている。また一方で彼の説は、空気を生命の源とみなす伝統的な信念にも根ざしている。

アナクシメネスが説くところでは、大地は平板で空気の上に乗っており、星は「水晶のようなものに釘のように打ち付けられており」、天体は「ちょうどわれわれの頭のまわりを帽子が回転するように」大地のまわりを回っている。★3彼は、大地の乾いた状態と湿った状態の交替に基づいて地震の発生を説明している。大地が乾くと「それは裂け、そのために砕け落ちた突出部によって大地は揺らされる」。★4彼の主張では、雨は、空気が濃縮化して雲になりそれが圧縮されて水分が搾り出されるときに生じる。雹は、落ちてくる水が凝結した結果であり、雪は、風が水分と混ぜ合わされると落ちてくる。アエティオスはアナクシメネスが次のように語ったと伝えている。すなわち、太陽は「葉のように平板であり」、すべての天体は火のようなものであるが、それらの間には土のようなものも存在している。★5アナクシメネスは、あらゆる現象に対して自然な説明をしようとしたばかりではなく、人間の魂と世界そのものを共にまとめ上げているものとしての空気という考え方を通じて、人間を含む、存在するあらゆるものを包括する有機的統一体を示唆してもいるように思われる。

ミレトス学派の人々は、西洋哲学にとって、科学的で合理的な思考の到来を示しているが、神話から理性へのこの動きは突然起こったのではない。神話と理性は相互に作用しあい、互いに影響しあっていた。そのため、空気や水のような原質についての伝統的信念は、自然的世界についての反省と意識が次第に理性的なものになっていくのにつれて徐々に形成されていったのである。これは、神々や奇妙な力に基づいて世界を説明する態度から、様々な原因や規則性といった自然的秩序に基づいて世界を説明する態度への変化である。ミレトス学派の人々は、世界を観察してこの観察から理論を展開したという点では科学者である。しかし、彼らは哲学者でもあった。なぜなら、彼らの主たる関心は、世界が何であるかを述べることだけではなく、いったいどのようにして世界が存在するようになったのかを述べることでもあったからである。彼らは現象を記述しようとしただけではなく、その究極的な源泉を発見しようともしたのである。

★注

1 G.S. Kirk, J.E. Raven and M. Schofield, *The presocratic Philosophers*, 2nd edn (Cambridge University Press, Cambridge, 1983), p.145.（『ソクラテス以前哲学者断片集』第Ⅰ分冊、一八四～五頁）

2 Ibid., pp. 158-9.（同書、一九五頁）

3 Ibid., pp. 154-5.（同書、一八六、一八九頁）

4 Ibid., p. 158.（同書、一九三頁）

5 Ibid., p. 154.（同書、一八九、一九一頁）

本書の次の項を参照
アナクシマンドロス、タレス

アナクシメネスの著作

平明で無駄を省いた言葉を彼が使用していることが現に指摘されていることから、アナクシメネスは本を書いたと推測されている。

参考文献

テクスト

・Diels, H. (ed.) (1964) *Die Fragmente der Vorsokratiker*, 11th edn (Weidmann, Zurich). これは、ギリシャにおけるソクラテス以前の哲学者のテクストである。

・Freeman, K. (ed.) *Ancilla to the pre-Socratic philosophers*; a complete translation of the fragments in Diels (Harvard University Press, Cambridge, Mass., 1983).

・Kirk, G.S., Raven, J.E., Schofield, M. *The pre-socratic philosophers*, 2nd edn (Cambridge University Press, Cambridge, 1983). これは、私が参考文献として使用したものである。

総覧

・Barnes, J. *The pre-Socratics* (2 vols, Routledge and Kegan Paul, London, 1979; 1-vol. edn, 1982)

- Coxon, A.H. 'Anaximenes' in N.G. Hammond and H.H. Scullard (eds), *Oxford classical dictionary* (Oxford University Press, Oxford, 1970)
- Emlyn-Jones, C. *The Ionians and Hellenism* (Routledge and Kegan Paul, London, 1980)
- Guthrie, W.K.C. *A history of Greek philosophy* (6 vols, Cambridge University Press, Cambridge, 1962-81; paperback edition, vols IV and V, 1986)
- Stokcs, M.C. *One and many in presocratic philosophy*, Cambridge, Mass., (University Press of America, Lanham. distr. by Eurospan, London, 1986)
- Taylor, A.E. *Aristotle on his predecessors* (Open Court, La Salle, III, 1977)

ピュタゴラス

Pythagoras
about 571–496 BC

ピュタゴラスは数学者にして神秘主義者であった。彼はおそらくイオニア沖合の島サモスで生まれたが、南イタリアのクロトンで生涯の大半を過ごした。クロトンで、彼は、自分の弟子であるとともに社会に関する彼の発想ゆえに彼を敬愛したとも伝えられる学者たちの共同体を創設して、これを指導した。ピュタゴラスの共同体のしきたりには、自分たちの実践に関してはその秘密を厳守して公にしないというものが含まれていた。それにもかかわらず、この共同体に関してわれわれが手にする情報のほとんどは、共同体のメンバーが行ったり言ったりしたことの種々の報告に由来している。そのような報告の正確さは疑わしいが、すでに指摘されているように、その中の一つは雲間を通じて差し込む一筋の光のように輝いている。それは、アリストテレスの弟子であるディカイアルコスによって書かれたものである。

［ピュタゴラスが］仲間たちに説いていたことについては、誰も確かなことは言えない。というのも、彼らは尋常ならざる沈黙を続けていたからである。とはいえ、次のような見解が一般に知られるものとなっている。すなわち、魂は不死であり、魂は他の種類の生物へと移り住み、また、ある時期がくると一度起こったことが再び起き、絶対に新しいものなど何もなく、そして、生命を有するものはすべて同類と見なすべきだ、というものである。★1

魂の輪廻転生説は「メテムプシュコシス（metempsychosis）」と呼ばれている。もしも魂が不死であり、それが人間と他の生物の間を移り住むのだとすれば、確かなことは次のことである。たとえば、われわれが生き物を殺して食べるときには、われわれは自分と同種のものを、自分のかつての友人や親類さえ殺しているのかもしれない、ということになる。このためピュタゴラス学派の人々は、生き物を殺して食べることに関する一群の詳しい掟と、魂の純粋さに達しそれを維持するために立案された一連の禁止事項とを作り上げた。以下のいくつかの事例は、ピュタゴラス学派の宗教思想の特徴をもっともよく伝えている。

豆を断つこと。
白い雄鶏に触れないこと。
明かりの傍らで鏡を見ないこと。
鉄で火を掻きおこさないこと。
壺を火から外すときには、壺の形を灰に残さないこと。
寝床から起きるときには、床布をまるめて、体の形の跡を残さないこと。
ツバメに家の軒を貸さないこと。
抑制のきかない大騒ぎにとりつかれないこと。★2

ピュタゴラスは、哲学の先達であり同時代人でもあるミレトス学派の人々と同じように**宇宙発生論**を作り上げた。しかし、彼の宇宙発生論と思想の全体の焦点は、ミレトス学派のそれとは大きく異なっている。彼が数学に主たる関心を向けていたことと、彼の知的な神秘主義がその主な理由である。ミレトス学派の人々が〈宇宙《コスモス》〉の起源とその働きについて問うているのに対して、ピュタゴラスは宗教と、人間の魂と、その救済について考えていた。ミレトス学派の人々が物理的現象を考察しているのに対して、ピュタゴラスは算術と幾何学の研究に関わっていた。ピュタゴラスの哲学の構成要素を統合し、彼の思想のあらゆる側面について知らせてくれるのが、こうした数学的研究である。

アリストテレスが伝えるところでは、ピュタゴラスは空気や水のような原質ではなく、数が万物の原理であると考えていた。

数のこれこれの変様が正義であり、数の別の変様が魂と理性であり、また数の別の変様が好機であり——同様に、ほとんどすべてのことが数的に表現可能である……と彼らは考えた。……天界全体も音階であり数であると考えた……。したがって、彼らはまた明らかに数が事物の質料因でもあれば、その変様と恒常的状態の形成因でもあると考えており、彼らによれば、数の要素とは偶奇であり、これらのうち前者は無限定的であり、後者は限定的である。★3

アリストテレスはまた、ピュタゴラス学派の〈対立表〉を書き記している。人間的事象を支配している相対立する思考としての次のような十の原理を、この表は掲げている。すなわち、限定と無限定、奇と偶、一と多、右と左、男性と女性、静と動、直と曲、光と闇、善と悪、正方形と長方形である。

ピュタゴラスにとって、数は〈宇宙〉の質料であるとともにその意味でもある。彼によれば、偶と奇が合して単位を生み出し、その単位が数を生み出し、その数が万物の始源となる。アリストテレスが伝えるところによると、ピュタゴラス学派の人々は、特定の数を様々な事柄に当てはめた。たとえば、結婚は五であった。なぜなら五は、最初の男性数である三と最初の女性数である二の合計だからである。物の形も数によって規定された。一は点であり、二は線であり、三は面であり、四は立体である。数は適切な量の点から作られた幾何学的パターンで表現された。したがって、どのようにして点が配されるかにしたがって「正方」数や「長方」数があった。十は神聖な数であり、「テトラクテュス」という図形は、十が最初の整数である一、二、三、四の合計であることを示している。

もしわれわれが点と線と面とを、自然のあらゆるものが形成されてくる起点となる単位と考え、これらの単位のそれぞれが数を表すと考えるなら、ピュタゴラスがどうして数をあらゆるものの始源とみなしたのかが理解可能になる。彼はまた、天体は音階のようなものであり、星々は調和を生み出し、最もよい状態の魂は天体と調和しているにちがいない、とも考えた。音階が数的に表現されうるということは、数を〈宇宙〉における根本的で起源的なものとみなすもう一つの理由だった。奇妙にも、ピュタゴラス学派の人々は、彼らが球形であると考えた地球も、太陽も、宇宙《ユニヴァース》の中心であるとは考えなかった。大地も太陽も中心にある火のまわりを回っており、世界はそれを取りまいている〈無限定なもの〉から発する空気を呼吸している、と彼らは語っていた。

ピュタゴラス学派の数についての研究や数と物理的世界の関係についての研究は、それもとりわけ数と音楽および天文学との関係について研究は、神秘主義と現実の数学的発展との奇妙な混合物を生み出した。神秘主義の側面から見ると、数は至高なもの、宗教的生活と魂の純化のために位階と儀礼を要求するものと見られた。純粋に数学的な側面から見ると、ピュタゴラスの幾何学は、エウクレイデス［ユークリッド］の研究成果のいくつかをすでに含んでおり、もちろんそれには直角三角形の斜辺の平方が直角をつくる二辺の平方の和に等しいということを示す「ピュタゴラスの定理」も含まれている。ピュタゴラスは、正方形の辺と斜辺とは通約不可能であることを証明したとも考えられているが、これは古代ギリシャ人に彼らの幾何学における数の概念と測定法を放棄させるほどの発見だった。ピュタゴラス学派のヒッパソスは、ある幾何学的量は整数で表現することができないということをピュタゴラス学派ではない人に漏らしたために、［難を逃れて］沖に出て溺れたのだという、信じがたい話があるほどである。[★4] プロクロスは、彼が紀元後五世紀に書いたエウクレイデスについての本の中で、ピュタゴラスとその弟子たちは、大量の算術と幾何学の素材を秩序だった**演繹的**体系に改変することによって、幾何学の研究を自由人の教養教育へと変えたのだ、と指摘している。たしかにプラトンもまた、一世紀以上もたってから、紀元前六世紀にピュタゴラス学派によって展開された数学と魂の探求の双方に、深い影響を受けたのであった。

★注

1　J.Barnes, *The pre-Socratics*（2 vols, Routledge and Kegan Paul, London, 1979）vol.1, pp.102-3（『ソクラテス以前哲学者断片集』第I分冊、二〇六頁）に引用されている。

2　これらや他の禁止事項については、J.S. Kirk, J.E. Raven and M. Schofield, *The presocratic Philosophers*, 2nd edn（Cambridge University Press, Cambridge, 1983）, pp.203-1で論じられている。［ジョン・バーネット『初期ギリシャ哲学』西川亮訳、以文社、一九七五年、一四一～二頁参照］

3　Kirk, Raven and Schofield, *The presocratic Philosophers*, pp.329,330 に引用されている。［アリストテレス『形而上学』第一巻、第五章（985b30-986a20）出隆訳、岩波文庫、上巻四〇～四一頁］

4　ピュタゴラス学派の数学は、W.W. Rouse Ball, *A short account of the histoty of mathematies*（Dover Publications, New York, 1960）, pp. 19-28で論じられている。［バーネット前掲書、一五三頁参照］

本書の次の項を参照
アナクシマンドロス、アナクシメネス、タレス、プラトン

ピュタゴラスの著作

ピュタゴラスに帰せられる現存の著作はない。彼の信仰と思想と教育活動については大量の報告が残されており、彼自身についてもいくつかの伝記が残されている。

参考文献

テクスト

- Diels, H. (ed.) (1964) *Die Fragmente der Vorsokratiker*, 11th edn (Weidmann, Zurich). これは、ギリシャにおけるソクラテス以前の哲学者のテクストである。
- Freeman, K. (ed.) *Ancilla to the pre-Socratic philosophers*; a complete translation of the fragments in Diels (Harvard University Press, Cambridge, Mass., 1983).
- Kirk, G.S., Raven, J.E., Schofield, M. *The presocratic philosophers*, 2nd edn (Cambridge University Press, Cambridge, 1983). これは、私が参考文献として使用したものである。

総覧

- Barnes, J. *The pre-Socratics* (2 vols, Routledge and Kegan Paul, London, 1979; 1-vol. edn, 1982)
- Emlyn-Jones, C. *The Ionians and Hellenism* (Routledge and Kegan Paul, London, 1980)
- Gorman, P. *Pythagoras: a life* (Routledge and Kegan Paul, London, 1979)
- Guthrie, W.K.C. *A history of Greek philosophy* (6 vols, Cambridge University Press, Cambridge, 1962-81; paperback edition, vols IV and V 1986)
- Maziarz, E.A. and Greenwood, T. *Greek mathematical philosophy* (Frederick Ungar, New York 1968)
- Raven, J.E. *Pythagoreans and Eleatics* (Cambridge University Press, Cambridge, 1948)
- Stokcs, M.C. *One and many in presocratic philosophy* (University Press of America, Lanham. distr. by Eurospan, London, 1986)
- Taylor, A.E. *Aristotle on his predecessors* (Open Court, La Salle, III, 1977)

エフェソスのヘラクレイトス

Heraclitus of Ephesus
flourished 504–501 BC

ディオゲネス・ラエルティオスは、ヘラクレイトスが並はずれて高慢にして高邁であり、ついには人間嫌いになって山中で暮らし、草木を食糧としたと伝えている。しかしながら、確かなこととして知られているのは、ただ彼が貴族の出であり、その生涯のほとんどをエフェソスで過ごし、同国の市民によって概して好かれていなかったということだけである。彼の著作のうちおよそ百の断片が現存している。それらのほとんどが、宇宙と魂を扱った警句や謎めいた所見である。

彼は、世界は創造されるのではなく、いつも存在していたのだと主張し、彼の先達やソクラテス以前の他のすべての思想家と同様に、変化が絶え間のない普遍的現象であることに思いをめぐらせた。流転と火と宇宙的統一が、彼の主たるテーマであった。彼は、「世界‐秩序は……いつもあったし、今もあるし、これからもあるだろう。それは一定量燃え上がり一定量消える、永遠に生きている火である」[1]と書いている。彼によれば、まとまりと安定性は、不断の変化の過程の内部にあるのであり、実際この過程ゆえにそれらは存在している。知恵は、万物の根底にひそむまとまりと統一を認める点にある。「総じて言えば、ものごとは、全体と全体でないもの、和合するものと和合しないもの、共鳴するものと共鳴しないものから成る。万物から一が生じ、一から万物が生じる」[2]。

ヘラクレイトスは、この根底にひそむ構造的まとまりを「ロゴス（Logos）」と呼んだ。彼は「私にではなく〈ロゴス〉に聴き従って、万物が一であることを認めるのが、賢明である」[3]と言う。根本的統一を認知するのが賢明であるのは、見かけ上の世界の対立を越えてその真相を見ているからである。たとえばそれは、健康をよいものにするのは病気であり、休息のよさを教えるのは疲労であることを、認めることである。対立物は様々な仕方で関連しあっているのだと、ヘラクレイトスは指摘している。一本の道は、ある観点から見れば上り道であるが、他の観点から見れば下り道である。塩水は人間には悪いが魚にはよい。その上、何対もの対立物がさまざまな統一と多様性を形成し、他の対の対立物や他の複雑な統一などに結びついている。しかし、このような多様な対立物のヴァリエーションはすべて全体的統一の中で生じるのであり、もしもあらゆる対立物と変化が〈ロゴス〉によって生み出されると認めるならば、あらゆるものが究極的には神的であることがおのずと理解されることになる。「神にとってはあらゆるものが美であり、善であり、正であるのに、人間はあるものを不正と考え、またあるものを正と考えている」[★4]。ヘラクレイトスは、時として万物に内在する神のような統一的全体について語る。「神は昼にして夜、戦争にして平和、満腹にして飢餓である……。神が姿を変えるのは、ちょうど火が、香料と混ぜ合わされると、それぞれの香りに応じて［様々に］名づけられるのと同じである」[★5]。

ヘラクレイトスは、火が原型的な物質形態であり、世界は「永遠に生きている火」であり、その一部が〈ロゴス〉の原理にしたがって絶えることなく消えたりまた燃え上がったりしているのだと考えた。水でさえ火になり、火は土や水に変わる。「万物は火の交換物であり、火は万物の交換物である。それはちょうど品物が黄金の交換物であり、黄金が品物の交換物であるのと同様である」[★6]。おそらくこれらの言葉には、「互いの不公正に対する報いを受けてその償いをする」[★7]ものについてのアナクシマンドロスの見解の影響がある。これら二人の哲学者はともに、宇宙の根本的な均衡に対する直観をもっていたように思われる。ヘラクレイトスにとって、火は宇宙の第一質料であるだけではなく、宇宙の形相でもある。それは〈ロゴス〉の化身であり、変化と流転の原理が物質的な役割を演じたものである。彼は時として、火が表しているバランスのとれたギブ・アンド・テイクを、「定まった命運」として、すなわち、この世の物事が現にそのようにあり、またあらねばならないその仕方として、記述している。彼によれば、もしも対立がなくなるとすれば、ある相反するものが他の相反するものに打ち勝ったからであるが、それはまた、われわれが知っているような世界も消滅してしまったことを意味している。彼は、魂もまた火であり、人間の生命は他の何にもまして永遠の流転の一部をなしているのだと考え、「乾いた魂がもっとも賢明で一番よい」[★8]と明言している。湿に対する乾の優位と、あらゆるものは究極的には神的であるという先に述べられた見解とが両立困難であるだけに、これはかなり驚くべきことである。しかし、われわれはおそらく、魂を乾という性格――たとえそれがその対立物つまりは湿と関係しかつそれから意味を受け取っているのだとしても——を本質的にもつものとして考えなければならない。確かに、一般に魂は光として、エーテル的で非物体的なものとして、生命原理として考えられているが、これは「魂にとって水になることは死である」[★9]というヘラクレイトスの指摘とも一致する。彼は、肉体が死んでも有徳な魂は水にならず、ついには宇宙的火の一部になると考えていた。彼は、眠ること、目覚めること、死ぬことが、魂における火の性の程度と関連があると考えた。眠っている人の魂は、部分的に世界の火から引き離されている。なぜなら、目覚めた状態では世界の火と直接に接触している感覚が、人が眠ると途絶え働かない状態になるからである。睡眠中、個人の魂はただ呼吸によってだけ世界の火と接触を維持し、心は忘却的になり理性は衰微する。しかし、ひとたび目覚めるや、〈ロゴス〉との接触が再開され理性は復活する。

　ヘラクレイトスの思想は、ミレトス学派の思想とははっきり違った仕方でわれわれに感銘を与える。彼の見解は幾分神秘的である。彼のことを解釈するのは難しいが、それでもやはりわれわれの直観の多くに訴えかけてくる。だから、彼には魅惑的な力があるのである。彼の神託のような思想がもつ趣を一番よく味わえるのは、彼の警句的な指摘のいくつかを熟考することによってであり、彼のそのような指摘の多くは哲学気質を適切なかたちで刺激してくれる。

　雷電が万物の舵を取る。

　事物の本当の姿は自分を隠しがちである。

　上り道と下り道は同じ一つの道である。

　自分の言葉を理解しない魂をもつ場合には、悪しき証言者でも本人にとっては目と耳である。

　真の判断は人間的習性の有するところではなく、神的習性の有するところである。

　現われていない結びつきの方が、現われた結びつきよりも強力である。

　戦いは万物の父であり万物の王である。それはあるものを神となし、あるものを人間とする。またあるものを奴隷となし、あるものを自由人とする。[★10]

★注

1 G.S. Kirk, J.E. Raven and M. Schofield, *The presocratic philosophers*, 2nd edn (Cambridge University Press,

Cambridge, 1983), p. 198.（『ソクラテス以前哲学者断片集』第I分冊、三一五頁）
2 Ibid., p. 190.（同書、三一一～二頁）
3 Ibid., p. 187.（同書、三一三頁）
4 Ibid.. p. 191, note.（同書、三二八頁）
5 Ibid., p. 190.（同書、三一八頁）
6 Ibid., p. 198.（同書、三三五頁）
7 本書のアナクシマンドロスの項を参照、一四頁～。
8 Kirk, Raven and Schofield, *The presocratic Philosophers*, p.203.（『ソクラテス以前哲学者断片集』第I分冊、三四三頁）
9 Ibid.（同書、三一九頁）
10 Ibid., ch.6.（同書、三二五～三三九頁）

本書の次の項を参照
アナクシマンドロス、アナクシメネス、タレス、ピュタゴラス

ヘラクレイトスの著作

ディオゲネス・ラエルティオスは、紀元後三世紀の著作の中で、ヘラクレイトスが『自然について』という三部構成の本を書いたと伝えている。近年の注解者たちは、残存している彼の著作の断片の警句的な性格は、それらの断片が一編の作品に由来するという考え方を支持するものではない、と指摘している。

参考文献

テクスト

・Diels, H.（ed.）（1964）*Die Fragmente der Vorsokratiker*, 11th edn（Weidmann, Zurich）. これは、ギリシャにおけるソクラテス以前の哲学者のテクストである。
・Freeman, K.（ed.）*Ancilla to the pre-Socratic philosophers*; a complete translation of the fragments in Diels（Harvard University Press, Cambridge, Mass., 1983）.
・Kirk, G.S., Raven, J.E., Schofield, M. *The presocratic philosophers*, 2nd edn（Cambridge University Press,

Cambridge, 1983）. これは、私が参考文献として使用したものである。

総覧

- Barnes, J. *The pre-Socratics* （2 vols, Routledge and Kegan Paul, London, 1979; 1-vol. edn, 1982）
- Emlyn-Jones, C. *The Ionians and Hellenism* （Routledge and Kegan Paul, London, 1980）
- Guthrie, W.K.C. *A history of Greek philosophy* （6 vols, Cambridge University Press, Cambridge, 1962-81; paperback edition, vols IV and V, 1986）
- Kahn, C.H. *The art and thought of Heraclitus* （Cambridge University Press, Cambridge, 1981）
- Kirk, G.S. *Heraclitus: the cosmic fragments* （Cambridge University Press, Cambridge, 1954）
- Stokcs, M.C. *One and many in presocratic philosophy* （University Press of America, Lanham. distr. by Eurospan, London, 1986）

パルメニデス

Parmenides
flourished 501–492 BC

パルメニデスは紀元前六世紀の終わり頃生まれた。彼は南イタリアのエレアの市民で、その都市のためにすぐれた法律を作ったと言われている。彼はソクラテス以前の哲学における重要な人物であり、後にエレア学派として知られることになる思想家集団の傑出した一員であった。彼は自分の思想を詩で、つまりは神的な始源からの啓示という形で書いた。およそ一五〇〇行の彼の詩の断片は、シンプリキオスの著作の中に保存されている。その詩は、導入部と「真理の道」と「見かけあるいは臆見の道」という二つの主要なテーマから成っている。

パルメニデスの詩は、翻訳することも理解することも極端に難しいという点で、注解者たちの意見は一致している。「真理の道」の中でパルメニデスは次のように述べている。

なお語られる道が一つだけ残っている。すなわち、〈在る〉という道。この道には実に多くのしるしがある。すなわち、存在は不生にして不滅であり、全体にして種において一であり、揺るぎなきものにして完全なものである。それは在ったこともなく、在るであろうこともない。なぜなら、一挙にすべてが今在り、一として在り、つながりあうものとして在るのだから。いかなる生まれをお前は求めようというのか。どこからどのようにして成長したというのか。在らぬものからであると言うことも、考えることも、私はお前に許さないだろう。というのも、在らぬものは、言うことも考えることもできないからである……★1

それゆえ、パルメニデスの実在は不生にして無時間的な充実である。それは目に見えず動かぬものであり、あらゆるところで同じであり、「それは完結しており、あらゆる面で釣り合いがとれ中心からの距離がいたるところで等しい球の塊のようなものである」★2。その不変的な不動性は、実在は可変的対立物から成りどんな束縛もないというピュタゴラスの見解と鋭く対立している。『真理の道』は理性によって把握される事柄、つまりはピュタゴラスの「対立表」★3の、「一や静など」左側の列に挙げられている主題を扱っている。「見かけの道」は感覚を扱い、パルメニデスはこれを紹介するに際して次のように述べている。「ここで私は真理に関して私の信ずべき言葉と思想を語るのをやめる。これより後は、私の言葉の虚構を聞いて、死すべき人間の信念を学べ」★4。

「見かけの道」を旅する者の誤りは、対立を思案することにある。根本的な対立の対は、闇と光である。他のすべてはこの対から引き出される。パルメニデスは感覚に依存することを徹底的に非難し、感覚を使用することの誤りを詳細に述べて、「死すべき人間の思想がお前を打ち負かさないよう……それらの構造全体」★5を示してやるのだと説明する。それが意味するのは、誤りのあらゆる可能性が明示されるならば、誤りのまことしやかな要求によってそう簡単にはだまされなくなるだろうということである。

パルメニデスの書いたものの多くが不分明で理解困難であるにもかかわらず、彼の哲学にはいくつかの非常に興味深い側面がある。まず第一に、彼が行った理性と感覚の区別は、西洋哲学において根本的な区別となったし、依然としてそうである。次に、「真理の道」は世界の在り様を言語と論理から推論する初めての試みの一つと評されてきた。確かにそれは、理性によって論じられることと感覚によって知覚されることの相違についての哲学的問題をはっきりと提示しており、おそらくその問題を初めて立てたものだと言ってもよいだろう。また、パルメニデスは、「真理の道」の実在が非-物質的実在とみなしうることから、「**観念論**の父」とも評されてきた。しかし、彼の言葉を注意深く読むなら、これを支持することはできない。彼は〈在るもの〉の閉ざされた物質性を主張したからだ。彼は、観念論者というよりは一元論的**唯物論**者である。彼は実在が思考されると言ったのではなく、実在が真に把握されるのはただ思考によってだけだと主張したのである。

★注

1 G.S. Kirk, J.E. Raven and M. Schofield, *The presocratic philosophers*, 2nd edn (Cambridge University Press,

Cambridge, 1983), pp.248-9.（『ソクラテス以前哲学者断片集』第II分冊、八六頁）を見よ。
2 Ibid., p. 252.（同書、八九頁）
3 本書のピュタゴラスの項を見よ、二二頁〜。
4 Kirk, Raven and Schofield, *The presocratic philosophers*, p.254.（『ソクラテス以前哲学者断片集』第II分冊、九〇頁）
5 Ibid., p. 256.（同書、九〇頁）

本書の次の項を参照
アナクシマンドロス、アナクシメネス、ゼノン、タレス、ピュタゴラス、プラトン

パルメニデスの著作

ディオゲネスが伝えるところでは、シンプリキオスは「原典の希少性」ゆえに自分自身の本にパルメニデスの詩の抜粋を転記した。セクストス・エンペイリコスは、詩ないし序詩を保存した。

参考文献

テクスト

- Diels, H.（ed.）(1964) *Die Fragmente der Vorsokratiker*, 11th edn（Weidmann, Zurich）. これは、ギリシャにおけるソクラテス以前の哲学者のテクストである。
- Freeman, K.（ed.）*Ancilla to the pre-Socratic philosophers*; a complete translation of the fragments in Diels（Harvard University Press, Cambridge, Mass., 1983）.
- Kirk, G.S., Raven, J.E., Schofield, M. *The presocratic philosophers*, 2nd edn（Cambridge University Press, Cambridge, 1983）. これは、私が参考文献として使用したものである。

総覧

- Barnes, J. *The pre-Socratics*（2 vols, Routledge and Kegan Paul, London, 1979; 1-vol. edn, 1982）
- Emlyn-Jones, C. *The Ionians and Hellenism*（Routledge and Kegan Paul, London, 1980）
- Guthrie, W.K.C. *A history of Greek philosophy*（6 vols, Cambridge University Press, Cambridge, 1962-81;

paperback edition, vols IV and V, 1986)
・Taran, L. *Parmenides* (Princeton University Press, Princeton, 1965)

エレアのゼノン

Zeno of Elea
flourished 564 BC (or perhaps later)

ゼノンでもっともよく知られているのは、その逆説である。彼はパルメニデスの弟子にして後継者だった。彼は、実在は一であり不変にして不動であり、実在を正しく把握するのは感覚ではなく理性であると主張したエレア学派の中で、もっとも傑出した人物だった。プロクルスによれば、ゼノンはおよそ四〇の「逆説」ないし「攻撃的議論」を生み出した。そのうちの八つほどが現存している。もっとも重要なものは、多であることに反対するもの二つ、運動に反対するもの四つである。それらは、変化と運動は感覚的経験に依存する幻想だとするパルメニデスの論点を支持する一方で、ピュタゴラス学派によって主張された多元論に反対するものである。プラトンは、その対話篇『パルメニデス』でゼノンに次のように語らせている。

　私のこの書は、パルメニデスの議論を、それに攻撃を加える人々に反対して、擁護しようとするものだった。……私の書は、多を主張する者たちに対する反論であり、彼らの攻撃に対していっそう多くの仕返しをする。多の仮説は、それが子細に検討されるなら、〈一〉の仮説よりもいっそう笑うべき結果になるのを示すことが、この書のねらいである。[★1]

多であることに反対するゼノンの論証は次のような道筋を進む。時間の一区切りのような連続体はもっと短い部分に細分することができる。この細分過程は無限に（ad infinitum）続けることができるかできないかのいずれかである。もし続けることができるなら、有限な時間の一区切りを作り上げている無数の部分があることになる。もし続けることができないなら、分割できないような時間の一区切りがあることになる。これらのいずれも受け入れることはできない。いったいどうして無数の細かな部分が時間の有限な一区切りを構成することができるというのか。分割できないような時間の一区切りなど、本当にありうるのだろうか。

　アキレウスとカメの物語は、ゼノンのもっとも有名な逆説である。これは、運動は不可能だということを示そうとするものである。百メートルを走りきる競争を想定し、その競争ではカメをアキレウスの五〇メートル前からスタートさせる。アキレウスはカメを追い抜くことはできない。というのも、アキレウスがカメのスタート地点Sに到着する時、カメはもうS_1に動いており、アキレウスがS_1に到着した時点で、すでにカメはS_2にまで進んでいることになり、以後同様だからである。したがって、アキレウスはカメに追いつくことができない。両者がある地点から別の地点に動くにつれて両者の距離は無限に縮まるが、その距離が零になることはない。[★2]

　いずれの逆説においても、［理性的］推論が、世界の中で生じることについての経験と対立することになるように思われる。もっともよく議論されたゼノンの四つの逆説は、微分という**計算法**によって解決され、その解決法はバートランド・ラッセルの『外的世界についてのわれわれの知識』[★3]の中に見いだすことができる。ラッセルは次のように指摘している。「計り知れぬ程巧みで深遠な四つの論証を発案したことで、後の哲学者たちはおおむね彼を単に上手な手品師と評し、彼の論証をどれも詭弁とみなした」。しかし、ラッセルも認めていたように、ゼノンは単なるパズル作家と考えられるべきではない。近年彼の議論は非常に注目されている。彼には概して高い尊敬の念が与えられている。彼の逆説が提起している問題は、見かけと実在、感覚と理性をどのように関連させるかという深淵で永続的な問題である。それにもかかわらず、彼の方法とスタイルは、パルメニデスの一性（oneness）に哲学的に深く傾倒しているというよりはむしろ、論理的な切れ味と断固たる論争を思わせる。ジョナサン・バーンズの評価には鋭いものがある。

　ゼノンは深遠ではなかった。彼は賢かったのである。ある種の深遠さは彼のペンから生まれたが、同時にある種の取るに足らぬ誤謬も生み出された。そして、それこそ論争的な論者からわれわれが期待すべきことなのである。もしもわれわれが深遠な議論に出会えば、われわれは喜びを感じるだろう。もしも表面的なきらめきに眩惑されるなら、哲学的な天然金塊を探すにはおよばない。ほぼ同じ割合の良質の金属と悪質な金属とが、ゼノンという合金を作っているのである。[★4]

★注

1　Plato, *Parmenides*, 128D.（『プラトン全集』第四巻所収「パルメニデス」田中美知太郎訳、岩波書店、一九七五年、一一〇頁）

2　興味深い議論としては以下参照。'Achilles and the Tortoise' in Gilbert Ryle, *Dilemmas* (Oxford University Press, Oxford, 1954), pp. 36-53.（ギルバート・ライル『ジレンマ：日常言語の哲学』篠沢和久訳、勁草書房、一九九七年、「第三章　アキレスと亀」五九〜八八頁）〔『ソクラテス以前哲学者断片集』第II分冊、一一三〜四、一一六〜七頁参照〕

3　Bertrand Russell, *Our knowledge of the external world* (Allen and Unwin, London, 1956), ch. 6.

4　Jonathan Barnes, *The pre-Socratics* (Routledge and Kegan Paul, London, 1979), vol. I, pp. 236-7.

本書の次の項を参照
パルメニデス、プラトン

ゼノンの著作

ゼノンの著作は、主にプロクロスやシンプリキオスやプラトンといった他の人々の報告からしか知られていない。

参考文献

テクスト

- Diels, H. (ed.) (1964) *Die Fragmente der Vorsokratiker*, 11th edn (Weidmann, Zurich). これは、ギリシャにおけるソクラテス以前の哲学者のテクストである。
- Freeman, K. (ed.) *Ancilla to the pre-Socratic philosophers*; a complete translation of the fragments in Diels (Harvard University Press, Cambridge, Mass., 1983).
- Kirk, G.S., Raven, J.E., Schofield, M. *The presocratic philosophers*, 2nd edn (Cambridge University Press, Cambridge, 1983).

総覧

- Barnes, J. *The pre-Socratics* (2 vols, Routledge and Kegan Paul, London, 1979; 1-vol. edn, 1982)
- Emlyn-Jones, C. *The Ionians and Hellenism* (Routledge and Kegan Paul, London, 1980)
- Guthrie, W.K.C. *A history of Greek philosophy* (6 vols, Cambridge University Press, Cambridge, 1962-81; paperback edition, vols IV and V, 1986)
- Heath, T.L. *Mathematics in Aristotle* (Clarendon Press, Oxford. 1949)
- ——*History of Greek mathematics* (2 vols, Dover Publications, London. 1981)
- Lee, H.D.P. *Zeno of Elea* (Cambridge University Press, Cambridge, 1936)
- Stokcs, M.C. *One and many in presocratic philosophy* (University Press of America, Lanham. distr. by Eurospan, London, 1986)
- Vlastos, G. 'Zeno of Elea' in P. Edwards, (ed), *Encyclopaedia of Philosophy* (Collier-Macmillan, New York, 1967)

ソクラテス

Socrates
469–399 BC

ソクラテスという名前は、西洋の文化の中ではおそらくもっとも広く知られている名前だろう。彼は著作を何一つ残さなかったのだから、彼の名声は著作に由るものではない。彼についてのわれわれの知識のほとんどは、プラトンによって書かれた対話篇に基づいている。プラトンは、ソクラテスから深い影響を受け、どこでソクラテスの思想が終わりどこからプラトンの思想がはじまるのかが厳密に見分けられないような形で自らの思想を展開した。それにもかかわらず、いくつかの鍵になる観念と彼独特の探求の手段や方法は、たとえそれらがプラトンの言葉で表現されているにしても、ソクラテスのものだと言うことができる。彼の主たる哲学的方法は問答法（**弁証法**）という方法だった。すなわち真相を見極め不整合を明らかにするために、様々な信念に隠されているものを暴き、そうした信念に疑問を投げかけるという方法である。

ソクラテスはアテナイの市民だった。彼は、ペリクレスの指導のもとで繁栄の頂点を迎えていた時期にアテナイで生きた。彼は当時の**宇宙論**的哲学を教えられ、多くの公開討論に参加した。とりわけ、実際的な知恵の供給者であり、雄弁術の教師であり、アテナイの市民たちが是非とも問題にしたいと望んだものならどんな問題でも論じてくれるソフィストたちと、公開討論を行った。ソクラテスは、こうした教師たちに対して問答法をもって疑問を投げかけ、彼らの時として調子のいい議論を混乱させたことで有名になった。彼の終生変わらぬ深い関心は人間と倫理的事柄であり、ソクラテスの友人であるカレイフォンの問いかけに答えてソクラテス以外に知恵ある者は誰もいないと告げたデルフォイの神託以後、彼が身を捧げたのはこれらに対してである。それ以後、彼は、『ソクラテスの弁明』におけるプラトンの言葉では、「あらゆる人に……自分自身を気づかわなければならず、自分の私的利害を気づかうよりも前に徳と知恵を求め、国家の利害よりも国家を気づかわなければならず、これこそが遵守すべき使命であることを、納得させ[1]ようとした。

ソクラテスの人格的および社会道徳的高潔さはどうやら完全なものであったらしく、彼はそのために自分の命を失った。政務審議会の議員であった紀元前四〇六年、職務怠慢のために告発される可能性のあった八人の司令官を共に裁判にかけよという要求に対して、彼は勇気をもってこれに与することを拒んだ。彼らをそのように裁判にかけることは、アテナイの法律に反することだったからである。二年後彼は、政権を強奪した〈三十人委員会〉と呼ばれる集団と共謀することを拒み、著名な市民に対する迫害行為を行わなかった。〈三十人委員会〉はその後権力を失ったが、紀元前四〇〇年ソクラテスは復活した民主主義政権によって法廷に引き出され、国家の神々を崇拝せず、見知らぬ宗教的実践をもち込み、若者たちを堕落させた罪を問われた。これらの罪に対する罰は死であった。

ソクラテスを告発した人々は、彼が自主的にアテナイから離れ、そのようにして刑を逃れるであろうとおそらく考えていた。しかし彼は法廷に立つことを選び、自分自身の弁護を行った。彼は有罪と評決され、それからアテナイの法律にしたがって自分自身にふさわしい実質的な刑罰を申し出る機会が与えられた。彼はこれを決して行おうとはしなかった。そのかわり彼は毎日自由な食事を与えてくれるように提案した。腹を立てた陪審員は死刑の判決を下した。判決から処刑までのひと月の間、友人たちがソクラテスの逃亡の手はずを整えた。ふたたび彼は逃げ出すことを拒み、アテナイの市民が定めたことから逃れることは自分の義務感と主義に反することであると主張した。彼は、人生の最後の一日を、ケベスとシミアスという二人の友人と魂の不死について論じて過ごした。彼の死はドクニンジンを飲むことでもたらされた。

アリストテレスは、「ソクラテスに当然帰せられるべきことが二つある。それは**帰納的**推論と**普遍的**定義である[2]」と書いた。クセノフォンは『ソクラテスの思い出』の中で、定義が探求された事項のいくつかを挙げている。「敬虔とは何か、不敬虔とは何か。高貴なものとは何か、卑劣なものとは何か。正とは何か、不正とは何か。知恵とは何か、愚かとは何か。勇気とは何か、臆病とは何か。国家すなわち政治的共同体とは何か」などがそれである[3]。プラトンの対話篇『ラケス』の中で、ソクラテスは「勇気とは何か」と問いかけている。彼は、特徴的な問答法のスタイルで次のように議論を展開している。この問いが向けられた若者ラケスは、「勇気とは戦列から逃げないことです」と言って答える。そこでソクラテスは、求められているのは勇気の個々の事例ではなく、あらゆる勇気ある行為に共通でそれらの行為に勇気あると呼ばれる資格を与えている共通の属性を質的に同定することだと指摘する。この種の戦略は、ソクラテスが定義を探求する際の典型的なやり方である。議論の経過の中で共通の属性が発見されるなら、いつも成功するわけではないが定義が企てられる。とはいえ、ソクラテスは、定義は可能であり、適切に解釈されるなら定義は知識を与えてくれると、つねに考えていたようである。このような想定は、万物の完全な**形相**がその不完全な実例としての事物とは独立に存在し、知性と理性の行使によってそれを知ることができるというプラトンがその後展開した見解と一致している。ソクラテスが求めたような定義があらゆる事柄について可能であるとは、今日では考えられていない。

ソクラテスが哲学的関心を自然的なものから転換させたことの影響は強く、その後の哲学的思想を新しい方向に向かわせた。『パイドン』の中で、彼はケベスとの会話で、自然を対象とする様々な学問を学んでいるとき〈ヌース〉（精神）こそが万物の原因だとするアナクサゴラスの一節に偶然出会ったと述べている。彼によれば、〈ヌース〉すなわち叡知が第一のものとみなされるべきだということは彼を喜ばせた。というのも、〈ヌース〉が万物を最善のものと共通善に向けて整えてくれるのだと確信したからである。そういうわけで、彼はすぐさまアナクサゴラスの本をすべて読んで、善とは何か、悪とは何かを学ぼうとした。ところが、彼は次のようにつづける。

私の期待があれほど高かっただけに、希望から引き離されるのもなんと速かったことか。私が読み進むうちに、私が読んでいる哲学者が、ヌースをまったく捨て去り、他のいかなる原理にも訴えることなく、空気やエーテルや水や他の多くの突飛なものを持ち出しているのがわかったからだ。[★4]

ソクラテスの恒常的な関心は、どうすれば徳をもって生きられるかを学ぶことだった。われわれ一人一人は自分自身の善を求めるが、その善を成り立たせるものかについては間違いを犯したり無知であったりすることがあると、彼は論じている。とはいえ、われわれはひとえにわれわれの善だけを求めているのだから、ひとたびその善を確実に知ったならば、われわれは悪を行うことはできない。それゆえ、すべての悪行はそれ自体が誤解なのであり、知識はそれ自体が徳なのであり、誰も知識をもっていながら悪を行うことはないのである。このような**論証**の**前提**と帰結は、プラトンの対話篇ではじめて定式化されて以来、倫理学的　論議に素材を提供してきた。

★注

1　Plato, *Apology*, 30A.（『プラトン全集』第一巻所収「ソクラテスの弁明」田中美知太郎訳、岩波書店、一九七五年、八四～五頁）

2　Aristotle, *Metaphysics*, 13,4,1078,B 17-32.（アリストテレス『形而上学』（下）出隆訳、岩波文庫、一九六一年、一八三頁）

3　Zenopbon, *Memoirs of Socrates*, 1.（クセノフォーン『ソークラテースの弁明』佐々木理訳、岩波文庫、一九七五年、二五頁）

4　Plato, *Phaedo*, 98B, 98C.（『プラトン全集』第一巻所収「パイドン」松永雄二訳、岩波書店、一九七五年、二八六頁）

本書の次の項を参照
アリストテレス、プラトン

ソクラテスについて書かれたもの

ソクラテスはプラトンの次の対話篇で主役を演じている。

- *Charmides*（『カルミデス』『プラトン全集』第七巻、山野耕治訳、岩波書店、一九七五年）
- *Laches*（『ラケス』『プラトン全集』第七巻、生島幹三訳）
- *Hippias Major*（『大ヒッピアス』『プラトン全集』第一〇巻、北嶋美雪訳）
- *Euthydemus*（『エウテュデモス』『プラトン全集』第八巻、山本光雄訳）
- *Protagoras*（『プロタゴラス』藤沢令夫訳、岩波文庫、一九九八年、『プラトン全集』第八巻、藤沢令夫訳）
- *Gorgias*（『ゴルギアス』『プラトン全集』第九巻、加来彰俊訳、『世界の名著6・プラトンI』藤沢令夫訳、中央公論社、一九七一年）
- *Meno*（『メノン』『プラトン全集』第九巻、藤沢令夫訳）
- *Apology*（『ソクラテスの弁明』三嶋輝夫、田中享英訳、講談社学術文庫、一九九八年、久保勉訳、岩波文庫、一九六四年、『世界の大思想1』田中美知太郎訳、河出書房新社、一九六四年、『プラトン全集』第一巻、田中美知太郎訳、『世界の名著6・プラトンⅠ』田中美知太郎訳）
・*Crito*（『クリトン』『世界の大思想1』田中美知太郎訳、『プラトン全集』第一巻、田中美知太郎訳、『世界の名著6・プラトンⅠ』田中美知太郎訳）
・*Phaedo*（『パイドン』岩田靖夫訳、岩波文庫、一九九八年、『プラトン全集』第一巻、松永雄二訳、『世界の名著6・プラトンⅠ』池田美恵訳）
・*Pheadrus*（『パイドロス』『プラトン全集』第五巻、藤沢令夫訳）
・*The Symposium*（『饗宴』久保勉訳、岩波文庫、一九六五年、『プラトン全集』第五巻、鈴木照雄訳、『世界の名著6・プラトンⅠ』鈴木照雄訳）
・*The Republic*（『国家』『世界の大思想1』山本光雄訳、『プラトン全集』第一一巻、藤沢令夫訳、『世界の名著6・プラトンⅡ』田中美知太郎、藤沢令夫、森進一、山野耕治訳、中央公論社、一九七一年）
・*Theaetetus*（『テアイテトス』『プラトン全集』第二巻、田中美知太郎訳）
・*Parmenides*（『パルメニデス』『プラトン全集』第四巻、田中美知太郎訳）
・*Epistles*（『書簡集』『プラトン全集』第一四巻、長坂公一訳）

これらの多くはPenguin Classicsとして出版されており、『エウテュプロン』、『ソクラテスの弁明』、『クリトン』、『パイドン』の四つの対話編はすべて *The last days of Socrates* という一巻におさめられている。

プラトンの対話篇の英語対訳つきのギリシャ語テキストは、Loeb Classical Library（Heinemann, London, 1921–29, repr. 1967）で出版されている。

・Ferguson, J. *Socrates: A source book*（Macmillan, London, 1970）

参考文献

・Dover, K.J. *Greek popular morality in the time of Plato and Aristotle*（Oxford University Press, Oxford, 1974）
・Guthrie, W.K.C. *History of Greek philosophy*,（6 vols. Cambridge University Press. Cambridge, 1962–81; paperback edition, vols IV and V, 1986）, vol. III, part 2, and vols IV and V
・Huby, P. *Greek ethics*（Macmillan, London and New York, 1967）
・——'Socrates and Plato' in D.J. O'Connor（ed.）, *A critical history of Western philosophy*（The Free Press, New

York, 1964; Macmillan, London, 1985）

・Santas, G. *Socrates*（Routledge and Kegan Paul, London, 1979）

・Taylor, A.E. *Socrates*（Peter Davies, London, 1932; Greenwood Press, London, 1976）（テイラー『ソクラテス生涯と思想』松浪信三郎訳、総合出版社、一九四六年）

・Vlastos, G.（ed.）*The philosophy of Socrates*（Anchor Books, New York, 1971）

アブデラのデモクリトス

Democritus of Abdera
about 460 BC–371 BC

デモクリトスの名前は、原子論と結びつけられている。原子論は、彼が詳述してみずから仕上げた理論であるが、おそらくレウキッポスによってはじめて考え出されたものである。デモクリトスの著作のいくつかの断片が残っており、様々な報告からすると、彼は非常に多作であったらしい。彼は、倫理学、自然学、数学、文学、言語をはじめ技術の問題などを主題にして書いた。

原子論は、一般に、エレア学派の思想によって生み出された問題に答えたものとみなされている。エレア学派は、実在は一であり、全体であり不動であり、不生にして有限であり、非存在は不可能であると論じていた。このような説は、この種の根本的実在が変化と運動と生成消滅を伴う経験的世界の始源でありうるのはどうしてなのかを説明しようとすると、大きな困難にぶつかる。レウキッポスとデモクリトスが生み出した原子論は、実在に対して異なった説明を作り出すことでこのような困難を回避した。原子論は、非存在すなわち空虚は存在と同じように実在的であると主張した。非存在は単に非物体的な実在にすぎず、それに対して存在は物体的な実在なのである。原子論はさらに、非存在は運動にとって必要なのだから現実に存在しなければならず、存在と非存在とはともに万物の始源であると論じた。空虚の中を動く原子は、数の上で無限であり、大きさと形の上で多様である。各原子は不可分なものであるが、他の原子と結合し感覚的世界の可視的物体のようなより大きな存在体を形成することができる。シンプリキオスはデモクリトスの見解を次のように記している。

これらの原子は無限な空虚の中を動き、互いに距離をとり、形や大きさや状態や配列の上で異なっている。それらの原子が接近して衝突すると、ある原子は衝撃を受けて偶然ある方向へ向かい、他の原子は、形と大きさと状態と配列が適合して互いに合体し、ともにその状態を

保って合成的物体を生成させる結果になる。★1

デモクリトスは原子論の様々な帰結をかなり詳細に考えていた。あらゆるものが根本的には空虚の中を動く原子から成っているのだから、感覚的知覚と思考はそのような根本的条件に基づいて説明可能でなければならない。簡単に言えば、デモクリトスは、原子の形や相互作用や集合状態の違いに基づいて様々な感覚を説明した。彼は、魂と火の原子は球形で、この球形の原子はもっとも動きやすく様々な形のものに入り込むと主張したが、どのようにして球形の原子が互いに結びついて心を作り上げることになるのかを明らかにはしなかった。魂は身体全体の生命であり身体の一つの特定の場所に集中的に存在するものではないというのが当時の一般的な信念であったので、このことはおそらくデモクリトスにとって問題ではなかったのだろう。とはいえ、原子論の帰結を徹底して追求する企ては、知覚と知識についての非常に興味深い問題を生みだした。たとえば、テオフラストスは、デモクリトスが視覚を次のように語ることによって説明していると伝えている。すなわち、視覚像は「瞳の中に直接生じるのではなく、目と視覚対象との間にある空気が見られている対象と見ている者によって圧縮されて刻印されるのだ。なぜなら、あらゆるものから一種の流出物がいつも流れつづけているからである」。★2したがって、デモクリトスによれば、われわれが現実に見ているものは、対象における原子と見ている者における原子との特異な連結に依存していることになる。経験には、個々の個人的傾性とは独立に手に入る不変の知識もなければ、原子と空虚から成る根本的実在についての知識もない。デモクリトスは、感覚によって獲得される「不分明な知識」と彼が呼んでいたものと、獲得できるならば原子と空虚についての知識となるような「真正な知識」とを区別した。どのようにすれば「真正な知識」にまで至るのかを理解するのは困難である。というのも、魂の原子が、他のすべての原子と同じように、すなわち衝突と集団の形成によって機能している以上、魂の原子もまさに感覚的知覚と同じような特異なあるいは個別的な解釈を受けることになるように思われるからである。

デモクリトスの見解がこのような側面や他の批判可能な側面をもつにもかかわらず、原子論はギリシャ哲学の展開においてきわめて重要であり、以後の世紀に多大な影響を及ぼしてきた。近代の原子論は、多くの面で非常に異なっているにもかかわらず、ギリシャの原子論が自分の親であることを認めている。さらに、デモクリトスの原子論と二〇世紀初頭バートランド・ラッセルが生み出した論理的原子論の間には注目に値する興味深い結びつきがある。デモクリトスもラッセルも共に、実在は根本的に多元的であると主張している。ただし、デモクリトスは自分の説の基礎を不可分な物理的原子という考え方におき、ラッセルの方は不可分な論理的原子においている。★3

★注

1 J.S. Kirk, J.E. Raven and M. Schofield, *The presocratic philosophers* (Cambridge University Press, Cambridge, 1983), p. 426.(『ソクラテス以前哲学者断片集』第Ⅳ分冊、五二一〜二三頁)

2 Ibid., p. 428.(同書、一〇五頁)

3 本書のラッセルの項を参照、三〇〇頁〜。

本書の次の項を参照

パルメニデス

デモクリトスの著作

デモクリトスは、『小宇宙体系』と呼ばれる本ばかりか、トラシュロスがきちんとリストとして掲げている他の多数の著作をも書いたと考えられている。

参考文献

テクスト

• Diels, H. (ed.) (1964) *Die Fragmente der Vorsokratiker*, 11th edn (Weidmann, Zurich). これは、ギリシャにおけるソクラテス以前の哲学者のテクストである。

• Freeman, K. (ed.) *Ancilla to the pre-Socratic philosophers*; a complete translation of the fragments in Diels (Harvard University Press, Cambridge, Mass., 1983).

• Kirk, G.S., Raven, J.E., Schofield, M. *The presocratic philosophers*, 2nd edn (Cambridge University Press, Cambridge, 1983). これは、私が参考文献として使用したものである。

総覧

- Barnes, J. *The pre-Socratics* (2 vols, Routledge and Kegan Paul, London, 1979; 1-vol. edn, 1982)
- Emlyn-Jones, C. *The Ionians and Hellenism* (Routledge and Kegan Paul, London, 1980)
- Furley, D.J. *Two studies in Greek atomists* (Princeton University Press, Princeton, 1967)
- Guthrie, W.K.C. *A history of Greek philosophy* (6 vols, Cambridge University Press, Cambridge, 1962-81; paperback edition, vols IV and V, 1986)
- Stokes, M.C. *One and many in presocratic philosophy* (University Press of America, Lanham, distr. by Eurospan, London 1986)

プラトン

Plato
427–347 BC

プラトンは一般的にはギリシャ哲学の頂点に位置しているとみなされている。彼はソクラテスの弟子でありアリストテレスの師であった。若い頃、彼はソクラテスの熱狂的な崇拝者になり、その後、ソクラテスのことを現在われわれに知らせてくれる哲学的対話篇を書いた。彼自身の哲学の大部分はソクラテスの諸テーマを展開したものである。とりわけ、正義や勇気や憐れみのような概念の定義に関するソクラテスの探求を拡大して、これを実在の本性についての成熟した理論へと変えた。これが彼の〈イデア論〉あるいは〈形相（Form）の理論〉である。この理論において彼は完全な〈形相〉の領域の存在を想定している。その領域は永遠かつ不変であり、知性によって知ることができる。物質的対象から成る絶えず変化する世界はその模倣にすぎない。彼のもっとも有名な作品は『国家』である。この対話篇でソクラテスや他の人々は、正義の本性や、理想国家における正義の重要性や、そのような国家で統治者と市民に求められる性質などについて論じている。プラトンは豊かな才能に恵まれたきわめて多才な人であった。彼は散文の大家であるばかりか詩や戯曲の大家でもあったが、もし彼がそうすることを選んだならばアテナイの行政官や政治家としても名声をはせたことだろう。彼は、哲学的であると同時に文学的な鮮やかさで、**形而上学**、倫理学、**認識論**、政治学、心理学、数学、教育、神学そして芸術などにおける広い範囲の話題について書いた。

プラトンは、大きな動揺と変化の時期を迎えていた都市国家アテナイの貴族の家庭に生まれた。この都市国家は隣国スパルタと戦争状態にあると同時に、自国内においても重大な政治的、道徳的、社会的葛藤を経験していた。プラトンの親類たちは、当時の支配政党からの権力奪取に有力者として関与したが、ひとたび権力の座につくと、プラトン自身によれば、彼らが追放した人々よりもはるかに圧制的であることが明らかになった。彼らは自分たちの活動にソクラテスを関与させようとしたが、まさにそのことが、その後の政府によって彼が法廷に引き出されて監獄で死をむかえるという一連の出来事を誘発したのであった。これらの出来事を記載している手紙の中でプラトンは次のように記している。「こうした出来事の一部始終――そして他の似たような重要な事柄――を目の当たりにして、私はうんざりして当時の悪風から身を引いた」[★1]。

プラトンの生涯の詳細にはかなり不確かな所がある。伝記作家や自分の著作でプラトンに言及している人々の説明は、それぞれかなり異なっている。ソクラテスが死んだとき彼は三〇才くらいだった。その後すぐ、彼は他のソクラテスの後継者たちとともにエジプトに、そしてシシリーへと船旅をした。シシリーで彼はおそらくピュタゴラス学派の人々と議論をし、哲学的な事柄に関して深い影響を受けることになった。紀元前三八五年頃彼はアテナイにもどり、研究と教育指導のための自分の学校、アカデメイアを創立した。六〇歳代に彼は、若き支配者ディオニシオス二世を個人教授するために招かれて「シシリーの」シラクサイにもどった。しかし、プラトンはまたもや、自分がかなり厳しい政治的状況の間近かにいて危険な身であることがわかった。そうした状況をめぐって様々な陰謀が数年間続いた。ディオニシオスを個人教授するためのいくつもの企てはすべて失敗し、ついには、この圧制的な若き王を人間的にするために最初にプラトンを招いた人物、ディオンが暗殺された。紆余曲折が多くて事がうまく進まないこうしたエピソードの全体は、『国家』の著者にとっては苦い経験だったにちがいない。

プラトンの著作は大きく三つの主要なグループに分けられる。第一のグループは、主に道徳的卓越性の追求や勇気や敬虔といった徳や性質に関わる初期の対話篇から成っている。『国家』を含む二つ目のグループは、重要なプラトンの学説の展開を示している。〈形相の理論〉とそれに関係する認識論、そして人間の魂とその運命についてのプラトンの説明が、それである。著作の三つ目のグループは、幾分性格が異なっている。これに属する対話篇のいくつかは、論理的問題への関心や、〈分類〉と〈区分〉と呼ばれる**弁証法**という方法などへの関心を明らかにしている。弁証法というのは、様々な〈イデア〉ないし〈形相〉同士の関係が、〈徳〉のような広い一般性をもつ形相をその様々な下位区分へと分析することによってどのように解明されるのかを示すものである。対話篇のこのグループには、より技術的な趣をもつ作品であるとともにいっそう重々しい文体で書かれてもいる『法律』、『政治家』、『ピレボス』が属している。ではこのあたりで〈形相の理論〉と『国家』の有名な部分の主だった特徴を概観することにしよう。

〈形相の理論〉はプラトンの著作においては決して体系的には示されていない。その理論の提示、展開、批判的検討は、いくつもの対話篇に見られる。プラトンは、議論の中で、今日とは違って「心の眼で見られるもの」を意味する言葉ではなかったが、時としてギリシャ語の「イデア」という言葉を使ったり、また時として「形相」を意味する「エイドス」という言葉を使ったりしている。いずれの言葉も、動詞「イデイン」つまり「見ること」に関係している。注解者たちは、「イデア」も「エイドス」も「形(shape)」として解釈されると指摘してきた。完全なあるいは理想的な〈形相〉の世界が存在するという信念は、感覚的対象がつねに変化し不完全な本性をもつことを認め、少なくともいくつかのものに関しては、とりわけ円や三角形などの幾何学的図形については、完全な概念化が可能であることを実感できることから、生まれてきた。このような考察からプラトンは、非物体的で、永遠にして、どこまでも実在的な、完全なる〈形相〉の領域の実在を想定し、感覚によって知られる物質的対象の世界はその模倣であると考えた。ディオゲネス・ラエルティオスは、プラトンを回想しながら、次のような仕方でこれら二つの世界の差異を明らかにしている。

> プラトンは形相について語り、「テーブル性」や「カップ性」という言葉を使っていた。ディオゲネスは「プラトン、私にはテーブルとカップを見ることはできるが、テーブル性やカップ性を見ることはできない」と言った。プラトンは「その通り」と答えた。「君がテーブルやカップを見るためには目が必要で、君にはそれがある。君がテーブル性やカップ性を見るためには知性が必要で、君にはそれがない[★2]」。

プラトンは、知性で把握できる世界と感覚で把握できる世界の区別から、その後の『国家』という本の中で一連の**類比**あるいは例証という手段によって明らかにされる複雑な認識論を導き出した。すでに初期の著作においてプラトンは、ソクラテスという登場人物を通じて、国家の正しい統治者は〈善〉についての哲学的知識をもつものであると論じていた。ある有名なくだりで彼は次のように言う。

> 「哲学者が国家の王になるのでないかぎり、あるいは王や統治者と呼ばれる他の人々が真実かつ十分な哲学者になるのでないかぎり……国々にとって悪がやむことはないし、また人類にとっても同様である[★3]」。

そこで彼は、正しい統治者を生み出すことができるような教育を構想する。それは非常に厳格なものであり、ついには〈善〉の〈形相〉の知識にまでいたるものである。それは、感覚が幻覚にとらわれて影を本当の事物だと信じることもあれば個々の物質的事物を知覚することもあるような、ぼんやりして不完全な事物の把握から出発して、「理性的」推論によって達成されるより一般的な本性と概念についての高度で鮮明な理解へと上昇したあと、最終的には〈形相〉それ自身の直接的な**直観的知識**へと上昇していく、一連の上昇過程とみなされている。『国家』第六巻では、このような上昇の諸段階についての考え方が〈線分〉の類比によって示されている。まずわれわれは、四つの部分に分けるために印がつけられた垂直線を想定しなければならない。下の二つの部分は可視的世界を表し、上の二つの部分は叡知的世界を表している。一番下の部分はプラトンが「影と映像」と呼ぶものに関わり、その上の部分は「自然や人工物のたぐいのもの全体」[★4]に関わっている。叡知的世界の下の方の部分は可視的世界の対象についての「理性的」推論に関わっている。そして一番上の部分は、そのような「理性的」推論の結論を利用して、感覚的世界の対象に訴えることなしに第一原理を発見する。『国家』第七巻のプラトンの有名な〈洞窟〉の寓喩は、国家の統治者の教育だけではなくあらゆる人の知的発達にも関わるような仕方で、知識への上昇を生き生きと例示している。対話篇の中でソクラテスは、それぞれが、一ヵ所だけ光の入り口がある大きな洞窟の中に住んでいて、入り口の光に対していつも背中を向けているような状態で鎖に繋がれていると想像するよう、聞き手たちに頼む。洞窟の入り口から奥に通じる下り坂の途中の開けた所に火が燃えている。この火と囚人たちの間には人々が通る欄干のついた小道があり、人々はそこを通りながら言葉を交わしているが、彼らが頭に乗せて運んでいく様々な種類の雛形や人工物のような物しか欄干の上部からは見えないような具合に、人々の姿は欄干で隠されている。火のおかげでこれらの対象の影は洞窟の奥の壁の上に映し出され、外に目を向けることのできない鎖に繋がれた囚人たちはこの影を見ている。このような囚人たちは外の世界を一度も見たことがないのだから、影を見る生活と通行人の声の反響しか経験したことはなかっただろうと、ソクラテスは言う。それゆえ、彼らは影と反響音を現実とみなしていることだろう。

次にソクラテスは、一人の囚人が解放され、強制的にまず洞窟の入り口の方につれていかれ、ついで欄干の小道にそって動いている現実の対象を見せられて、さらに火を見せられたとすると何が起こるのかを考えてみるよう、聞き手たちに言う。「囚人は当惑して、今見せられている対象が以前に見たものほど真実ではないと考えないだろうか」★5と彼は述べる。囚人がそれらを以前見ていた影ほど真実ではないと考え、火の光が彼の目を痛め、そのため彼は洞窟の奥に戻ろうとするだろうという点で、聞き手たちの意見は一致する。しかし、さらにソクラテスは次のように考えてみるように促す。すなわち、解放された囚人が険しくごつごつした上り道をさらに太陽の光の中へと引きずりあげられたとしたら、彼はまったく目がくらんでしまい、最初のうちは夜、月と星の光のもとで対象を見つめることによって、あらゆるものを見るのに徐々に慣れていかなければならない。「そしてついには、彼は、太陽を見ることができ、その本性を観察することができるようになるだろう、水やその他の媒体に映されて現われるようにではなく、太陽それ自体をその場所においてあるがままに」とソクラテスは言う。★6

この寓喩はわかりやすい。光へと向かわせられた囚人は、影の実在性への信念から感覚的世界の個々の物質的対象についての信念ないし臆見へと歩みを進める。それから彼は、この感覚的世界の中へと押し込まれ、彼が発見するものについての「理性的」推論によってより高い段階にまで上昇し、それによって知識としての価値のある結論にまでいたる。ついに彼は、あらゆる照明の始源でもあり〈善〉そのものの象徴でもある太陽それ自身を見ることができるようになる。統治者あるいはソクラテスが名づける〈守護者〉のための教育過程の全体には、一五年かかる。そのすべての構成要素を結びつけている要は弁証法であり、それはプラトンにとって、ただ真理を明らかにすることだけを求め決して議論で打ち勝つことを意図することのないような、問いと答えによって行われる議論であった。『第七書簡』では次のように記されている。

> 名称や定義や視覚や他の感覚的知覚が詳細につきあわされ、妬みなしに問いと答えを使用してそれらを好意的な議論で吟味し、その後ついには個々のことについての理解が輝きだし、心は、人間の能力に許されるかぎりの力を発揮することで、光あふれるものになる。

〈形相の理論〉に対するアリストテレス自身ならびに彼の世代の異議申し立ては、アリストテレスが次のように書くとき簡潔に述べられている。すなわち、「ソクラテスはこの理論に……彼の定義によって……出発点を提供した。しかし、彼は個々の対象と定義を分離することはなかった。彼はそうしなかったという点で正しかった」★7。しかし、この理論に対するアリストテレスの異議申し立てにも関わらず、この理論とプラトン主義一般は深い影響を与えることになった。プラトンの死後数世紀たって、彼の哲学は**新プラトン主義**者と、とりわけプロティノス★8に引き継がれることになるが、プロティノスによって再編されたプラトンの思想は、数世紀にわたってプラトン主義の基盤となっていくのである。アウグスティヌスはプラトン的ないくつかのテーマを吸収し、それらのテーマは彼の著作を通じて長く生き残ることになった。一二、三世紀になっても、プラトンの著作の翻訳はまだ行われていたが、それらは、当時権勢をきわめていたアリストテレス主義の圧倒的な支配の影にかくれてしまっていた。ところが、一五世紀になると、**スコラ哲学**とアリストテレスへの反動の一部として、新プラトン主義の新しい波が押し寄せた。とりわけ、ギリシャ文化の徹底した研究が開始されて古代の輝きで満ちはじめていたイタリアにおいて、そうだった。コレットやエラスムスやトマス・モアのような人文主義者は、イギリスに新プラトン主義の観念をもち込み、それはベンジャミン・ウイッチコートやヘンリー・モアやラルフ・カドワースのようなケンブリッジ・プラトン学派たちの研究によって、さらに弾みがつけられることになった。

哲学と文化一般に対するプラトンの影響という点で肩を並べるのは、アリストテレスの影響だけである。両者の思想は、キリスト教神学だけではなく、われわれが世界について考えたり語ったりする仕方の多くに織り込まれている。

★注

1 Plato, *Epistle* Ⅶ.(『プラトン全集』第一四巻所収「書簡集」長坂公一訳、岩波書店、一〇九頁)
2 Diogenes Laertius, *The lives and opinions of eminent philosophers*, trans. C.D. Yonge (Bohn, London, 1853), vol. 1, Book Ⅲ.
3 Plato, *Republic*, 473 c 11.(『プラトン全集』第一一巻所収「国家」藤沢令夫訳、岩波書店、三九四頁)
4 Ibid., 510a 8.(同書、四八四~五頁)
5 Ibid., 515d 5.(同書、四九五頁)
6 Ibid., 516b 4.(同書、四九六頁)
7 Aristotle, Works, 13, 9, 1086 B 2.〔前掲『形而上学』(下)、岩波文庫、二二七頁〕
8 本書のプロティノスの項を参照、六七頁~。

本書の次の項を参照
アウグスティヌス、アリストテレス、ソクラテス、プロティノス、

プラトンの主な著作

・*Apology*（『ソクラテスの弁明』三嶋輝夫、田中享英訳、講談社学術文庫、一九九八年、久保勉訳、岩波文庫、一九六四年、『世界の大思想1』田中美知太郎訳、河出書房新社、一九六四年、『プラトン全集』第一巻、田中美知太郎訳、『世界の名著6・プラトンⅠ』田中美知太郎訳）
・*Crito*（『クリトン』『世界の大思想1』田中美知太郎訳、『プラトン全集』第一巻、田中美知太郎訳、『世界の名著6・プラトンⅠ』田中美知太郎訳）
・*Euthyphro*（『エウテュプロン』『プラトン全集』第一巻、今村万里子訳）
・*Laches*（『ラケス』『プラトン全集』第七巻、生島幹三訳）
・*Protavoras*（『プロタゴラス』藤沢令夫訳、岩波文庫、一九九八年、『プラトン全集』第八巻、藤沢令夫訳）
・*The Republic*（『国家』『世界の大思想1』山本光雄訳、『プラトン全集』第一一巻、藤沢令夫訳、『世界の名著6・プラトンⅡ』田中美知太郎、藤沢令夫、森進一、山野耕治訳、中央公論社、一九七一年）
・*Gorgias*（『ゴルギアス』『プラトン全集』第九巻、加来彰俊訳、『世界の名著6・プラトンⅠ』藤沢令夫訳、中央公論社、一九七一年）
・*Meno*（『メノン』『プラトン全集』第九巻、藤沢令夫訳）
・*Hippias I and II*（『ヒッピアス（大）』『ヒッピアス（小）』『プラトン全集』第一〇巻、北嶋美雪、戸塚七郎訳）
・*The Symposium*（『饗宴』久保勉訳、岩波文庫、一九六五年、『プラトン全集』第五巻、鈴木照雄訳、『世界の名著6・プラトンⅠ』鈴木照雄訳）
・*Phaedo*（『パイドン』岩田靖夫訳、岩波文庫、一九九八年、『プラトン全集』第一巻、松永雄二訳、『世界の名著6・プラトンⅠ』池田美恵訳）
・*Pheadrus*（『パイドロス』『プラトン全集』第五巻、藤沢令夫訳）
・*Theaetetus*（『テアイテトス』『プラトン全集』第二巻、田中美知太郎訳）
・*Parmenides*（『パルメニデス』『プラトン全集』第四巻、田中美知太郎訳）
・*Philebus*（『ピレボス』『プラトン全集』第四巻、田中美知太郎訳）

・*Laws*（『法律』『プラトン全集』第一三巻、森進一、池田美恵、加来彰俊訳）
一二巻から成る英訳のプラトンの『著作集』は、Loeb Classical Library（Heine-mann, London, 1921-9, repr. 1967）から出版されている。

参考文献

・Annas, J. *An introduction to Plato's Republic*（Clarendon Press, Oxford,1981）
・Guthrie, W.C.K. *History of Greek philosophy*（6 vols, Cambridge University Press, Cambridge. 1962-81）vol. III
・Huby, P.M. 'Socrates and Plato' in D.J. O'Connor（ed.）, *A critical history of Western philosophy*（The Free Press, New York, 1964; Macmillan, London, 1985）
・Irwin, T. *Plato's moral theory*（Clarendon Press, Oxford, 1977）
・Raven, J.E. *Plato's thought in the making*（Cambridge University Press, Cambridge, 1965）
・Rowe, C. *Plato*（Harvester Press, Brighton, 1986）
・Strauss, L. *Studies in Platonic political philosophy*（University of Chicago Press, Chicago, 1983）

アリストテレス

Aristotle
384–322 BC

アリストテレスは今から二千五百年ほど前に生まれて活躍した人であるが、彼の思想は、プラトンのそれと同様に依然として西洋文化の重要で本質的な部分となっている。彼はプラトンの生徒ではあったが無批判的な弟子ではなかった。彼は、客観的な知識の全体を自分の研究領域とし、個々の学問の輪郭を体系的に描き出して解説するという企てを行った。彼はまた、彼が〈第一哲学〉と呼ぶものについて説明した。それは、存在についての学であるが、存在そのものを扱うところからあらゆる個別的な学問の根底にあるとも考えられるため、第一のものとされるのである。彼は、論理学、自然学、博物誌、心理学、政治学、倫理学そして芸術について広範囲にわたって、論述した。彼が教えるために準備した論文と講義ノートは現存しており、およそ一二巻におさめられている。それらはかなり厳格な学問的体裁で書かれている。残念なことに、一般向けに書かれた本や対話篇は失われてしまったが、それらを読んだ人々の指摘からそれらが文学的スタイルをもち、キケロによればきわめて賞賛に値する「すばらしい雄弁」を備えていたことがわかる。

アリストテレスは、北ギリシャのスタゲイラで生まれた。一八才の時プラトンのアカデメイアに入り、紀元前三四七年にプラトンが死ぬまでそこにとどまった。その後、彼は小アジアのアッソスに向かい、次の五年間を小さな学者集団とともに哲学的、生物学的問題を研究し、この時の最後の二年間をレスボス島のミティレネで過ごした。紀元前三四二年、彼は、後にアレキサンダー大王となる少年の個人教授をするために招かれてマケドニアに戻る。紀元前三三五年マケドニアを離れてアテナイに帰り自分の学校リュケイオンを設立し、彼はそこで一二年間教えた。紀元前三二三年にアレキサンダー大王が亡くなると、アテナイには強い反マケドニア感情が起こり、アリストテレスはマケドニアと縁故が深いことを理由に敵意の対象となった。彼は不敬不信の罪で告発されたが、ソクラテスの運命を知っている彼は、アテナイ市民に「哲学に対する罪を再び犯させ」ないためにアテナイを去り、カルキスに向かったと言われている。彼は、一年後六二才でカルキスで死んだ。

アリストテレスは、一九世紀までの論理学研究の基礎となった論理学体系を作り上げた。彼は、論理学を、あらゆる種類の研究と知識の獲得のための一種の一般的な道具とみなした。論理学について彼が書いたものは『オルガノン』として知られているが、それは器具や道具を意味している。彼の論理学の中心的な特徴は三段論法であり、それは「ある事が述べられて、その述べられた事とは別の事が、その述べられた事から必然的に出てくるような言説」と定義される。三段論法のもっとも有用な形式は三つの命題から成り、そのうちの二つは**論証**の前提であり、一つはその結論である。典型的な三段論法は次のように進む。

すべての人間は死すべきものである。
ソクラテスは人間である。
ゆえに、ソクラテスは死すべきものである。

三段論法における前提が真でありその形式ないし型に**妥当性**があるならば、三段論法の結論は真でありまた真でなければならない。真なる前提を有する妥当な三段論法は、それゆえ、その結論で述べられていることの証拠となっている。今の事例は、アリストテレスの論理学でもっとも多く使われる三段論法と命題の形式を示しているが、他の形式もある。アリストテレスは、十のカテゴリーないし範疇を掲げている。それらは、命題の主語、たとえば今の三段論法の最初の前提の「すべての人間」が、その述語、たとえば同じ前提の「死すべきものである」に関係する十の異なった仕方である。「すべての人間は死すべきものである」という命題は〈性質のカテゴリー〉に属する。なぜなら、それは「すべての人間」がどのようなものかを、すなわち「死すべきもの」ということを述べているからである。「ソクラテスは人間である」という命題は、〈実体のカテゴリー〉に属する。なぜなら、それはソクラテスが何であるかを述べているからである。他のカテゴリーには、〈分量〉〈関係〉〈場所〉〈時間〉〈所有［付属］〉〈状態〉〈能動〉そして〈受動〉がある。

アリストテレスの論理学について非常によく議論されてきた問題は、その主題は何なのかという問題である。アリストテレスは思考過程を記述しているのだろうか、言語の文法的な分析を行っているのだろうか、現実に存在する事物同士の関係の理論を提示しているのだろうか。ある注解者は、彼のやっていることはこれら三つの混合物であると考えている。これについての論争は、論理学の本性と発達を理解したいと願う人なら誰にとっても注目に値するおもしろい論争である。

アリストテレスの〈第一哲学〉の主たる関心は実体にある。彼は次のように書いている。

自然によって作られた実体以外何ら他の実体がないのだとすれば、自然を対象とする学が第一の学となるだろう。しかし、もしも不動の実体があるのだとすれば、この実体についての学がより先なるものでなければならないし、第一哲学でなければならないし、かくして第一であるがゆえに普遍的でもなければならないことになる。そして、存在としての存在を考察すること——存在が何であるかということと、存在としての存在に属するものとしての属性との両方を考察すること——は、第一哲学の仕事になるだろう。★1

実体とは、その最初の意味においては、様々な性質を担いまた支えるもののことである。それは、述語が帰せられるもののことである。第二の意味において実体とは、〈カテゴリー表〉の実体がそうであるように、特定の種類（*kinds*）の実体を指している。「ソクラテスは人間である」と主張することは、ソクラテスがある種類の実体である、すなわち人という種類（man*kind*）の実体であると言うことである。アリストテレスは、〈質料〉と〈形相〉、〈可能態〉と〈現実態〉という二つの概念対を駆使し、また〈四原因〉説を展開することによって、自らの分析を押し進めている。彼によれば、どんな個物も〈質料〉と〈形相〉という二つの側面をもっている。個物としての木製のテーブルを考えると、その質料である木が一つの側面であり、その形相、つまりは木をテーブルたらしめている構造が、もう一つの側面である。このような区別は相対的である。というのも、テーブルとの関係では質料とみなされる木も、アリストテレスの自然学ではさらに土、空気、火、水へと分析されるさらにいっそう基本的な構成要素から見れば、すでに木として「形を与えられている（formed）」からである。アリストテレスは、これら四つの原質が最終的には質料そのものといったものに還元できると仮定することを許さない。彼は四つの原質を〈質料〉のもっとも基本的な形態とみなしており、始源的で等質的な一つの〈質料〉という概念など思考の創作だとみなしている。

〈質料〉に〈形相〉が課せられるという事態を時間的過程と考えるならば、アリストテレスの用語の対のもう一方、つまりは〈可能態〉と〈現実態〉の対に照らしてこの事態を考えることができる。たとえば、タンポポという植物が種から成長するときの、〈質料〉と〈形相〉の関わり合いの過程を考えてみよう。アリストテレスにとって、タンポポは、その種《たね》が可能的にそれであるところのものの現実態である。これは、樫の木が現実的にそれであるところのものの可能態がドングリであるのと同じである。このような観点に四原因説を付け加えるならば、アリストテレスの実在の本性についての哲学的説明の枠組みと、どうして秩序ある変化が世界の中で起こるのかという問題に対する彼の解答が手に入る。彼は、何ものかが現にあるところのものであるのはなぜなのか、またそれはどのようにしてであるのかを共に説明する、四種類の〈原因〉について詳細に述べている。その四つの原因とは、それを構成している質料である〈質料因〉、その展開を規定している型ないしは法則である〈形相因〉、その過程の動因ないしはその動きを引き起こすものである〈動力因〉、その目的ないしは結果である〈目的因〉である。ふたたびタンポポを考えると、その〈質料因〉はその種であり、〈形相因〉はタンポポ独自の成長の法則ないしはその型であり、〈動力因〉は種を生み出した親の植物であり、〈目的因〉は成熟したタンポポに特徴的な完全な状態である。アリストテレスによって使用され「原因」と訳されるギリシャ語のアイティア（*aitia*）が、今日この言葉に与えられているのと厳密に同じ意味をもっているわけではないことを理解しておくのは、重要である。アイティアというギリシャ語は何かに対して「責任のあるもの」を指しており、したがって今日の「原因」という言葉より広い意味をもっているからだ。この言葉は、〈四つの原因〉の異なった意味を包含できるものなのである。

　知識についてのアリストテレスの見解は、プラトンの見解と関係づけることによって何よりもよく理解される。プラトンは、信念や臆見とは区別される知識は実在的で不変にして永遠なものについてだけ可能であり、感覚によって把握される世界はつねに変化しているため［本当の意味で］知られることはできず、それゆえ知識は、〈イデア〉ないしは**〈形相〉**の非感覚的で知性によって把握される世界についてのみ可能なのだと論じていた。この場合、数学的知識が模範的事例となる。というのも、完全な三角形や完全な円は概念や定義として知性に知られるのであり、感覚の対象にはなりえないからである。★2

　アリストテレスも、プラトンと同様に、究極的実在は知ることができ、知ることができるものは不変だと主張しようとした。だが彼は、プラトンの〈形相〉説には強く反論し、それ自体で存在する完全に実在的な世界が、つまりは知的に把握可能な〈形相〉ないしは〈イデア〉の世界が存在するのだという主張を退けている。彼によれば、個々の物質的事物の**本質**がその事物とは別個に存在することはなく、物質的事物の存在が〈形相〉の存在によって説明される必要はない。彼がプラトンの見解に対して行う一つの重要な反論は、もしもある対象の本質がその対象とは別の何かであることを許容すると、その本質も、それとは別の本質をもつと言われうるような何かだということになり、それが無限につづくというものである。しかしながら、実在についての知識はいかにして可能であるかについてのアリストテレスの見解はあまり説得的ではなく、プラトンの見解と似ていなくもないと指摘されることがある。彼は、学問上のすべての命題は**必然的**にまた普遍的に真であり、したがって、必然的に真である前提から演繹されると信じていた。しかし、このことはただちに無限退行の問題を引き起こす。というのも、必然的に真である前提はその必然的真理性の証拠のようなものを必要とするだろうし、その証拠もまた同様であろうからである。それゆえ、アリストテレスは、『分析論後書』の中で、われわれはどのようにして学の「直接的な第一前提」を知ることができるのかという問題について反省を加えている。アリストテレスによれば、物についての感覚的経験は、それが幾度も繰り返されると、ついには心の中に**普遍的**なものが形成されるようになり、その普遍的なものはそのようなものとして知性によって認知されるところとなる。そうなると、アリストテレスにとって実在についての知識は、自分の下す結論の正しさについては**直観的知識**によって確実さという印が与えられる一つの**帰納的**過程によって達成されるもののように思われる。この点でとりわけ注目すべきことは、普遍的なものが、個物から区別されるとみなされていないとはいえ、アリストテレスの認識論の中でもプラトンの認識論の〈形相〉や〈イデア〉の役割とほぼ同じ役割を演じているという点である。

アリストテレスの神の概念は、合理的なキリスト教哲学と神学のその後の発展に重大な影響を及ぼしたが、それはまた、理性と知性に対する彼ならびにギリシャ人一般の崇拝とも整合性をもつものである。アリストテレスは『自然学』の中で次のように論じている。あらゆるものは運動状態にあり、運動の始まりと終わりを考えることは不可能である。それゆえ、永遠なる運動を生み出す永遠の動者が存在しなければならず、この動者はそれ自身不動でなければならない。なぜなら、もしもそうでなければ、それを動かす動者が探し求められなければならなくなるからである。

それゆえ、神は〈不動の動者〉である。神は永遠で非物質的で不変にして完全である。神は、可能態なき現実態でなければならない。というのも、可能態は変化を含み完全ではないからである。〈不動の動者〉はまた〈人格〉である。なぜなら、知性は人格であることの本質だからである。だが、神の思惟は思惟そのものであり、神は万物についての完全な知識をもつことで至高の幸福を感じている。アリストテレスの神は、何らかの物理的な方法で万物の運動を生み出すのではなく、自らが宇宙の〈目的因〉であることによって万物がそれに向かって動くような、究極的な善であることによって、万物を動かす。自存し永遠で知的である〈不動の動者〉というこの概念こそが、何世紀も後アウグスティヌスやトマス・アクィナス、ドゥンス・スコトゥスやオッカムのウィリアムのような思想家によって、被造物との交流への意志と能力だけではなく受肉への意志と能力をもそなえた愛の神という、キリスト教の神の考え方と、調和させられなければならなかったものである。

アリストテレスの魂についての学説は、二、三の重要な点で明確ではないが、彼の同時代人にとってと同様に現代の読者にとっても魅力的である。プラトンは魂と身体は別々の存在であり、魂は不死で一時的に身体にとどまっていると教えていた。アリストテレスは、人間を統一的存在であり自然の一部であると考えていた。彼にとってプシュケー（*psyche*）すなわち魂は、身体に存在する活力である。彼はそれを「身体の形相」として、「自らのうちに可能的に生命をもつ自然的身体の、第一段階の現実態」として語っている。魂は、身体の〈動力因〉であり〈形相因〉であり〈目的因〉であり、身体が死ねば後に残るようなものではない。彼は身体と魂の一体性についての疑いを意味のないものとして退け、次のように言う。「封蠟と、印形によって与えられた押型とが一つであるかどうかを問うのは意味がない」★3。彼によれば、魂の植物的側面が生物の植物的活動に相当する。さらに感覚をもつ生物には魂の感覚的な側面があり、人間の場合には「魂がそれによって知りかつ考える、魂の部分」である理性がある。しかし、魂の植物的側面と感覚的側面には魂の活動の身体的等価物ないしはその発現が存在するのに、理性の場合にはそのような発現は存在しない。理性は「それが考える以前には実際のところ実在するいかなるものでもない」とアリストテレスは主張する。すなわち、われわれは、思考を理性に形相を課すものとして、理性に「形を与えるもの（in-forming）」として考えなければならないのである。彼は受動的理性と能動的理性を区別する。理性は、受容しているとき、つまりは思考によって形を与えられているときには受動的であるが、能動的、産出的でもあることができる。このような能動性についてアリストテレスは次のように言う。「これは光のようなある種の積極的な状態である。というのも、ある意味で光は可能的な色を現実的な色にするからである。このような意味での〈理性〉は独立的で、横断不能で、混じり気のないものである」。[★4]

アリストテレスは、こうして、属性においてほとんど神的とも言える魂のある側面の存在を想定することになった。注解者たちは、彼はそうすることによって自分の通常の常識的で経験的な研究方法から逸脱したのだとか、彼は初期に教育を受けたプラトン主義から完全に自由にはなれなかったのだなどと指摘してきた。しかし、一貫性に欠ける分析とか独自の思想の欠如などと見られてきた事柄については、また別の考え方もある。アリストテレスは、人間は魂と身体のある種の不安定な協力関係を包含しているのだとするプラトンの厳密な二元論的説明を受け入れることはできなかった。また一方で、彼自身の研究方法の多くからも示唆されているような、人間の心的能力を身体的・感覚的なものに完全に同化させる見通しにも満足してはいなかった。そこで彼は、整合性と包括性のためにわかりやすい物理主義（physicalism）を提起したのかもしれないのだが、実際は、人間が自分自身の本性についてもつ複雑で謎めいた観念に神経質なほど忠実でありつづけたのである。彼が扱おうとした哲学的問題は身体と心の関係に関わる問題であるが、これは依然としてわれわれにも関係がある。

アリストテレスが行った研究の範囲は広大である。それは、惑星の図解から魚の分類にまで、風や海や天候の研究から悲劇の分析にまで、道徳や政治から幾何学や数にまで及ぶ。アリストテレスの影響は計り知れない。彼の死後弟子のテオフラストスが彼の後を継いでリュケイオンの学頭になり、ただちにアリストテレスの主要な学説を広めはじめた。紀元後三世紀にはプロティノスが自ら欲していたものをアリストテレスの教えから受け取り、〈新プラトン主義〉というかたちでそれを具体化した。中世になると、アリストテレスの論理学がヨーロッパで入念に研究されたが、彼の研究に対して新たにそして強力に関心が高まっていったのは、イスラム教徒による幾多の注解のついたアラビア語版がラテン語にうつされた一三世紀になってからであった。当時トマス・アクィナスが、アリストテレスの思想を真っ先に普及させた人物だった。彼はアリストテレスの思想に対してまったく眼力鋭い学術的な扱いをした。また、堅実さに欠け、自分自身の目的のためにアリストテレスの思想を自分に合うように変えたりゆがめたりする人たちもいれば、時としてアリストテレスのものとはわからぬくらいその思想を一変させるような人たちもいた。物理科学が発達し計測機器がよりすぐれたものになるにつれて、アリストテレスの科学的考察の多くには欠点があることが明らかになり、一六世紀以後は彼の天文学や他の諸学は徐々にその信用を失っていった。とはいえ、彼の哲学の影響力や、彼の**形而上学**、論理学、政治学、倫理学そして美学の影響力は依然として減じることはなかった。彼は一八世紀に入っても「哲学者」という名で広く知られていたのである。

★注

1 Aristotle, *Metaphysics*, VI, 1, 1026a 27ff.（『形而上学』（上）出隆訳、岩波文庫、二一七〜八）
2 本書のプラトンの項を参照、五〇頁〜。
3 Aristotle, *De anima*; 412 B6.（『アリストテレス全集』第六巻所収「霊魂論」山本光雄訳、岩波書店、一九八八年、四〇頁）
4 Ibid., 430a 14-25.（同書、一〇二頁）

本書の次の項を参照
アウグスティヌス、アクィナス、オッカム、ガリレオ、ドゥンス・スコトゥス、プラトン、プロティノス、ホッブズ

アリストテレスの主な著作

・*Organon*（Logic）（『カテゴリー論』『命題論』『分析論前書』『分析論後書』『トピカ』『詭弁論駁論』『アリストテレス全集』第一巻、第二巻、山本光雄、井上忠、加藤信郎、村治能就、宮内璋訳、岩波書店、一九八七）
・*De anima*（on the soul）（『霊魂論』『アリストテレス全集』第六巻、山本光雄訳、『世界の大思想2』村治能就訳、河出書房新社、一九六六年）
・*Metaphysics*（『形而上学』上下巻、出隆訳、岩波文庫、一九七六年、岩崎勉訳、講談社学術文庫、一九九四年、『世界の名著8・アリストテレス』川田殖、松永雄二訳、中央公論社、一九七九年、『アリストテレス全集』第一二巻、出隆訳）
・*Nicomachean ethics*（『ニコマコス倫理学』高田三郎訳、岩波文庫、『世界の大思想2』高田三郎訳、『アリストテレス

全集』第一三巻、加藤信郎訳）

- *Eudemian ethics*（『エウデモス倫理学』『世界の名著8・アリストテレス』加来彰俊訳、『アリストテレス全集』第一四巻、茂手木元蔵訳）
- *Politics*（『政治学』山本光雄訳、岩波文庫、一九六一年、『世界の名著8・アリストテレス』田中美知太郎、『アリストテレス全集』第一五巻、山本光雄訳）
- *The art of poetry*（『詩学』『世界の名著8・アリストテレス』藤沢令夫訳、『アリストテレス全集』第一七巻、今道友信訳）

英訳のついたアリストテレスの作品は、the Loeb Clssical Library（Heinemann, London. 1926-65）において出版された。彼の著作は、W.D. Ross の編集で出版されている *The works of Aristotle translated into English*（12 vols, Oxford University Press, Oxford, 1008-52）。

参考文献

- Ackrill, J.L. *Aristotle the philosopher*（Oxford University Press, Oxford, 1981）
- Barnes, J. *Aristotle*（Past Masters, Oxford University Press, Oxford, 1983）
- Heath, T.L. *Mathematics in Aristotle*（Clarendon Press, Oxford, 1949）
- O'Connor, D.J. 'Aristotle' in D.J. O'Connor（ed.）, *A critical history of Western philosophy*（The Free Press, New York, 1964; Macmillan, London, 1985）
- Taylor, A.E. *Aristotle*（Dover Publications, distr. Constable, London, 1965）
- ——*Aristotle on his predecessors*（Open Court, La Salle, III., 1977）

プロティノス

Plotinus
205–270 AD

プロティノスの哲学はプラトンの哲学をその出発点としている。彼は、紀元後の最初の四世紀に活躍し一般に**新プラトン主義**者として知られている哲学者集団の中の主要な人物である。彼はエジプトで生まれ、アレキサンドリアで学び、ローマで教鞭をとった。とくにローマでは、哲学好きであった皇帝ガリエヌスに寵愛された。

プロティノスの著作は無秩序で理解するのが困難だった。彼の死後、それらは彼の弟子にして生徒であるポルピュリオスによって編纂され、それぞれが九つの部分をもつ六つの論文グループからなる『エンネアデス』へと整理された。ポルピュリオスはまた、プロティノスの研究を、ポルピュリオスがプロティノスの生徒になる以前、生徒だった時代、そしてそれより後という三つの時期に分類し、『エンネアデス』の配列とは別に、論文をそれら三つの時期に適切に割り当てている。ポルピュリオスが厳密に年代順に紹介しているかどうかはまったく定かではない。プロティノスは、自分のアイディアを考え直してそれをかなり手当たり次第に展開しては、自分のアイディアの間を行きつ戻りつする傾向がある。しかし、彼が行うことはみな、きちんと組織された一つの**形而上学**的体系となっていくものに貢献している。この形而上学的体系の支配的なテーマは、〈一者〉、〈叡知的原理［ヌース］〉、〈魂〉である。魂は彼の哲学において中心に位置している。この概念を通じて、実在の内部での人間の地位と活動範囲を全体として描きあげることができる。

プロティノスの体系において、究極的な実在は〈一者〉である。それは名状しがたく言語を絶したものであり、「実在を越えて」はいるがその始源であるような、究極的な知られ得ぬものである。実在の位階においては〈一者〉の下に〈叡知的原理〉がある。この叡知的原理は、あらゆる可知的な〈**形相**〉と〈思惟〉それ自身を包括している。〈叡知的原理〉は、順序としては〈魂〉の上に立つが、にもかかわらず〈魂〉は〈叡知的原理〉の〈形相〉を観照してそれを知るようになる能力をそなえている。プロティノスは、「魂」という言葉を宇宙の魂と個人の魂の両方を指すのに使っている。魂はそれが住んでいる身体と密接に関係づけられているが、身体より優れている。それは感覚や知覚や知識を担い引き受けている。プラトンの場合と同様に、魂は身体の舵手ないし案内人である。魂に従う身体は、実在のより高い要素との調和を達成し、全体としての実在との合一状態へと近づく。身体に支配された魂は、注目することを求める個々の物理的なものたちの中に分散するようになるにつれて、その統一性を失っていく。

　プラトンと同様にプロティノスにとって、〈一者〉は〈善〉でもある。人間の徳とその追求は、一般に、より高い段階の実在を観照してそれを分有することにある。目的は叡知的な状態に向かうことであり、その状態において魂は

> 母として、乳母として、本当の存在として、栄養として、〈真理〉を所有する。魂は万物を見るが、生まれ死ぬものではなく、本当の存在をもつものを見る。魂は他者において自分自身を見る。魂にとって、万物は透明であり、暗いもの、見通せないものは何もない。★1

究極的な神秘的状態は善悪を越えている。この状態において、個別化の感覚、つまりは対象を観照している主体であるという感覚は、すっかり消え失せる。「視覚は見られている対象と混然となり、対象以前にあったものが彼にとって見ている状態になり、彼はそれ以外のすべてを忘却する」★2とプロティノスは語っている。

　あらゆるものが究極的には〈一者〉なのだから、プロティノスは悪の存在を説明するという問題に当然直面することになる。彼は、変化と多様性と数多性を、〈一者〉の輝かしい明るさが徐々に減じてバラバラな重さの物質へと向から漸減化に等しいものとみなすことによって、これを説明する。この漸減化には完全なものからあまり完全でないものへの弱まりが伴っている。彼によれば、このような漸減化は必然的である。なぜならそれは、〈一者〉の最善の表現であり、またそのもっとも十分な表現だからである。したがって、全体として見れば、実在は、その個々の部分にはあまり完全ではないものがあるとはいえ、最善の可能的世界なのである。そのうえ彼の主張では、全体的な統一性の内部では、あまり完全でないものがそれに固有の最良の状態を実現することがつねに可能である。たとえば、質料は、低い地位に属しているとはいえ、より高い段階から

〈形相〉を受け取るために必要な素材であり、〈形相〉の適切な具体化は魂をより高次な領域に高めるのに有効である。[★3]

プラトンやアリストテレスや他の幾多の哲学者たちと同様に、プロティノスは、われわれの感覚的で肉体的な本性を克服して、根底に存する実在について、観照的で叡知的な理解を育むことが、人間のもっとも高次な状態だと考えている。このことから、プロティノスは日々日常的に経験される世界を拒んでいると結論づける注解者もいる。しかし、そのような拒絶は彼の哲学と合致しない。彼は、たしかにより高い段階の理解へと上昇するように努める修練を説いている。しかし、彼によれば、より低い段階はより高い〈形相〉の適切な例示の場となることができるわけだし、またそれは、より高い可能性への接近手段を垣間見させてくれるばかりか、そのどれもが全体の秩序づけられた位階のうちにうまく納まるような、それぞれに独自な審美的経験を与えてもくれるからである。とはいえ、プラトンが最高の洞察に到達した哲学者に、低い段階で依然としてもがいている人々のもとに立ち戻り希望を育まなければならないという道徳的責務を課しているのに対して、プロティノスは究極的で神秘的な仕方で〈一者〉を分有するためのあらゆる努力を求めているにすぎない。純粋な存在へのこのような脱我的な没入の手段は、〈形相〉を叡知的に知ることと、〈形相〉をあらゆるかたちで審美的に分有することである。彼は、神秘的な観照の状態を、本を読むのに夢中になっているためもはや読んでいることさえ気づかなくなっている人の完全な没頭状態にたとえている。このような状態では、意識全体は、知る主体と知られる対象の懸隔がもはや存在しないほど観照の対象にとりつかれている。プロティノスはこれをもって欲望が充足される状態とみなしたのである。

★注

1 Plotinus, Enneads, V, 8 [31] 4.(『プロティノス全集』第三巻「エネアデス5」田中美知太郎監修、中央公論社、五三二頁)

2 Ibid., III, 8 [30] 8.『プロティノス全集』第二巻「エネアデス3」四四一～二頁)

3 プロティノスの〈形相〉についての考え方は、プラトンのそれと似ているが同じではない。たとえば、プロティノスは個物の形相が存在すると考えていたが、プラトンはそうは考えなかった。

本書の次の項を参照
プラトン

プロティノスの著作

すべてのプロティノスの作品は紀元後二五三年から二六七年の間に書かれた。そのうちポルピュリオスが『エンネアデス』として整理したものだけが残存している。

- Plotinus: *The Enneads*, ed. S. MacKenna and B.S. Page, 3rd edn (Faber and Faber, London, 1962)（『プロチノス全集』全五巻、田中美知太郎監修、中央公論社、一九八六～八年）

抜粋としては、*The essential Plotinus*, trans. E. O'Brien (Hackett, Indianapolis, Indiana, 1964) を見よ。（『世界の名著・2』「プロティノス／ポルピュリオス／プロクロス」田中美知太郎、水地宗明、田之頭安彦訳、中央公論社、一九七六年）

参考文献

- Brehier, E. *The philosophy of Plotinus*, trans. J. Thomas (University of Chicago Press, Chicago, 1958)
- Merlan, P. 'Plotinus' in P. Edwards (ed.), *Encyclopaedia of philosophy* (Collier-Macmillan, London and New York, 1964)

ヒッポのアウグスティヌス

Augustine of Hippo
354–430 AD

アウグスティヌスは、信仰と理性を結びつけようとするキリスト教哲学を説いた。彼によれば、「理解することは信仰へのご褒美である。それゆえ、信じるために理解しようとするのではなく、理解するために信じようとしなければならない」[★1]。したがって信仰は、キリスト教哲学の必須条件とみなされるという点で、彼にとって第一のものであった。しかし、彼によれば、信仰だけでは一種の盲目的な同意にすぎない。それは理性によって強化され理解可能なものとされる必要がある。彼のもっとも有名な著作は『告白』と『神の国』である。『告白』では、彼の若き日の生活と悔恨と回心について書かれ、また時間と、世界における悪の存在をめぐる問題などが論じられている。『神の国』の主たるテーマは、人間の意志、神学と理性の関係、そして、一方は自己愛によって他方は神への愛によって形成される二つの「国」への歴史の分離である。彼の成熟した思想は、プラトンと**新プラトン主義**の影響に多くを負っている。

アウグスティヌスは、ローマ帝国が異民族の侵入によって滅ぼされつつあるとき、北アフリカのタガステに生まれた。彼の母親モニカはキリスト教徒だったが、父親はそうではなかった。アウグスティヌスはカルタゴで教育を受け、その地で数年間教え、ローマそしてミラノへと移って行った。カルタゴでは、『告白』によれば、「様々な情欲のままに、そそのかされてはそそのかしだまされてはだます」[★2]という放蕩生活を送っていた。しかし、それと同時に、真理と宗教的理解への倦むことのない願望も経験していた。しばらくの間彼はマニ教を信奉した。マニ教とは、人間の生は善と悪の間の闘争であり、神と物質の闘争なのだと主張して、悪の力から逃れるために禁欲生活をすすめる宗教教義である。しかし、マニ教は彼を満足させなかった。彼は、真理の探究をつづけるうちに新プラトン主義の哲学をも包括するような形態のキリスト教に接するようになると、キリスト教教会に入ることを決心した。彼は北アフリカにもどって修道院で二年間過ごした後、聖職者に任命されてヒッポの司教ヴァレリウスの補佐になり、ついにはヴァレリウスの後継者として司教の地位についた。その後四三〇年に死をむかえるまで、自らの義務を遂行しながら聖職者たちとともに生き、説教し、ものを書き、旅をした。

アウグスティヌスは、神学のために哲学を使った。彼は、プラトンの思想と新プラトン主義の思想を取り入れて、それらを自分の研究方法に適合する形に変えた。彼は、プラトンと同様に魂を身体に住みついてそれを動かすものと考えた。彼によれば、「われわれが見るかぎり、人間は死すべき物質的身体を利用する理性的魂である」[★3]。それに対して、人間が存在するようになったときに神がそれぞれの魂を創造するのだというキリスト教徒としての確信から、魂が人間の身体に住んでいる間は本当の故郷から離れた流浪の状態にあるのだというプラトンの見解は認めることができなかった。彼の主張するところでは、あらゆる知識は理性的魂の所産であるが、知識には二種類の対象がある。感覚の対象と、感覚的経験とは独立に知られる対象である。後者は「心それ自身を通して」知覚される。感覚的知識の場合、心は身体の感覚を道具として使うのだから、知覚は根本的に心の働きだと彼は考える。というのも彼によれば、もっとも知的段階の高い心は、感覚を通じて知られるようになる情報を判断し解釈することができるからである。感覚を通じてではなく心それ自身を通して知られる対象は、直接的に、したがってより明確にまたより容易に知られるのであり、このような対象の直接的な理解は、視覚と似ている。「理性は心の目であり、心は身体の媒介なしにそれ自身を通して真理を知覚する」[★4]と彼は述べている。心はどのようにして知り、また理解するのかをめぐるこのような理論全体には、プラトン主義の香りが漂っている。プラトンにとってと同様アウグスティヌスにとっても、もっとも高い知的活動は、心が照明されること（illumination）と、すべての人間の心に潜むある種の究極的で永遠の真理を認識することとに帰着する。彼の主張では、このような真理は、事態がどうあるべきかを判断する際の基準をわれわれに与えてくれる。それを把握すれば、「われわれは、われわれ自身の存在や活動を——それが、われわれ自身の内なる活動であると外のものごとへの活動であるとを問わず——真理と正しい理性の規則にしたがって支配している型を、心の知覚によって眺めることになるのである」[★5]。これらすべての点から見て、彼は人間を統一体として確立しようと努力しているように思われるが、しかし一方で彼は、自分の思想のために取り入れたプラトン主義の枠組みがそのような統一体を退けているという点には気づいていない。

　アウグスティヌスは、人間の本性を考察するとき、それが極端に複雑であることを理解している。彼の中心的な関心は、道徳生活にあり、また神が人類を創造した目的である幸福を、知恵の探求とされる哲学はどう守っていけるのかという点にある。いつものように彼は、宗教教義から、啓示の信念から、神による恩寵の恵みと万物における神の臨在から、出発する。彼は、自らの自然的性向を単に充足させるだけの非-理性的存在と、一連の自然的性向だけではなくどの性向に従いどの性向を抑制すべきかを選択する能力をも備えているという点で二元的な本性を有する理性的存在とを、本性上区別している。彼は「愛」という言葉を使って、自由に選ばれた行動を含む、行動と情念の双方にわれわれを駆り立てる人間の衝動すべてを表している。自由な選択の結果として充足された「愛」だけが賞賛されたり責められたりするものでありうるのであり、有徳な生活とは、人が様々な「愛」の真価を見定めて、それらを正しく配することができるような生活のことである。そのような愛の真価は、人が人間の心に潜むもろもろの真理を知るに至ったときに理解される。なぜなら、それらの真理は神の法の基盤だからである。神の法についてアウグスティヌスは次のように言っている。

> ［神の法は、］神のうちではつねに不動のまま変化することなくとどまっているが、それは賢者たちの魂の中に写しとられている。そのため賢者たちは、それを心によって観照して自らの生活の中に完全に保てば保つほど、自分の生活がますますよいものになり、ますます崇高さを増すことに気づくのである。★6

神の法を理解してこれを実施するのは、哲学的知恵の成せる業である。

　アウグスティヌスの考えでは、悪は、存在するすべてのものを創造した神に帰せられるものではまったくない。それは存在の欠如、充実した存在の欠乏である。悪を存在の欠乏ないしは否定だと語ることは、全き善である神によって創造された世界にどうして悪が存在しうるのかという問いに、一つの答えを与えてくれる。それはまた、悪が物質から生み出されたというマニ教の主張に対する強力な反論をも提供してくれる。アウグスティヌスの考えでは、悪は、様々な「愛」の中から選択することのできる人間の自由意志の能力から生まれてくる。だからアダムが選択に際してはじめて罪を犯したのだ。人類はその後アダムの罪の重荷を負い、その贖いのためにキリストのとりなしを求めることになったのである。

アウグスティヌスの時間の本性についての哲学的反省は、哲学的関心の不朽の対象になっている。『告白』［第一一巻］一九章の有名なくだりで、彼は次のように述べている。「時間とは何か。誰も私にそれをたずねなければ、私はそれが何であるかを知っているのに、たずねられていざ説明しようとすると、私にはそれが何であるかが分からなくなってしまうのだ」。彼は、時間とは何であるかを説明しようとすると、**逆説**を生み出してしまうことがわかったのである。たとえば、彼は次のように論じる。われわれは多くの仕方で時間を測るのだが、もしわれわれが時間の本性について注意深く考えるなら、時間は測ることができるものではないように思われる。なぜなら、過去の時はそれがひとたび過ぎ去れば存在しないし、未来の時はまだ来ないのだから存在しないし、現在の時はそれが存在するやいなや過去の時になってしまうからである。時間は一種の延長であるが、彼はこの延長であるものが何であるのかを言うことができない。われわれは物体の運動を測るが、しかしアウグスティヌスは次のように問う。「物体が運動している時間を測ることができないのなら、物体の運動を測ること――つまりは、ここからあそこまで行くのにどれだけかかり、どれだけ運動するのかを測ること――など、いったいどうしてできるだろうか[★7]」。彼は、われわれは時間を測るために時間を使っているという結論に向かっているように見えるが、だからといって彼が、時間とは何かを言えるところまで近づけるわけではなく、結論はない。彼はついに、時間とは「一種の延長」であり、われわれが時間を測るときに測っているものは心の中の印象や記憶なのだと、結論づける。彼は自分の心に向かって次のように言う。

> すでに言ったように、私はお前において時間を測る。過ぎ去っていくものがお前のうちに作る印象を現在の時として測る――私は過ぎ去っていったものそのものを測るのではなく、お前の上に残された印象を測る。これが私が時間を測るときに測っているものなのだ。それゆえ、その印象が時間であるのか、それとも私はまったくもって時間を測っていないのかの、いずれかである[★8]。

アウグスティヌスは、こうして、印象と記憶と期待が今心の中に存在できることを認めることによって、過去と未来の非存在という難問の解決を見いだす。たとえば、過去における長い時間について語ることは、ある過去の時についての長い現在の記憶について語ることである。未来の時について語るとき、われわれは自分の心の中の［現在の］

期待について語っているのである。

　アウグスティヌスの時間についての反省には多くの批判が可能だろう。とりわけ問題なのは、思うに、時間についてのわれわれの常識的な見解を分析するときの彼のいくつかのやり方である。彼はそのような常識的見解にかなり素朴な額面通りの価値を与え、そのために難問を急増させてしまう。とはいえ、この種の研究態度には、それがしばしば逆説や不条理へとすぐに崩れ去っていくために、批判が喚起され、新しい探求の仕方の追求が促進されるという意味で、利点もある。この種の研究態度は、たしかにアウグスティヌスの真理と浄福の探求がもつ情熱にみちた無垢な激しさの一因となっている。その上、新しい問いやさらなる探求を呼び起こす彼の研究のこうした傾向性は、それがもともと持続的な活力とおもしろさをもっていたからこそ、中世の宗教思想や〈宗教改革〉での有力な要因にもなったのだということを意味している。二〇世紀、アウグスティヌスの言語についての見解は、ウィトゲンシュタインの『哲学探求』における言語と意味についての反省の出発点になった。★9

★注

1 Augustine, *In Iohannis Evangelium tractatus*, xxix, 6.
2 Augustine, *Confessions*, Book Ⅳ, Ch. 1.（アウグスティヌス『告白』（上）服部英次郎訳、岩波文庫、一九四七年、九五頁）
3 Augustine, *De moribus ecclesiae*, i. 27.52.
4 Augustine, *De immortalitate animae*, 6.10,（『魂の不死』茂原昭男訳、『アウグスティヌス著作集』第二巻所収、教文館、一九七九年、二七頁）
5 Augustine, *De Trinitate*, ix, 7.12.
6 Ausustine, *Epistola* 120. 3; De ordine, ii. 8.25.（『秩序』清水正照訳、『アウグスティヌス著作集』第一巻所収、教文館、一九七九年、二八六～七頁）
7 Augustine, *Confessions*, Ch. XXVI.（アウグスティヌス『告白』（下）服部英次郎訳、岩波文庫、一九四九年、四七頁）

8 Ibid. Ch. XXVII.（同書、五二頁）

9 L. Wittgenstein, *Philosophical investigations*, trans. G.E.M. Anscombe（Basil Blackwell, Oxford, 1968), pp. 1, 2, 3ff.（『ウィットゲンシュタイン全集』第八巻「哲学探究」藤本隆志訳、大修館書店、一九七六年、一五～七頁）

本書の次の項を参照
アリストテレス、プラトン、プロティノス

アウグスティヌスの著作

• *Confessions*（Penguin, Harmondsworth, 1972)（『告白』上下二巻、服部英次郎訳、岩波文庫、一九四七、一九四九年、『世界の名著16・アウグスティヌス』山田晶訳、中央公論社、一九七八年、『アウグスティヌス全集』第五巻、教文館、一九八三年）

• *City of God*（Penguin, Harnlondsworth. 1972)（『神の国』（全五巻）服部英次郎、藤本雄三訳、岩波文庫、一九八二～三年、『アウグスティヌス全集』第一一～一五巻、教文館、一九八〇～一九八三年）

アウグスティヌスのラテン語の著作集は、Migne's Patrologia Latina; vols 32-46. それらの英訳は *The works of Augustinus Aurelius, Bishop of Hippo*, ed. M. Dods（T. and T. Clarke, Edinburgh, 1871-76 and 1953-5). 彼の一連の著作は、*Augustine of Hippo: later works*, trans. J. Bumaby（SCM Press, London, 1955）で入手可能である。

参考文献

• Bonner, G. St. *Augustine of Hippo: life and controversies*（SCM Press, London, 1963）

• Brown, P. *Augustine of Hippo: a biography*（Faber and Faber, London, 1967）

• Gilson, E. *The Christian philosophy of Saint Augustine*, trans. L.E.M. Lynch（Victor Gollanez, London, 1961）

• Leff, G. *Medieval thought*（Penguin, Harmondsworth, 1958）

• McEvoy, J. 'St. Augustine's account of time and Wittgenstein's criticisms', *Review of Metaphysics*, 37, pp. 547-78

• Marenbon, J. *Early mediaeval philosophy*（480-1150): an introduction（Routledge and Kegan Paul, London, 1983）

• Markus, R.A. 'Augustine' in D.J. O'Connor（ed.), *A critical history of Western philosophy*（The Free Press,

New York, 1964; Macmillan, London, 1985)

- Marrou, H.I. *Saint Augustine and his influence through the ages* (Longman's, London, 19S8)
- O'Meara, J.J. *The young Augustine* (Longman, London, 1954 and 1980)

モーゼス・マイモニデス（モシェス・ベン・マイムーン）

Moses Maimonides
（*Moses Ben Maimon*）
1135-1204

マイモニデスは非常に影響力のあるユダヤ人の哲学者だった。中世哲学の偉大な作品の一つである『困惑せる人々への導きの書』は、主としてアリストテレス哲学とユダヤ教を調和させ、アリストテレスの諸原理から神の存在を証明しようとするものである。彼の思想は、アリストテレスと新プラトン主義を研究していたイスラームの哲学者アヴィケンナ（九八〇～一〇三七年）の思想と、アリストテレスについての造詣の深さで名高い、やはりイスラームの哲学者アヴェロエス（一一二六～九八年）の思想に幾分負うている。

またマイモニデスはマイモニデスで、トマス・アクィナスやユダヤならびにイスラームの哲学者たちによって注意深く研究された。彼の研究の影響はスピノザの『エチカ』にも見いだされ、彼はライプニッツやモーゼス・メンデルスゾーンからも賞賛された。彼はいくつかの点でアリストテレスの見解から出発したが、神は形相はもとより質料もまた無から創造したのだとする主張できわめて徹底していた。

マイモニデスは、スペインの一部がイスラーム圏であったときコルドバで生まれた。一一四八年に彼の家族はこの地を離れ、長旅の後しばらくの間北アフリカに身を落ち着けた。一一六五年、マイモニデスは旧カイロに移り住み、そこに生涯とどまって宮廷医ならびにユダヤ人コミュニティーの指導者になった。彼は、法学説、倫理学、宗教的信仰、医学、論理学、そして哲学など、広範囲にわたる問題をアラビア語で執筆した。彼の『困惑せる人々への導きの書』は『迷える人々への導きの書』としても知られている。なぜなら、「困惑せる人々」や「迷える人々」と訳されるアラビア語は異なる信念の間を揺れ動く優柔不断な心的状態を指しているからである。『導きの書』は、ある程度哲学と神学に習熟しているが学問と信仰の相対立する主張に当惑している人々のために書かれた。アリストテレスの見解についての単純化された無批判的説明に親しむようになると普通の人たちの宗教的信仰はひどく弱体化してしまうというアヴェロエスの確信に共鳴するマイモニデスは、この書に対して故意に奇妙な特徴を与えた。その特徴とは、ある種の無秩序さである。『導きの書』を書くに際して、マイモニデスは、アリストテレス哲学を本来の整然たる体系的な姿で提示することをわざとひかえ、そうすることでアリストテレス哲学についての出来合いの理解を牽制している。というのも、知的な鋭さに欠ける読者はアリストテレスの議論の本髄を示しても、これを看取することはないだろうし、抜け目のない読者は断片化された素材の注意深い再構築の過程からしかその議論を適切に把握することができないからである。マイモニデスは、『導きの書』には相矛盾する言明さえ含めていると述べているが、そこまでして彼が示したかったのは、理性的推論が終わりをむかえるところにこそ信仰の出番はあるのだということではなかったのか、とも言われてきた。彼は次のように言う。

この論考の目的は、われわれの神聖な法の真理を信じるように訓練を受け、自らの道徳的ならびに宗教的義務を自覚的に遂行し、それと同時に哲学的な研究にも成功した宗教人を、啓蒙することである。★1

ユダヤ教の〈律法〉と学問あるいは哲学との調和について考察する際に、マイモニデスは、多くの人々の理解力がきわめて限られているので『聖書』では寓喩的ないしは比喩的言明が使われているのだという考えを述べている。彼はそうした寓喩が、強い哲学的性向をもつ人々を満足させないことを認める一方で、哲学の訓練を受けた人々も、宗教的伝統が深く染み込んでいる人々も、一方のために他方を拒むのではなく、どちらのアプローチも同じように必要だということを認めるべきだとも考えている。すべての宗教的な事柄が文字通りに理解されるよう求められたりすれば、信仰は駆逐されてしまうだろう。彼が主張するところでは、神についての知識は、神的存在についての文字通りの記述を行おうとする努力によってではなく、むしろ神の否定的属性について反省することによって、求められなければならない。神を被造物にみたてることによって神を知ることはできない。というのも、神の存在は他の存在とはいかなる共通点ももたないからである。したがって、神はいかなる肯定的属性とも無縁であることが示されれば、それによって神の本性と属性についての誤れる観念が首尾よく破棄されることになるだろう。

神の知性についてのマイモニデスの説明は、上記の主張と整合性があるとは思われない。アリストテレスと同様に彼は、神は純粋知性であると主張し、人間の知性は神の知性と類似点をもっているとも述べているからだ。このような指摘は、神に対しては否定的帰属のみがなされるべきだという見解と、神の属性は被造物の属性とはまったく異なっているという見解とに背いている。この点に関して言えば、おそらくマイモニデスは、『導きの書』を差し向けている哲学者-信者に対して挑戦を企てているのであろう。

哲学と信仰の調和をめぐる一つの重大な困難は、世界は神の〈知性〉の論理的に**必然的**な帰結だとするアリストテレスの見解と、創造は神の意志の遂行によってもたらされるという宗教的説明を併置させるときに、生まれてくる。マイモニデスはこの困難に取り組むに際して、まずは、アリストテレスの説明は事物が永遠にまた必然的に存在することを証明するのに成功していないと論じ、次に、この説明は〈律法〉と預言者によって明示されていることに反しているので受け入れられないと述べる。この問題に関する彼の議論はバランスがとれている。というのも彼は、預言者の側には何にも優る知識が、つまりは超-理性的な知識があるとは、断言しないからである。彼は、預言者になる人々の能力を分析するとき、かなり高い次元での知的能力の必要性を強調している。想像力も求められるが、マイモニデスにとって第一のものは知性であり、知性によってはじめて、彼が〈能動的知性〉と呼ぶものに預言者が与することができるようになる。もっとも深遠なかたちで行われ、またもっともやむにやまれぬかたちで行われる預言でも、本質的には哲学的な活動と似た知的活動を含んでいるのである。

マイモニデスは、彼固有の資質からいって、重要ではあるが理解するのがなかなか難しい思想家である。彼は、アリストテレス哲学を広めた人としても、中世**スコラ哲学**の発展における一契機としても、重要な人物である。彼は、一三世紀の西洋哲学を支配することになる問題の多くを立てたばかりか、信仰と哲学、理性と啓示の関係についての探求で、彼の死後およそ二百年間に生まれて盛んになった論争にも影響力をもって関与することになったのである。

★注

1 Maimonides, *Guide of the perplexed*, Introduction to the First Part.

本書の次の項目を参照

アクィナス、アリストテレス、オッカム、スピノザ、ドゥンス・スコトゥス

マイモニデスの主な著作

- *Commentary on the Mishnah* (1168)
- *The guide of the perplexed* (c. 1190), trans. Schlomo Pines with an Introduction by Leo Strauss (University of Chicago Press, Chicago and London, 1963)
- *Treatise on resurrection* (1911)

参考文献

- Weiss, R. and Butterworth, C. *Ethical writings of Maimonides* (Dover Publications, Constable, London, 1984)
- Twersky, I., *A Maimonides reader* (Behrman House, New York, 1972)
- Russell, H.M. and Winberg, J. (trans.) *The Book of Knowledge: from the Mishnah Torah of Maimonides* (Royal College of Physicians, Edinburgh, 1981)

シカゴ大学出版の『困惑せる人々への導きの書』には編者と翻訳者によるすばらしい序論がついている。

聖トマス・アクィナス

St Thomas Aquinas

1225–1274

「天使的博士」トマス・アクィナスの哲学は彼の神学と密接に絡み合っている。アクィナスは、まず、宗教教義が哲学の諸帰結と矛盾しないことを、次に、宗教教義が哲学的論証の根拠から由来するのでもなければ哲学的論証の根拠を形成するのでもないことを示すことによって、信仰と理性の調和的共存を打ち立てようとした。彼は主に、アリストテレスの哲学をキリスト教の教説と西洋文化に合体させるという責務を負った。彼は並はずれて多くのものを書き、彼のもっとも有名な『対異教徒大全』（*Summa contra Gentiles*）と『神学大全』（*Summa theologiae*）という二つの著作は、ともに百科事典に匹敵するほど大部である。『対異教徒大全』は、タイトルが示す通り、非キリスト教徒に向けられていた。それは、神の本性と働き、人間の知恵と幸福、そして信仰と理性の両立可能性を取り扱っている。『神学大全』は、全体として、長い論説形式で提示される問いとそれに対する答えから成っている。それは、神についての知識にいたる手段としての理性と啓示を取り扱い、神の存在証明を五つ提示し、神の本性と固有性を分析し、人間の知性が神性を把握しうる方法としての恩寵を論じている。彼の死後三年、彼の神学的見解に対する教会当局からのいささかの粗捜しにもかかわらず、トマスは教皇ヨハネス一二世によって聖人に列せられた。

トマスは、ナポリ近郊のロッカセッカ城で、一二二五年の初頭に生まれたと考えられている。彼は、アクィノ伯爵の七番目の息子だった。五才のとき、教育を受けるためにモンテ・カシノ［カシノ山］のベネディクト会修道院に送られた。彼はやがてナポリ大学に入り、そこでアリストテレスを読み、論理学、修辞学、算術、幾何学、文法、音楽そして天文学という教養七学科を学んだ。一九才のとき、彼は、当時はあまり認知されていなかったドミニコ修道会に入ったため、ベネディクト会の修道士になることを期待していた家族を怒らせた。家族の不興から彼を逃れさせるために、ドミニコ会士たちは彼をパリに派遣したが、途中で兄弟たちに拉致されて一年以上も幽閉された。彼はドミニコ会士たちへの忠誠を捨てることを拒み、ついに彼らのもとに戻ることが許され正式な研究を再びはじめた。一二五二年、彼はパリ大学に赴き、一連の講義を行って、マスターの資格を与えられた。彼は三〇才のときパリで大学教師となり、一二五九年イタリアにもどって、様々な教育施設で教え、オルヴィエット、ヴィテルボそしてローマで教皇たちに仕えた。一二六九年、彼はパリにもどったが、健康を害したため四年後教師をやめた。彼はフォッサヌオヴァ近くのシトー派修道院で一二七四年三月七日亡くなった。これは、その数週間前にリヨンへの旅の途中で受けた頭の怪我から回復することができなかったことが原因である。

アクィナスは非常に独創的な思想家であるが、彼の哲学はアリストテレスの哲学を土台にしている。★1 彼は、自分の思想の枠組みとして、形相と質料、実体と偶有性、現実態と可能態というアリストテレスの区別を使っている。現実態と可能態の区別は、あるものが現実的にそれであるところのものと、それが可能的にそれであるところのものとの区別である。したがって、一片の石炭はある時には現実的に黒く冷たく、光を放ち、硬いかもしれないが、それは熱せられ灰になる可能性があるのだから、可能的には灰色で熱く粉状で柔らかい。実体と偶有性の区別も同じ事例を通じて明らかにされる。石炭のかたまりを単に暖かくなる程度まで熱することは、それに偶有的変化をもたらすことであるが、灰になるまで激しく燃やすことは、実体の変化をもたらすことである。偶有的変化においては、実体は同じままである。実体的変化においては、それは別種の実体になる。変化は形相の変化によって生じる。すなわち、偶有的形相は、石炭が冷たいものから暖かいものになる変化のような偶有的変化に関わり、実体的形相は、石炭が灰になる変化のような実体の変化に関わっている。

アクィナスは、「質料」という語を、実体的変化が起こりうるものを指すのに使っており、地上的なあらゆるものは質料と形相の双方に関与していると考えていた。彼によれば、天使は非物体的であるが、各天使はそれ自身の形相をもち、その固有の形相によって他のすべての天使から区別される。他方、人間は、質料と形相で構成されているので、異なった質料群によって相互に区別される。

アリストテレスは、あるものを現実態にする、あるいは、あるものを現にあるところのものにするのは、そのあるものの形相であると主張していた。しかし、アクィナスはより洗練された存在の**形而上学**を展開し、この上ない重要性をもつのは、形相の現実態化ではなく形相の存在化の働きであると論じている。彼は、ものの本質と存在を区別している。簡単に言えば、おそらくあるものの本質とはそのものの定義のことだと考えられており、この定義はそのものが現実に存在するかどうかを知らずとも知られたり理解されたりするのである。したがって、あるものの現実の存在は、そのものの定義から区別される。アクィナスは次のように言う。

いかなる本質や何性（quiddity）も、その本質や何性の存在する働きがなくても、理解可能である。私は、人間や不死鳥がどんなものかを理解することができるが、それが必然的に存在するかどうかは知らない。それゆえ、存在する働きが本質や何性とは別のものであることは、明らかである。★2

本質と存在の区別は神には当てはまらない。アクィナスによれば、神は、他の存在とは違って、神にとって外的なものが原因になることはできず、したがって、神の存在は神自身の本質が原因であるのでなければならない。彼は言う。「神の本質は……まさに神自身の純粋性によって……神の存在する働き以外の何ものでもない。神の存在する働きは、他のあらゆる存在する働きとは区別される」。神は純粋な善性によって他のすべての存在者から個別化され、いかなる保留もなしにあらゆる完全さを所有し、「これらあらゆる完全さは、神の単純な存在する働きにしたがって神に属する」★3。神においては存在と本質は同一であるとするアクィナスの見解は、理解するのが容易ではない。注解者たちは、彼の説明に明晰さと一貫性を与えようと努力してきたが、完全に成功したものはない。★4

分析と定義と分類に関する彼の研究には、何としてもものの本性を解明して、存在のもっとも究極的な根拠や、あらゆるものがまさに現に在るところのものである理由などについて説明しようとする熱意であふれている。「存在するものをただそれ自身の存在性格を通して考察し、存在するものが存在するものとして帯びている特性を考察する学」として哲学を表現したアリストテレスにしたがって、アクィナスは様々な事柄や理由をめぐる人間の日常的経験から出発し、大きな原理へと向かっていく。彼はこのような構造の中に、［理性的］推論を通じて達せられる真理と、啓示ないしは神的な権威を通じてしか与えられないと彼が考える真理を注意深く区別しながら、キリスト教的次元を組み入れる。

アクィナスはおそらく〈神への五つの道〉でもっとも有名である。彼は神の存在が自明だとは考えておらず、日常的経験にまつわる様々な事実の言明から〈五つの道〉で示される証明を引き出している。これは、彼が**仮説**のためにという証拠を提出することによってその仮説を守ろうとしていることではない。むしろ、彼は哲学的な議論を行うことで、生まれ、衰退し、消滅する世界が存在するのだから、そのような変化にはそれらを越えた動力因が当然存在するはずだと主張しているのである。第一の証明では、この世の中で生じる変化について考察するようわれわれを促して、動くものはどんなものでも他の何かによって動かされており、始まり無き無限連鎖は不可能なのだから、われわれは不動の動者という概念に至り着くのでなければならないと論じられる。第二の証明では、変化の現実的な原因に着目して、神以外のいかなる原因もそれ自身の原因ではありえないのだから、神という第一原因が存在しなければならないと論じられる。第三の証明では、ある存在が生まれて消滅するという事実は、それらの存在が**必然的**存在ではなく**偶然的**存在であることを示しているだけではなく、偶然的存在が現実に存在することの始源としてある必然的存在が想定されなければならないことをも示していると論じられる。第四の証明では、アクィナスはわれわれがある事を他の事よりもよいと判断している事実を指摘し、そのような完全さの段階は、もっともよく、もっとも真なる存在を、つまりはあらゆる相対的な完全さの原因にしてそれ自身純粋な完全さでもあるような至高の存在を含意していると主張している。第五の証明は、自然的物体が明らかによい目的や目標に向かって動いていくその仕方に関するものであり、そこから、あらゆるものに事物全体に関係する目的を与える、知的存在が存在しなければならないと論じられる。

注解者たちは、五つの証明が開始されるときの起点となっている観察は、ほとんどの人に受け入れられるものだが、この観察から神の存在についての結論にアクィナスが移行する仕方は、必ずしもわかりやすくはないと指摘してきた。さらに注解者たちによれば、アクィナスを批判するときには、われわれは歴史的感覚を失わないように注意して、たとえば、われわれの無限という概念についての理解とアクィナスのそれは同一ではなく、アクィナスは因果関係と論理的な推論関係をはっきり区別してはいないなどということを、忘れるべきではない。さらにまた、たとえアクィナスの五つの証明が論理的に適正だということが示され、これが第一動者の存在証明として受け入れられたとしても、キリスト教の神に帰せられるような属性をもつ神の存在証明にはまだなっていないとも指摘されてきた。アクィナスは、必然的存在という概念から知恵や善性のようなキリスト教の［神の］属性を何とか引き出してはいるが、彼の論理的手続きは錯綜しており、批判的検討の対象に容易になるものである。にもかかわらず、〈五つの道〉の方法と手続きは、信仰と理性はたとえ違った仕方で働くにしても同じ知識に至るのだということを何とか示そうと、アクィナスが努力していることをはっきりと示している。

アクィナスは、アリストテレスにしたがって、人間の霊魂を人間の身体の形相とみなしている。彼は霊魂について、それは生物の第一の生命原理であり、生物を生命あるものたらしめている当のものだと語った。彼の考えでは、霊魂と身体の両方で一つの**実体**なのであり、この実体において は二つの構成要素を区別することはできるが、霊魂のない身体は厳密には身体などではまったくなく、物質的事物の集合にすぎない。彼は、個々の人間の霊魂は神によって創造されるが、身体の存在に先だっては存在しないと主張している。霊魂が身体を生気づけているものとみなされるならば、当然あらゆる生物は霊魂をそなえていることになる。植物においては、植物的霊魂がその成長と栄養摂取を司る。動物は、感覚することができるのだから、感覚的霊魂をもち、人間にはさらに理性的活動の能力があるので、人間は理性的霊魂をもっている。アクィナスは、神の存在と本性の探求のときと同じように、日常的な感覚的経験から形而上学的帰結に向けて論を進めることによって、人間の霊魂についての説明を展開する。人間には、質料を越えた様々な活動がある。心は、純然たる物質的事物とは別のものを思い描き、またそれについて知ることができる。このことは、心というものはまったく物質的ではないことを示唆している。植物的霊魂と感覚的霊魂の活動には直接的な物質的対応物が存在している。もちろん人間もこのような活動を行うことができる。しかし、理性的霊魂が様々な概念を理解したり、論理学や数学や形而上学や神についての反省に関わっているかぎりでは、理性的霊魂の活動は身体的対応物をもっていない。これが意味しているのは、人間の霊魂には、身体的活動の随伴を求めないような、したがって非物質的で身体の死後も生き続けることができるような、部分ないしは側面があるということである。人間は、神ならびに天使と、動物の世界の間に存在している。しかし、アクィナスは、魂が人間存在そのものであり、それは身体を利用しているにすぎないというプラトンの見解を、ことさら拒んでいる。アクィナスにとっては、霊魂と身体がともに人間という人格を構成しているのであって、身体は霊魂と同じように人格の本質を成しているのである。人間の道徳生活は神について直々の知識を求める点にあり、それが成就されれば、真理の所有による喜びとなる。知性とはそれによって知識が得られるようになる力のことであり、意志とは選択する力のことであるが、知性が何らかの意味で善とみなされる目的を達成する手段を発見するまで、意志は選択を行うことはできない。意志は、知性が善とみなすものに向かって必然的に努力し、選択という行為はそのような善に到達するための手段の選択である。もちろんこれは、人間は最善のものを必ず選択するという意味ではなく、彼もしくは彼女が何らかの意味で善とみなすものをいつも選択しているという意味である。道徳的に善である選択を行わなかったということに自ら気づいても、また悪いことは承知のうえで何らかの行為を行うにしても、アクィナスによれば、その人が望んでいるのは悪そのものではなく、善と見えまた望ましいと思われるような行為なのである。

アクィナスは、人間は自由に行為できると主張した。自由な行為は、理性と意志に基づいてなされる行為であり、自由の本性全体は知識の様態に依存している。動物は、「自分自身の判断について判断するのではなく、神によって動物に刷り込まれた判断にしたがっている」とアクィナスは語っている。彼はさらに次のように続けている。

しかし、理性の力によって自分の行為について判断する人間は、目的の本性と目的を達成するための手段について、さらに後者の前者に対する関係と秩序について知ることができるかぎりにおいて、自らの選択に関して判断を下すことができる。それゆえ人間は、行動することにおいてばかりか判断することにおいても自分自身の原因である。したがって、なすべきかなさざるべきかに関しての自由な判断について語っているときには、人間は自由な選択をもっているのである。★5

アクィナスの研究の重要さとそれがもたらした影響は、いくら評価しても評価しすぎることはない。彼はキリスト教とアリストテレス哲学を和解させ、哲学と神学は共存したり支え合ったりすることができるのだということを示した。アリストテレスの思想の発見と普及は、それ自体この上のない意義をもつ業績であったが、それと同時に、アクィナス自身の研究の複雑に絡まりあった全体は、彼の死後何世紀にもわたって、哲学と神学に活発な思考や批判や議論をはじめ新しい展開などを、ふんだんに促すことになった。このような促しは今もなお続いている。

★注

1 本書のアリストテレスの項を参照、五八頁〜。

2 Thomas Aquinas, *On being and essence*, V, trans. Robert P. Goodwin, in *Selected writings of St. Thomas Aquinas* (Library of Liberal Arts, Bobbs-Merrill, Indianapolis and New York, 1965), p. 54.(『形而上学叙説(有と本質に就いて)』高桑純夫訳、岩波文庫、一九三五年、四二〜三頁、『有と本質について』プリオット、日下昭夫訳、聖トマス学院、一九五五年、「存在者と本質について」『中世思想原典集成14』佐藤和夫訳、平凡社、一九九三年)

3 Ibid., p. 58.(同書、四九〜五〇頁)

4 アクィナスの現実存在と本質についての説明についての困難さに関わる議論に関しては、たとえば以下の著作を参照。F.C. Copleston, *Aquinas* (Penguin, Harmondsworth, 1955), Ch. 2, pp. 96-104.(コプルストン『トマス・アクィナス』稲垣良典訳、未来社、一九六二年、一一三〜一二三頁)、A. Kenny, *Aquinas* (Past Masters Series, Oxford University Press, Oxford, 1980), Ch. 2, pp. 49-60.

5 Thomas Aquinas, *On free choice*, Article 1, in Goodwin, Setected writings. p. 123.

本書の次の項を参照
アリストテレス、オッカム、ドゥンス・スコトゥス、プラトン

トマス・アクィナスの主な著作

アクィナスのラテン語の著作は、the Parma edition in 25 volumes, reprinted in New York in 1948にある。

- *Summa contra Gentiles* (Summary against tbe Gentiles), trans, A. Pegis et al as *On the truth of the Catholic faith* (Random House, New York, 1955-7)(『対異教徒大全』(第一巻)酒井瞭吉訳、中央出版社、一九四四年)
- *Summa theologiae* (Summary of theology), trans. in 61 volumes (Eyre and Spottiswood, London, 1963-80)(『神学大全』高田三郎他訳、創文社一九六〇年〜、〈抄訳〉山田晶訳、中央公論社、一九七五年、服部英次郎訳、河出書房新社、今道友信訳、筑摩書房、一九六五年、上田辰之助訳、臨川書店、一九七八年)
- *De ente et essentia* (On being and essence) in A. Pegis, (ed.), *Basic writings of St Thomas Aquinas*, 2 vols (Random House, New York, 1945)(『形而上学叙説(有と本質に就いて)』高桑純夫訳、岩波文庫、一九三五年、『有と本質について』プリオット、日下昭夫訳、聖トマス学院、一九五五年)
- *De veritate* (On truth) in Pegis, *Basic writings of St Thomas Aquinas*, 2 vols (Random House, New York,

1945）

また、Robert P. Goodwin（trans.）, *Selected writings of St Thomas Aquinas*（右記の注2で引用されている）も見よ。

参考文献

・Copleston, F.C. *Aquinas*（Penguin, Harmondsworth, 1955）（コプルストン『トマス・アクィナス』稲垣良典訳、未来社、一九六二年／上智大学出版部、一九六八年）
・Kenny, A. *Aquinas*（Past Masters, Oxford University Press, Oxford, 1980）
・O'Connor, D.J. *Aquinas and natural law*（Macmillan, London, 1967）
・Weisheipl, J. *Friar Thomas d'Aquino*（Blackwell, Oxford, 1974）

ヨハネス・ドゥンス・スコトゥス

John Duns Scotus
c. 1265–1308

ヨハネス・ドゥンス・スコトゥスは独創的で批判眼をそなえた思想家であった。彼の思想の主な源泉は、トマス・アクィナスの哲学的神学とアウグスティヌスの伝統だった。彼は哲学者として重要であるが、その主な理由は、彼がこれら二つの影響双方に反発した点にある。彼は神という概念の第一のものとしては、知性ではなく意志を考え、信仰の問題と理性の問題をはっきり分離した。彼は自分の書いたものを乱雑な状態で残したまま早くに亡くなった。それらの多くは弟子たちによって手が加えられたり完成されたりしたが、本物とそうでないものないしは疑わしいものを振り分ける仕事は困難なものであったため、昔から活発な論争が絶えないでいる。ドゥンス・スコトゥスはしばしば「精妙博士」として知られているが、きっとこれは、彼の鋭い推論と見事な区別立ての感覚が認められてのことであろう。

ドゥンス・スコトゥスの生涯に関する記録はあまりない。彼は、スコットランドの、マクストンかダンス近くのいずれかに生まれた。フランチェスコ会に入り、オックスフォードとパリで学んだ。パリでは、相対立する様々な神学的見解についての高度に組織立てられた問題集であるペトルス・ロンバルドゥスの『命題集四巻』の注解を書くという、通常の課程をとどこおりなくおさめた。一二世紀に編纂されたこの四巻からなる命題集は、教職に就くことを希望する神学の学生にとって標準的な教科書になっていた。ドゥンス・スコトゥスの『命題集注解』のタイトルは二カ所の研究場所から取られている。それらはそれぞれ *Opus Oxoniense*［オックスフォードにおける講義］と *Reportata Parisiensia*［パリにおける学生がとったノート］として知られている。注解はいつも弁証法的な体裁をとっている。すなわち、個々の見解や主張に賛成する議論と反対する議論をそれぞれ評価して、問題となっていることの解決を求めるのである。スコトゥスの *Opus Oxoniense* は一般に彼のもっとも重要な研究とみなされている。彼は、およそ四〇年の生涯で重要なものを書き上げ、ケルンで死んだ。

ドゥンス・スコトゥスは、フランチェスコ会修道士として、アウグスティヌスの伝統にも、神についての知識は照明によって得られるというアウグスティヌスの信念にも、十分精通していた。彼はまた、トマス・アクィナスの研究もやはり十分に知っており、アクィナス流のアリストテレス哲学も、啓示によって獲得される宗教的真理を理性が裏付け補完するという彼の信念も、十分に理解していた。しかし彼は、アウグスティヌスの照明の学説を受け入れず、理性と信仰の関係についてのアクィナスの説明だけではなく、アリストテレス的な神についてのアクィナスの考え方の大部分をも退けた。彼自身の見解は「トミズムへの激しい反発」と評されてきた。[★1]

ドゥンス・スコトゥスは、神学と哲学をはっきり区別する。神学は神と神の属性を取り扱うが、神学的真理は感覚的知覚の明白な証明を許容しないのだと、彼は主張する。また彼によれば、哲学ないし形而上学は、存在するものとその属性を扱うのであって、神が存在するものである場合を除いては、神の属性を表現することはできない。したがって彼は、日常的な人間の感覚的経験の事実から神の存在へと論を進めるアクィナスの五つの証明を受け入れることはできなかった。彼はまた、理性の適正な使用が照明された知識にいたると主張するアウグスティヌスの照明の学説も受け入れることはできなかった。というのも、彼自身は理性と啓示を分離しているのだから、自然理性が自らの適正な使用を通して自分を超越できるなどということを受け入れることがないのは、当然だからである。神についての知識は、神にも神によって創造された宇宙にも等しく当てはまるような存在概念を通じて到達されるというのが、彼の見解であった。彼は *Opus Oxoniense* の中でこの存在概念について、「それは無ではないあらゆるものに敷衍される」[★2]と語った。この概念は非常に抽象的な概念である。というのも、それは存在を、単にあらゆる自然物の始源とみなし、自然物に由来するのではなくただそれに先行するものとみなしているからである。したがって、一般的な存在様態だけが存在から演繹されうるのであって、個々の存在者が存在から演繹されることはありえない。存在という概念の利点は、それが神とその被造物を包括し、人間の理解力が感覚的知識を越えることを可能にしてくれる点にある。この一義的な、あるいはすべてを包括する存在概念から、ドゥンス・スコトゥスは、無限な存在と、この無限な存在の意志によって創造された有限な存在の双方の実在を肯定する議論を展開する。彼によれば、有限な原因はそれだけで自らの無限遡行にいたるのに対して、第一原因という観念は**必然**、全知、完全、そして無限という観念を生じさせるのだという。

スコトゥスは、神が被造物を創造したのは必然的だとする学説を退けている点で、多くの先達とは根本から異なっている。彼によれば、神の知性はあらゆる可能的存在を知っているが、だからといってあらゆる可能的存在が現実に存在することにはならない。というのも、どの存在が現実に存在するのかを選択するのは神の意志であり、神の意志が神の**本質**の表現だからである。このようにして、彼は神と神の被造物の必然的な結びつきを撤廃し、神の自由を強調するとともに、神が創造したもろもろの存在による神についての究極的で全面的な理解というものを退ける。それによって、信仰の分離独立と重要性は再び強化される。というのも、自らの被造物には必然的にではなくただ**偶然的**にしか結びついていない神への道を、人間は「理性的に」推論することはできないからである。だからこそ、信仰は理性には受け入れがたい表現を供することがあるのである。

ドゥンス・スコトゥスの思想の「精妙さ」は、形相についてのアリストテレスの教えに由来する問題を扱うときのやり方に明確に現われている。アリストテレスの見解では、あるものの形相、つまりはあるものを現にあるところのものにしているもの——馬を馬に、木を木にしているもの——は、一般的な定義において解明され、したがって、知性ないしは理性によって知られうるとするものだった。しかし、このような説明から生まれるのは、**普遍的**形相の実例である**個別的**な個体をひとはいったいどのようにして知ることができるのか、という問題である。アリストテレスも、彼の意見にしたがうアクィナスも、そのような個物は互いに異なった質料群の存在によって個別化されると主張した。しかし、これでは個物は知解可能なもの、つまりは知りうるものにはならない。というのも、可知性は形相についての定義による知識に依存しているのであって、個々の個物の質料についての知識に依存しているのではないからである。スコトゥスはこの難問を個体原理（*haecceity*）つまりは「このもの性（this-ness）」という概念を拠り所にして解決した。もしも個物の個体原理つまりは究極的な個別性が質料にではなく形相に属するものと解されるならば、事実的にではないにしても原理的には、それは知的に知られうるものとみなすことができる。したがって、スコトゥスにとって、普遍的形相と個物の個体原理はともに神によって創造された本質に属し、特定の個物はこの個別的形相の究極的な現実態なのである。

ドゥンス・スコトゥスは、個物という観念ばかりか個々人の自由意志という観念をも強固なものにした。アウグスティヌスと同様、彼は「知性に命令する意志は知性の働きのより上位の原因である。とはいえ、知性は、それが意欲の原因であるにしても、やはり意志に従属する原因である」[★3]と考えていた。彼は当然ながら意志についての複雑な困難に直面することになった。なぜなら、意志は一般に、人の本性がもつ性向の成就ないしはその達成へ向けて努力することとして特徴づけられ、それゆえ、利他的であることができない本質的に利己的な目的追求とみなされていたからである。アクィナスは、知性を意志に対して優位に立つものとすることによってこの難問を処理しようとしたが、これはキリスト教の伝統に反するものだった。スコトゥスは、それゆえ、意志の二つの傾向性を主張した。一つは自分にとって良いことや利益へ向かう傾向性であり、もう一つは万物の客観的価値にふさわしい正義を実現しようとする傾向性である。意志の二つ目の傾向性においては、様々なものは、それらがもたらすかもしれない良いことや利益のためではなくそれ自身のために愛される。スコトゥスは、それを正義への愛情（*affectio justitiae*）と呼び、「われわれの利益に叶うものへの愛情に、最初に抑制的な影響を及ぼすもの」[★4]と表現している。彼によれば、それは意志に最初からそなわっており、自分自身の利益の自然な追求から人を自由にできるという点で意志の自由を構成している。彼の説明からすれば、いかなるものをもそれ自身のために評価するというこのような利害を離れたまなざしこそが、一人一人の人間に尊厳を与え、他の人々に対して、このまなざしによって覚知された価値を認めてその評価を共有してほしいと思わせる当のものなのである。

ドゥンス・スコトゥスの批判的な洞察力と、理性が働きうる範囲に関する懐疑的な態度は、一四世紀のもっと一般的な批判的態度への道を開いた。彼の後継者たちが彼の研究から受け取った支配的なテーマは、哲学的な推論は決してキリスト教の神という概念には至れないということだった。ただ信仰のみがそのような神についての記述をなしうるのである。二〇世紀になって、彼の深遠で難解な著作は、詩人のジェラード・マンレイ・ホプキンス、アメリカの哲学者チャールズ・サンダーズ・パース、ドイツの哲学者マルティン・ハイデガーといった様々な人々によって、深い関心をもって研究されることになった。

★注

1 G. Leff, *Mediaeval thought* (Penguin, Harmondsworth 1958), p. 263.
2 Duns Scotus, *Opus Oxoniense*, I, 3, 2.
3 Ibid., IV, 49, 2.
4 Ibid., III, 37.

本書の次の項を参照

アウグスティヌス、アクィナス、アリストテレス、オッカム、パース、ハイデガー

ドゥンス・スコトゥスの主な著作

- *Tractatus de primo principio* (c. 1300), ed. M. Mueller (Freiburg in Bresgau, 1941), trans. A. Walter as *Duns Scotus: a treatise on God as first principle* (Franciscan Herald Press, Chicago, 1965)
- *Opus Oxoniense*
- *Reportata Parisiensia*

スコトゥスのラテン語の著作は、*Opera omnia*, ed, L. Wadding (12 vols, Lyons, 1639, repr. in 26 vols. ed. L. Vives, Paris, 1891-5).

英語の選集は *Duns Scotus: philosophical* writings, ed. A.B. Walter (Bobbs-Merrill, Indianapolis, 1964)

参考文献

- Bettoni, E. *Duns Scotus: the basic principles of his philosophy*, ed. B.M. Bonansea (Bobbs-Merrill, Indianapolis, 1964)
- Bonansea, B.M. *Man and his approach to God in Duns Scotus* (University Press of America, Maryland, USA 1983)
- Copleston, F. *A history of philosophy*, vol. II, Part II (Newman Press, Westminster, Maryland, 1962)
- Leff, G. *Medieval thought* (Penguin, Harmondsworth, 1958)

オッカムのウィリアム

William of Ockham
c. 1285–1349

オッカムのウィリアムは、「オッカムの剃刀」として知られている節減の原理で有名である。この原理によれば、「より少ない事柄を想定するだけで説明できることをより多くの事柄を想定して説明するのは無駄である」。オッカムは、個物としての感覚的対象だけが唯一の実在であると主張する徹底的な経験論者だった。彼はまた論理学者でもあり、影響力のある**唯名論**という学説の立案者だった。彼は、宗教的真理には理性によって到達することはできないと述べた。

彼は、［イングランドの］サリー州ギルドフォード近郊のオッカムという村で生まれた。オックスフォードで学生となり、正規の課程でペトルス・ロンバルドゥスの『命題集』[★1]に関する通例の注解を書いた後すぐに、フランチェスコ会に入会する。彼はロンバルドゥスの『命題集』に関するかなり論争的な一連の講義を行い、その結果異端の嫌疑をかけられ、一三二四年アヴィニョンの教皇裁判所に召喚された。この問題に関する判決は二年間引き延ばされたが、その間オッカムはアヴィニョンのフランチェスコ会の建物に監禁された。一三二六年、彼が書いた五一の命題が異端の宣告を受けた。オッカムはそれらの命題を撤回することを拒み、その後、教皇ヨハネス二二世と論争中であった霊性主義的な（spiritual）フランチェスコ会士たちと手を結び反抗を強めていった。一三二八年、フランチェスコ会の総会長であるとともに霊性主義者たちの指導者でもあったケセナのミカエルとともにアヴィニョンを逃れた。彼は教皇によって破門され、その後はバイエルンのルートヴィッヒ皇帝の庇護のもとミュンヘンで暮らし、生涯の大半を教皇に反対する論説を書くのに費やした。一三四〇年代の終わり黒死病《ペスト》がヨーロッパで流行し、オッカムは一三四九年か一三五〇年に罹病したと考えられている。彼はミュンヘンでフランチェスコ会教会に埋葬されたが、その後彼の遺骸はどこかの場所にもち去られた。

オッカムの思想の大部分はドゥンス・スコトゥスのそれとは反対であり、時として彼は、スコトゥスに直接対決するために研究していると見られることもある。とはいえ、オッカムの経験論の土台には、この世のすべては神の自由意志に基づく**偶然的**なものだという信念があり、これはスコトゥスと共通である。したがって彼らは、両者とも、神の心のうちで思い描かれた〈イデア〉についてのトマス・アクィナスや他のより以前の哲学者・神学者たちの見解を退ける点で、互いによく似ている。これら初期の思想家たちは、〈形相〉を神の心のうちで思い描かれた〈イデア〉へと転換することによって、万物の完全な〈形相〉が永遠にまた非物体的に存在するというプラトンの見解をキリスト教神学へと併合した。〈イデア〉は、神の本質の一部として、したがってまた神が世界を創造する際にそれにしたがったひな型を含むものとして、解釈された。創造された世界の構造と内容は神の心のうちで思い描かれた〈イデア〉から必然的に出てきたのだから、アウグスティヌスの伝統の中で研究していたアクィナスやその他の人々は、創造された世界についての言明から神の心についての知識へと「理性的に」推論することは可能だと論じたのである。ドゥンス・スコトゥスもオッカムも、このような説明は、自らの意志にしたがって世界を創造する神の自由をひどく制限するものだと考えた。それに対して彼らは、創造された世界は**必然的**にではなく偶然的に現にあるところのものであるのだと主張した。それゆえ、オッカムによれば、自然から神の心への必然的な結びつきは存在しえず、知識を獲得するためには個々の個別的なものに目を向けなければならない。すなわち、個物のみが実在的であり、したがって個物のみが知られうるのである。

個物のみが実在的だとする主張は、オッカムの唯名論の学説と彼の「剃刀」の原理の展開の一部を成しており、またそれらによって強化されている。彼は、「女性」や「火」や「犬」のような一般的ないしは普遍的名辞をわれわれが使用している事実を、個々の女性や火や犬の存在とは区別される特殊な存在様態をもつ〈形相〉ないしは「本質」によって理由づける必要性を認めない。彼の「剃刀」は、〈形相〉ないしは本質を実在的に存在するものとする仮定を削ぎ落とす。なぜなら、彼によれば、〈形相〉や「本質」は普遍性を理由づけるのに引き合いに出されるが、そのような普遍性は、しかじかの実在的な存在者にそなわっているのではなく、単にある種の名称ないしは記号の特性にすぎないからである。「普遍的」というのは、事物にではなく、ある種の仕方で使われるある種の言葉に適用される名称である。[★2]

オッカムは、ロンバルドゥスの『命題集』の注解の中で、直観的知識と抽象的知識という二種類の知識を区別している。直観的知識は、個々の感覚的対象についての無媒介的認知ないしは、このような無媒介的認知に関与している心の働きについての無媒介的認知である。啓示の真理と自明な真理もまた直観的に知られる。これに対して抽象的知識は、直観的知識から派生するもので、それは事実についての知識ではなく命題についての知識である。それは、多くのものについてのわれわれの知識を利用することによって案出された、普遍的なものについての知識かもしれないし、現実に存在したり存在しなかったりするものについての知識に関してわれわれが下す、判断についての知識かもしれない。オッカムは、注意深い分析によって、理性を、記号と語を使ってしか働かないものとみなし、さらに自然的記号と慣用的記号の間に区別を設けている。彼によれば、われわれが言葉で対象を名づけるのに先だって、われわれの心にはそれらの対象についての自然的な意味指示があり、それは対象の自然的な効果なのである。彼は次のように言っている。「私が人間を理解するときの記号は、人間たちについての自然的記号である……そのような記号は、話された命題においてある言葉があることを表現することができるのとちょうど同じように、心的命題において人間たちを表現することができる」[★3]。一方われわれが自然的記号に与える言葉ないし語は、慣用的記号であり、理性はそれを使って働く。

オッカムにとってすべての知識は、個々の事物についての無媒介的で直観的な認知から成るかそれに由来するかの、どちらかなのだから、神を知る可能性を否認するのは当然であるかに見える。たしかに彼はそうするのだが、それと同時に、存在という概念を手段にして神についてのある種の考えをもつことが可能であるとも論じている。またしても、彼の議論の出発点はこの同じ問題に関するドゥンス・スコトゥスのそれに近い。オッカムによれば、個々の存在者の無媒介的ないし直接的把握からわれわれは、存在という概念を形成する。そうであるならば、この存在という概念は、被造物と神の両方に一義的に使用されてよい。この概念なしにはわれわれは神のことを考えることはできないだろう。というのも、われわれは、何であれそれがあたかも存在するかのように考えるのでなければそれについては何も考えることはできないからである。しかし、彼も述べるように、そのようなやり方は神の存在をまったく保証するものではないし、神の存在が何らかの点で被造物の存在と似ていることも告げはしない。それはただ、われわれに、神の存在についての概念を形成させてくれるにすぎない。

同じようなやり方で、われわれは個々の事物ないしは被造物についての無媒介的知識から「始源の」とか「第一の」という概念を形成することができ、そのようにして〈始源的存在〉という概念を案出することができる。ここでも、概念を展開する能力は、その概念の当てはまるものが実際に存在するかどうかを知ることとはまったく別のことである。オッカムは、われわれが〈始源的存在〉という概念から引き出すことのできる概念がどんなものであれ、それによって得られる知識はすべてそれらの概念についての知識であり、神についての知識ではないと再三主張している。もちろん彼は、神についての知識が啓示を通じて可能になることは、たしかに認めている。しかし、そのような知識はまったく別種の知識であり、まったく異なった概念に基づいている。

啓示ならびに信仰と、感覚的知識および抽象的な知識とをオッカムが明確に分離したことは、広範囲に影響を及ぼすことになった。それは、自然的世界の研究に、したがってまた明確に定義された学の展開に、その理論的境界と限界を打ち立てた。しかし、このように理論的境界と限界が打ち立てられるのは、人間の理解を超えているために人間の理性では歯が立たないような、神の意志の偶然性に究極的に依存している世界についての考え方の内部においてなのである。神は分析の対象にはなりえない。というのも、神は概念的にみれば自然的世界と外延を同じくせず、自然的世界に対する神の力は絶対的だからである。ゴールドン・レフは、全能という概念について、「それは神を理性から解放し経験を信仰から解放するという二重の目的に役立ったのだ」と適切な指摘を行っている。[★4]

★注

1　ペトルス・ロンバルドゥスが一二世紀に『命題集』（『中世思想原典集成』所収、山内清海訳、平凡社、一九九六年）を編纂した。本書のドゥンス・スコトゥスの項を参照、九〇頁〜。

2　唯名論についてはさらに本書のホッブズの項を参照、一二〇頁〜。

3　Ockham, *Sentences*, 1, 2, 7.

4　G. Leff, *Mediaeval thought* (Penguin, Harmondsworth, 1958), p. 290.

本書の次の項を参照
アウグスティヌス、アクィナス、アリストテレス、ドゥンス・スコトゥス、プラトン

オッカムの著作

オッカムの哲学は、神学的な論考や科学的論考や政治的論考の中に混ぜ込まれている。彼の論理学は、*Summa totius logicae*（『オッカム『大論理学』注解』一〜三、渋谷克美。創文社、一九九九年〜）の中に含まれている。彼の全集二五巻 *Opera omnia philosophica et theologica* は、E.M. Buytaert（St. Bonaventure, New York and Paderborn）の総編集で準備中である。オッカムの選集は、P. Boehner (ed. and trans.), *Ockham, philosophical writings*（Nelson, Edinburgh, 1957）.

参考文献

- Copleston, F.C. *Ockham to Suarez*, vol. III, part I of A history of philosophy（Newman Press, Westminster, Md., 1950, and Image Books, New York, 1962）
- Leff, G. *Medieval thought*（Penguin, Harmondsworth, 1958）
- ——— *William of Ockham*（Manchester University Press, Manchester, 1975）

ニッコロ・ディ・ベルナルド・デル・マキアヴェリ

Niccolo di Bernardo del Machiabelli

1469–1527

マキアヴェリは、自分に恩恵を与えてくれなくなったフィレンツェの強大な統治者であるメディチ家の歓心をかうために『君主論』を書いた、よこしまで不道徳な策略家だと一般には考えられている。『君主論』は明白なあるいは厳密な意味では哲学的な著作ではない。一つには、それは体系を欠いているからだが、いま一つには、マキアヴェリにはほとんどの哲学者が二の足を踏んでしまうようなものを多く引き受けようとする傾向があるからだ。しかし、彼の研究と人間性は、一五世紀後半を特徴づけるとともに近代世界を形成することになった重要な変化の大きな複合体を表現している。さらに彼は、自らがルネサンスに対して行ったように、近代の社会的・政治的な関係にもサーチライトを投げかけている。哲学は彼の著作の中では顕在的ではなく潜在的である。はっきりそれとわかるような形ではなく、むしろそれに全体として染み込んでいるのである。

マキアヴェリはロレンツォ・デ・メディチ［大ロレンツォ］がフィレンツェで権力の座についた年に生まれた。彼の若き日のことについてはほとんど知られていないが、ロレンツォが死に、共和制の［復活の］ためにメディチ家が崩壊すると、彼は「十人委員会」の書記に任ぜられた。そのとき彼は二九才だったが、その後一四年間フィレンツェの政治の中枢部で役職につくことになる。共和国は一五一二年に終焉をむかえ、メディチ家が再び権力の座についた。マキアヴェリは逮捕、投獄され、さらに拷問を受けた。その後釈放されてこの国で隠退生活を送ることを許された。彼は著述活動を再開し、自分の研究を通じて、今度はメディチ家の尽力でふたたび政治生活に戻ることを願った。彼は、この希望を十分にかなえることなく、「ローマの略奪」の年、一五二七年に死んだ。彼は、後半生に、数々の政治的大変動や宗教的腐敗や複雑な権力交代劇を目撃した。強制された隠退生活の中で復職への希望を抱きながら、ある種の永続的な政治的秩序がどのような手段によって打ち立てられるかについて彼が深く考えるようになったとしても、不思議はない。彼は二つの主な政治的著作を書いた。一五一三年におそらく集中的に関わり、一五一六年に［大ロレンツォの孫の］若きロレンツォ・デ・メディチに献上した『君主論』と、一五一三年から一五一六年にかけて編纂された『リウィウスの初篇十章をめぐる論考』である。

マキアヴェリが『君主論』で作り上げたものは、権力の獲得によって国家の運営を成功させるための一群の指示である。彼には、彼が生きた時代の価値観と物事に対する姿勢が徹底的に染みついていたので、権力とは善であり、それは名誉や尊敬や栄誉とともに追求され享受されるべきものだと、恥じることなく信じた。『君主論』というタイトルが示すように、彼は共和制よりも君主制を支持している。彼は次のように述べている。「イタリアの状況は共和制を実際的ではないものにしており」、フランスやスペインで達成された幾分ましな状態は、「国民の善良さにではなく——彼らには善良さがひどく欠けている——、彼らの統一性を保たせてくれる王がいるという事実に帰せられる」[★1]。しかし、マキアヴェリはかつて、ドイツやスイス連邦で成功しているような立憲共和制が最上の政治形態だと考えていた。その上、『論考』のある部分では、ルネサンスの人文主義者たちと同様、過去に、とりわけ古典時代の過去に目を向け、ローマ共和国を政治的安定のモデルとすることによって、この見解を強調している。しかし、共和制の立場から君主制の立場への移行には現実の矛盾はないと論ずることは、可能である。というのも、立法者つまりは法律を施行し秩序を回復する独裁的で権威をもった人物という観念も、古代においてはっきりと打ち立てられていたからである。それこそが、共同体が堕落し弱くなってしまったときに採用されるべき解決策だったのである。

マキアヴェリは、君主なら採用してもよいとされる戦略について非常にはっきり述べている。無慈悲なことでも、望ましい目的を達成するためならなされてもよい。君主は、「信義を守れば自分の利益に反するような場合には、信義を守るべきではなく」、善良であらぬことを学ばなければならない。君主は「臣民を統合し忠誠心をもちつづけさせるかぎりにおいて……残忍さに対する非難を招きはせぬかなどと心配すべきではない。……二つ合わせもつことができないなら、愛されるより恐れられるほうがはるかによい」[★2]。マキアヴェリは君主ないし統治者の真価［*virtu* 力量］について語っている。これはキリスト教的な思いやりと正義と慈悲深さとが混ぜ合わされている美徳（virtue）ではなく、妙技といったそれ以上の何かである。つまりそれは、大胆さと迫力と決断と政治的臨機応変さを包括するような力量である。君主は、権力の追求に際しては抜け目のなさや狡猾ささえもっている必要がある。そして、君主は、人間の本性がどのようなものであるかについての深くて感情的ではない理解に由来する眼力を発達させる必要がある。マキアヴェリの人間の本性に関する見解は以下のようなものである。

人間については次のように一般化することができる。つまり、人間は恩知らずで、気まぐれで、嘘つきで、裏切り者であり、危険を避け、欲得には目がない。あなたが恩恵を施しているうちはみんなあなたの意のままになる。危険が身に及ばぬうちは……あなたのために血を流し、財産や生命や子供を危険にさらすだろう。しかしいざあなたに危険がせまってくると、あなたに背を向ける。……人間は恐れている人よりも愛情をかけてくれる人を容赦なく傷つける。[★3]

マキアヴェリは、人間の大部分は単純でだまされやすいと主張する。君主は、自分が慈悲深く、善良で、信義に厚く、裏表がなく、やさしく、宗教心のある人間と思われるようにしなければならない。「あなたの外見上の姿は誰にも見えるが、あなたの本当の姿を経験することはほとんどない。……普通の人々はいつも外見と結果に注意を向けている」。[★4]

人の行動や話し合いが「マキアヴェリ的」と表現されるときに何を意味しているのかをこれらの引用句から見て取ることは困難ではない。巧妙さ、ごまかし、そして欺きは、このような態度の特徴として一般に知られているものである。しかしながら、『君主論』の最終章ではマキアヴェリの口調が幾分変わり、彼のあからさまな皮肉癖が、イタリアをよりよい状態にしようという情熱的な関心で和らげられるようになる。このことでさえ、フィレンツェで再興したメディチ家の歓心をかうための彼自身の戦略だとみなすことができる。それにもかかわらず、A・G・ディケンズの言葉で言えば、『君主論』は雄弁で詩的な論考であり、それは「うわべだけの言葉にうんざりしている人間」の紛れもない表現であり、「ぞっとするような苦境から同国人を救い出すための大胆で徹底的な解決策を考察するに至っている」。[★5]『君主論』の中で、マキアヴェリは、この本の最初の方では永遠に無くなってしまったと考えていたように思われる愛国心を蘇生させようと努力している。そうすることによって、きわめて興味深い仕方で、彼の時代と状況の暗黙の前提や、新たに形成された観念や態度などを明らかにしている。たとえばそれは、キリスト教の謙虚さから人文主義の自負へと向かう移行であり、古代の神格化であり、大規模な政治的変化にはいつも伴う宿命の感覚と栄光への希望であり、そして何よりも、「時として、善良であるよりも善良であると思わせるほうがよい」[★6]という彼自身の処世訓において見事に表現されている、政治と道徳の、個人と社会の、激しい緊張についての自覚である。

★注

1 Machiavelli, *Discourses*, I, 55.（『世界の名著21・マキアヴェリ』所収「戦略論」永井三明訳、中央公論社、一九七九年、三二八頁）
2 Machiavelli, *The Prince*, Ch. 17.（マキアヴェリ『君主論』池田廉訳、中公文庫、一九九五年、九八頁）
3 Ibid.（同書、九八〜九九頁）
4 Ibid., Ch. 18.（同書、一〇五〜六頁）
5 A.G. Dickens, *The age of humanism and reformation* (Prentice-Hall, London, 1972), p. 122.
6 Machiavelli, *The Prince*, Ch. 18.（マキアヴェリ『君主論』、一〇四頁）

本書の次の項を参照
ルソー

マキアヴェリの主な著作
- *The Prince* (1513), ed. G. Bull (Penguin, Harmondsworth, 1961)（「君主論」池田廉訳『世界の名著21・マキアヴェリ』、中央公論社、一九七九年、『君主論』池田廉訳、中公文庫、一九九五年、『マキャヴェッリ全集1』池田廉訳、筑摩書房、一九九八年）
- *Discourses upon the first decade of Titus Livius* (1513-16), trans. L.J. Walker (Penguin, Harmondsworth, 1970)（「リウィウスの初篇十章をめぐる論考」、『世界の名著21・マキアヴェリ』永井三明訳（「戦力論」）、中央公論社、一九七九年、『マキャヴェッリ全集2』永井三明訳（「ディスコルシ」）、筑摩書房、一九九九年）
- *The art of war*, trans. E. Daeres (Tudor Translations, first series. no. 39) (AMS Press, New York, N.Y. 1967)（「戦争の技術」『マキャヴェッリ全集1』服部文彦、澤井繁男訳、筑摩書房、一九九八年）

・*History of Florence*, ed. H. Hamilton (Harper and Row, London, 1960)（「フィレンツェ史」『マキャヴェッリ全集3』米山喜晟、在里寛司訳、筑摩書房、一九九九年）

マキアヴェリのよい選集としては、*The portable Machiavelli* ed. P. Bondanella and M. Musa (Penguin, Harmondsworth, 1979).

参考文献

・Burckhardt, J. *The civilization of the Renaissance in Italy* (Phaidon, Oxford, 1981)
・Jones, W.T. *Masters of political thought*, vol. II, *Machiavelli to Bentham* (George G. Harrap, London, 1947)
・Skinner, Q. *Machiavelli* (Oxford University Press, Oxford, 1981)
・Fleisher, M. *Machiavelli and the nature of political thought* (Croom Helm, London, 1973)

フランシス・ベーコン

Francis Bacon
1561－1626

フランシス・ベーコンは、三二才のときに書いた手紙の中で、「私はあらゆる知識を自分の居場所にもってきた」と語っている。しかしこれは、彼が情報を包括的に蓄積するという単純な企てに乗り出したということを意味しているのではない。むしろ、彼は、人間の知識を全面的に再構成し発達させるという遠大な計画を立てていたのである。その上、彼は知識の獲得のための方法に深い関心を抱いていただけではなく、いったん獲得された知識をどうすれば人間の尊厳と偉大さを増進させるよう一番うまく使うことができるのかという問題にも関心を抱いていた。彼の思想は生存中から深い感銘を生み、その後ずっと広い影響力を発揮している。

ベーコンは、両親がもっていた性格の高貴さを受け継がなかった。ラテン語とギリシャ語の双方を習得していた母親のアンは、大蔵卿バーリーの妻の妹だった。父親のサー・ニコラス・ベーコンはエリザベス一世の国璽尚書であり、同時代のバーチによって「我が国でもっとも学識があり、敬虔で、賢明である」と評されていた。フランシスは宮廷社会の中で成長し、幼い頃からエリザベス女王にかわいがられ、強い野心を育んでいった。一二才のとき、ケンブリッジ大学のトリニティ・カレッジに入学し、一六才のとき、駐仏イングランド大使の随員の一人としてフランスに渡った。もちろん、政府の高官になるという希望を抱いてのことである。しかし、一八才のときに父親が死に、財産がほとんど残されなかったので、彼は法律の勉強を始めた。そうすることで女王に仕えられるようになることを期待したのである。彼の興味関心とその能力は、若い時でさえも広いものだった。法律、政治学、哲学、歴史、そして文学をやすやすと習得し、フランス滞在中からすでに彼は人間の知識の全体を組織化し有効に使うための計画を立てていた。

彼は、一五八四年、メルカム・リージス［という選挙区］選出の代議士として下院に属した。彼の最初の演説は議会や宮廷で政務にたずさわりつづけていたにもかかわらず、認められることはなかった。しかし、彼は熱心に仕官を求めつづけた。彼の貧困がそうさせたのである。彼は、複雑な混合物のような人物だったように見える。リットン・ストレイチーは、「彼は縞模様のフリースではなく、見ようによって色が変わるシルクだった」[★1]と語っている。マコーレーは、「彼が求めたのは、出世すること、肩書き、後援、職杖、印章、宝冠、大邸宅、美しい庭園、豊かな領地、たくさんの給仕、明るい壁掛け、珍しいキャビネットであった」[★2]と書いている。実際、彼は、熱心に作り上げようと努力した知識の体系やそれが人類にもたらすであろう利益の未来像にだけではなく、あらゆるものに豪華さと壮麗さを求めた。それと同時に、個人的な事柄に関する彼の行動には感受性が欠けていたようである。マコーレーは、彼のことを、「強い愛情を感じたり、大きな危険に立ち向かったり、大きな犠牲を払うことのできない」ように見える人物として描き出している。[★3]ベーコンは、エリザベス女王の寵臣エセックス伯と親友であったが、エセックス伯が女王の不興を招き反乱を企てると、その結果生じたエセックス伯の起訴に関与したため、友人を裏切ったかどで非難された。ジェイムズ一世が王位を継承すると、彼はこの新しい王によって、三〇〇人の人士とならんでナイトに叙せられた。

一六一八年になって初めて、ベーコンは政府の高官の一員になった。彼は、法律に関する臣下の最高の地位である大法官になった。同じ年、彼はヴェルラム男爵になり、一六二一年にはセント・オールバンズ子爵になった。災難はその直後にやって来た。彼は収賄で告発され、この告発が認められた。彼は、四万ポンドの罰金と国会の資格剝奪、裁判所からの追放、そして王の沙汰のあるまでの投獄という判決が下された。罰金は最終的には免除され、ロンドン塔への幽閉もわずか数日しかつづかなかったが、この出来事の汚辱によって、彼の公の経歴は終わりをむかえた。彼は以前と同じように熱心に研究しものを書きつづけたが、一六二六年、肉が冷気によって保存されるかどうかを調べるために鶏の体の中に雪を詰めたときに風邪をひき、それによって発症した発熱性気管支炎がもとで死んだ。

ベーコンは、明晰で警句的な随筆で有名である。随筆の内の一〇編が一五九七年に出版された。『学問の進歩』は一六〇五年に公刊された。大革新という彼の重要な企てに関わる研究のほとんどは、一六二〇年以降に出版された。一六二〇年、大革新の計画は、その計画の第二部を構成する『ノヴム・オルガヌム（新機関）（*Novum Organum*）』とともに公にされた。一六二三年、大革新の第一部である一六〇五年版の『学問の進歩』がラテン語化されて訂正増補され、*De augmentis scientiarum*［『学問の進歩』の意］というタイトルで出版された。

「革新」という言葉は、「回復」を意味している。ベーコンの目的は、〈人間の堕落〉とともに失われた「宇宙に対する支配」を人類に回復することだった。知識をいかなる束縛もなしに、しかし高度に組織化された形で獲得すること——彼にとってこれがそのような支配を回復する道だった——を説くとき、彼は自然に分け入ることは罪深いことだという一七世紀の聖職者が頑なに主張していた一般的見解と戦わなければならなかった。それゆえ、彼は、大革新に捧げた〈序言〉の中で、彼が「自然についての純粋で腐敗していない知識」と呼ぶものと、「善と悪について判断するための道徳的知識の誇りに満ちた欲求」とをはっきりと区別した。「われわれは、自然を観照することによって、神の神秘に達しようとはあえて望まない[★4]」と彼は述べている。自然の研究と神性の研究をこのように厳密に分離することで、彼は自然的なものによって超自然的なものについての知識を探求するというトミズムの説に、直接的に反対することになった。

ベーコンは、『ノヴム・オルガヌム』の中で、学問の妨げとなる他の様々な障害について論じている。それは「人間の知性を占有しているイドラ［先入見］と偽りの観念」である。彼は四種類のイドラを、〈種族のイドラ〉、〈洞窟のイドラ〉、〈市場のイドラ〉、〈劇場のイドラ〉と名づけた。〈種族のイドラ〉は、人間の本性そのものから、「人間という種族ないし人類が知覚において眼前に存在するものを歪曲する傾向にあるという事実から、生じる」。〈洞窟のイドラ〉は、「個々の人間のイドラ」である。それは、個々人の性癖、特異な性質、偏見によって生み出される。〈市場のイドラ〉は、人々の日常的な行動における「結びつきと交わり」を通じて、「言葉の悪い選択ないしは不適切な選択が知性を驚くほどくもらせ」、人々を「無数の空虚な論争や無意味な幻想」へと導くときに形成される。〈劇場のイドラ〉は、人々の心に宿るドグマや体系や理論であり、ベーコンは、それを「非現実的で舞台のような流儀で人間自身が創造した世界を表す沢山のお芝居[★5]」にたとえている。

確実で有用な知識を獲得するのに障害となるものを乗り越えるベーコン自身の方法は、帰納法という方法だった。ホッブズやガリレオを含む彼の同時代人の多くと同じように、彼は一般に普及していたアリストテレスの正統派的学説の多くを退けた。彼の伝記を最初に書いたウィリアム・

ローリーが伝えているように、それは「ベーコンが様々な高い資質を認めているアリストテレスが無価値だからではなく、方法が非生産的だからである」[6]。ベーコンによれば、アリストテレスは「議論や論争に強いだけで、人間の生活にとって利益になるものを生み出さない」。彼自身の帰納的方法なら、こうしたことすべてを正して、〈イドラ〉によって生み出されたあらゆる歪曲をなくしてくれるはずだ、というのである。

帰納法とは、いくつもの個別的事例から一般法則ないしは原理を引き出してくる手続きである。もちろんこれは一七世紀における新しい手続きではない。しかし、ベーコンは、伝統的な帰納法を、ただ単に個別的ないろいろな例の中から肯定的事例を枚挙し否定的事例を避けたり除くだけで、概して組織性と厳密性を欠いた「幼稚なもの」とみなしていた。『ノヴム・オルガヌム』で詳述されている彼自身の帰納的方法は、形相についての彼の見解との関係で組織されている。彼は、自然の根底に存する構造はきわめて単純であり一組の基本的な形相から成り立っていると考えていた。それを発見すれば、われわれは、世界の表面の種々雑多な複雑さも感覚を通じて把握された「見かけ上の」ものだということが理解できるようになるのである。ベーコンの言う形相は、「単純本性」という形相である。

単純本性は実体の役割を与えられ、それは熱・湿・冷・重などのようなものである。それらはいわば「自然のアルファベット」であり、多くの事物はそれらから合成されている。彼は「法則」としての形相に言及している。それは、世界の根本構造の決定要因であり要素である。彼は次のように述べている。「ある本性の〈形相〉は、それが与えられればその本性が必ず生じるようなものである。したがって、〈形相〉はその本性が現存するときにはつねに現存して、……その本性が現存しないときには……現存しない」[7]。厳密な帰納的手続きは、ある本性が存在している事例を集めた現存表を作成するが、そこからすぐに帰納的一般化にかかってはならない。否定的事例が探し求められ、実験と比較がなされなければならず、その結果として組織化されたデータ表である包括的な資料集が作り上げられる。そのときになって初めて、本性の解釈をはじめることができるのであり、これもまた規則正しく注意深いやり方でなされなければならない。そして、「この除外と排除が十分になされた後には、安易な意見はすべて雲散霧消してしまうから、堅固で真実で正しく規定された肯定的〈形相〉が結局残ることになるだろう。これは口で言うのは簡単であるが、そこにまで達するには多くの紆余曲折を要するのである」[8]。

六つの部分から成る大革新についてのベーコンの計画に

関しては、簡単な説明では公平に評価することはできない。彼の仕事が厳密に研究されればされるほど、偉大なる一七世紀の知的ならびに文化的な発展の大合流の、きわめて重要で影響力のある部分としてますます際だってくる。とはいえ、それは、ケプラーやガリレオの数学を基盤にした発見や方法、それと相関的な政治哲学におけるトマス・ホッブズの研究、そして血液循環におけるウィリアム・ハーヴェイといった革新的なうねりの中にある重要な流れとは、区別される。もっと広い文化的視点から見ると、ベーコンは、明確な王党派の立場に立っているにもかかわらず、ピューリタニズムとピューリタン革命の雄弁な代弁者とみなされてきた。チャールズ・ウェブスターは、『大革新――一六二六年から一六六〇年の科学と医学と変革』の中で次のように書いている。

ベーコンの哲学は、ピューリタン革命に必要なもののために周到に立案されたように思われた。実際、このような適合性は、この哲学者がイギリスのピューリタンとほとんど共通の知的系列に属していたことを考えると、偶然ではなかった。ベーコンは、ピューリタンの価値体系において非常に重要な要因であった反権威主義と帰納主義と功利主義に、明確で体系的な哲学的表現を与えたのである。[★9]

たしかに、一六六二年に設立が認可された王立協会は、ベーコンの観念や原理に多くを負うていた。しかし、彼の影響と感化はそれをはるかに越えていた。一八世紀には、彼は〈フランス啓蒙思想〉によって科学の進歩を組織的に押し進めた人物とみなされ、一八世紀の終わりや一九世紀の初頭においては、スコットランド常識学派哲学の哲学者たちは無条件で彼を賞賛した。帰納的方法は確実な知識を生み出すという彼の確信は、帰納法を一種の蓋然性としかみなさない哲学者たちに気に入られることはなかった。また、彼のアフォリズム的文体や断定口調の傾向のために、厳格な論拠を求める哲学者たちに愛されることもなかった。しかしこれは、彼の偉大さの多くを成り立たせているものを、つまり、人類のために構想された科学についての予言的な未来像の壮大さや、論考を通じて伝えられる学問領域全体への彼の無限の熱意と歓喜などを、見過ごすことである。

★注

1　Lytton Strachey, *Elizabeth and Essex* (Chatto, London, 1928), p. 43.

2　T.B. Macaulay, 'Lord Bacon' in *The works of Lord Macaulay*, vol. Ⅷ, p. 538.

3　Ibid.

4　Francis Bacon, *Works*, I, i, 3, 44-6.(「大革新の序言」『世界の大思想6・ベーコン』服部英次郎、多田英次訳、河出書房新社、一九六六年、二二三頁〔同『学問の進歩　第1巻　国王陛下に』一一頁〕)

5　Ibid., IV, 53-5.(『ノヴム・オルガヌム』「アフォリズム第一巻」『世界の大思想6・ベーコン』中橋一夫訳、河出書房新社、一九六六年、二七七〜八頁)

6　W. Rawley, *Life of Bacon* in J.M. Robertson (ed.) Philosophical works (Routledge and Kegan Paul, London. 1905).

7　Bacon, *Works*, I, 230, iv, 121.(『ノヴム・オルガヌム』「アフォリズム第二巻」『世界の大思想6・ベーコン』中橋一夫訳、河出書房新社、一九六六年、二九八頁)

8　Ibid., I, 257, iv, 146.(同書、三三一頁)

9　Charles Webster, *The great instauration: science, medicine ond reform* 1626-1660 (Duckworth, London, 1975), p. 514.

本書の次の項を参照

アリストテレス、アクィナス、ガリレオ、ホッブズ、マキアヴェリ

ベーコンの主な著作

・*Essays* (1597), 10 of a set that eventually numbered 58 (Everyman Library, no. 1010, Dent, London, 1968)(「随筆集」『世界の名著25・ベーコン』成田成寿訳、中央公論社、一九七九年、『ベーコン随想集』渡辺義雄訳、岩波文庫、一九八三年)

・*The Advancement of learning* (1605), ed. A. Johnson (Oxford University Press, Oxford, 1974)(『学問の進歩』服部英次郎、多田栄次訳、岩波文庫、『世界の名著25・ベーコン』中央公論社、一九七九年、『世界の大思想6・ベーコン』、河出書房新社、一九六六年)

・*The great instauration* (1620), ed. J. Weinbcrger (Harlan Davidson, London, 1980)(「大革新」、『世界の大思想

6・ベーコン』、河出書房新社、一九六六年）

- *Novum organum*（1620）, part 11 of The great instauration（Oxford University Press, Oxford, 1889）（『ノヴム・オルガヌム』桂寿一訳、岩波文庫、『世界の大思想6・ベーコン』、河出書房新社、一九六六年）
- *De dignitate et augmentis scientiarum*（1623）（『学問の進歩』の改訂版）
- *New Atlantis*（1624）（Oxford University Press, Oxford, 1915）（「ニュー・アトランティス」、『世界の名著25・ベーコン』中央公論社、一九七九年『世界の大思想6・ベーコン』、河出書房新社、一九六六年）

ベーコンの著作の標準版は、*The works of Francis Bacon* in 7 volumes, edited by Jalnes Spedding, R.L. Ellis and D.D. Heath（Longman, London, 1857-74）. ベーコンの1巻本の選集は、*Selected writings of Francis Bacon*, ed. Hugh C. Dick（Modern Librnry, New York, 1955）. Bacon's collected Essays are in an Everyman edition（Dent, London, 1968）.

参考文献

- Anderson, F.H. *The philosophy of Francis Bacon*（University of Chicago Press, Chicago. 1948）
- Broad, C.D. *The philosophy of Francis Bacon*（Cambridge University Press, Cambridge, 1926）
- Farrington, B. *The philosophy of Francis Bacon*（University of Liverpool Press, Liverpool, 1964）
- Hesse, M. 'Francis Bacon' in D.J. O'Connor（ed.）, *A critical history of Western philosophy*（The Free Press, New York, 1964; Macmillan, London, 1985）
- Quinton, A. *Francis Bacon*（Past Masters, Oxford University Press, Oxford, 1980）
- Rossi, P. *From magic to science*（University of Chicago Press, Chicago, 1968）
- Webster, C. *The great instauration: science, medicine and reform* 1626-1660（Duckworth, London, 1975）

ガリレオ・ガリレイ

Galileo Galilei
1564–1642

ガリレオは、科学者にして数学者であったが、その仕事は科学一般だけではなく哲学にも深い影響を与えた。彼は一五六四年二月一五日にイタリアのピサで、七人兄弟の長男として生まれた。彼が六才のときに移り住んだフィレンツェである程度教育を受けた後、ヴァロンブローサのカマルドレッセ修道院に入り、その後一五八二年にピサ大学に入学した。父親は彼に医学の勉強をしてほしかったのだが、ガリレオはこれを拒んだ。彼は偶然にエウクレイデス［ユークリッド］の『幾何学原本』に出会うが、そのころにはもう数学やアルキメデスの思想に、また当時の自然哲学を支配していた物理学や**宇宙論**の問題領域全体に、魅了されていた。ピサでは、適切で鋭い問いを立てることで評判になった。彼は、一五八五年学位を取得することなく大学を去るが、知的探求の人生を歩もうとはっきりと決意していた。彼はピサ大学とパドヴァ大学で教えてから、フィレンツェ宮廷つきの数学者・哲学者になり、イタリア各地を旅しながら教鞭をとり、論争に加わり、物理学、天文学、工学、力学そして数学における様々な種類の探求に関わった。

ガリレオは、二つの出来事にまつわる話で何より有名である。一つは実験の話で、それによれば彼は、ピサの斜塔から重さの異なる球体を落として、アリストテレスが主張したのとは反対に、物体の落下速度が重さによって決定されないことを証明したと言われている。二つ目は一つ目よりもずっと長い物語である。ガリレイがその著『天文対話』の中で、地球は宇宙の不動の中心であるどころか、ただの動いている惑星にすぎないとするコペルニクスの仮説に賛成したことをとらえて、ローマの異端審問所が「異端の重大な疑い」ありとして、彼を告発したのである。ピサの斜塔の物語はその真偽が疑われているが、ガリレイの裁判に関する資料はたくさん残されており、その問題については多くの人々が論争を重ねてきた。はじめ異端審問所は彼に無期限の投獄という判決を下したのだが、最終的には、アルチェトリにある彼自身の別荘で、役人の恒常的な監視の下で、余生を過ごすことが許された。彼は一六四二年に亡くなった。

哲学と科学にとってのガリレオの重要さは、彼が引き起こしたり生じるのを手助けしたりした様々な変化の価値を見定めることによってしか、理解できない。一六世紀の初めには、地球が宇宙の中心にある不動の球体であり、太陽と月と五つの惑星が複雑な円運動をしながらその周りを回り、その彼方にはすべてが完全でありまたいかなる恒星も含まない、日周運動をする天球があると信じられていた。ところが、一七世紀の終わりまでには、これとはまったく異なった見解が教養あるヨーロッパ人の精神に行き渡っていた。そのときまでには、地球は他の惑星と同様に自転し、すべての惑星は引力によって規定された楕円軌道を描きながら太陽の周りを回っているのだということが、信念となっていたのである。永遠に完全な外天球に境界づけられた有限な宇宙という観念は捨てられてしまった。宇宙の理解に関するこのような根本的変革はその多くをガリレオの研究に負うている。

一七世紀の初めは、自然的世界の研究はアリストテレスの哲学から直接発展してきた原理と手続きによってまだ支配されていた。堅牢で包括的で強力なアリストテレス哲学は、変化を、とりわけ目的的運動を、自然における根本的なものとみなしていた。地球が宇宙の中心に位置し不動であるという信念はアリストテレス哲学に由来し、宇宙を、土・空気・火・水という原質で合成されている領域と、完全な円運動以外のいかなる変化も起こらずあらゆる面で完全な第五原質で作られた領域という二つの領域に分けることも、やはりアリストテレス哲学に由来する。アリストテレスの主張の基礎にあるのは、経験から引き出される実際的な能力とは区別されるものとしての哲学的知識は、ただ[理性的]推論によってのみ達せられるのだとする見解である。アリストテレス哲学は、異なったタイプの四つの原因、つまりは〈形相因〉、〈質料因〉、〈目的因〉、〈作動因〉によってあらゆるものを説明しようとした。[★1]しかしまたアリストテレス哲学は、世界についての常識的な見方にも訴えかけたし、天界の優れた独自の本性や神の創造行為によって秩序づけられた位階などについての宗教的確信ともうまく合致したり、合致させられたりしてもきた。その緊密で包括的な理解の仕方は、その土台を切り崩したり攻撃したりすることを困難にしていたばかりか、神学者によって擁護され流布されたため、その教えを学んだ人々の目にはほとんど神聖なものにまでなっていた。それにもかかわらず、一六世紀中に数学と天文学と物理学のデータが徐々に蓄積されてくると、アリストテレス的世界観への挑戦という恐るべき企てが具体化しはじめた。特に、ポーランドの天文学者コペルニクスは、一五四三年の『天球の回転について』の中で、太陽が宇宙の中心であり地球は動いている惑星であると論じた。その上、一六世紀の初め頃ヨーロッパの多くの地域に影響を与えた政治的大変動も、変化と革新に相応しい雰囲気を作りつつあった。これが意味するのは、ガリレオの探求が、相当な混乱と知的興奮を背景にし、それまで夢想だにされなかった可能性についての自覚が高まりつつある中でなされたということである。

ガリレオの指導的原理は、測定することと量化することである。あらゆる物質的物体は事物の秩序の内に「しかるべき場所」をもっているのだから、運動は各物体が自分自身の場所へ動いて行くという自然的傾向性によって説明されるべきなのだとするアリストテレスの想定を、ガリレオは退けた。実際彼は、自分の数学的仮定を試すために、観察し、重さを測り、計算したのだ。彼は、数学が宇宙の構造と法則を明らかにすると確信していた。『黄金計量者』(一六二三年)の中で次のように書いている。

哲学は、宇宙というこの偉大な書物の中に書かれており、それはわれわれの眼前につねに開かれている。しかし、この書物を理解するには、まずその本に書かれている言葉を理解し文字を読むことを学ばなければならない。それは数学の言葉で書かれており、使われている文字は三角形や円や他の幾何学的図形であり、そうした言葉や文字なしには、その書物のたった一つの単語も理解することは人間には不可能であり、それらなくしては、人間は暗い迷宮を彷徨うことになる。★2

したがって、ガリレオの探求の哲学的土台は、数学が宇宙を理解する鍵であるという想定だった。しかし、彼の研究の重要な推進力は、宇宙がどのように動いているかを表し説明するために「数学の言葉」を認識しそれを使うことだった。それゆえ、彼は哲学者ではなく数学者とみなされている。アリストテレスの原因についての議論からガリレオの量化の原理へと科学的研究の哲学的土台が変化したことは、一七世紀のヨーロッパにおける科学革命の基礎となった。もちろん、ガリレオが一人で走りまわって深い変化を引き起こしたわけでは決してない。哲学的に言えば、彼は、新しい認識の基準を、つまりは、数学の**演繹的**推論を特徴づけている論理的な無矛盾性に根拠づけられた基準を打ち立てようとする広範な運動の一部を成していた。科学的に言えば、彼は、ティコ・ブラーエ、コペルニクス、ギルバートなどの思想を受け継ぐ者として、ケプラー、ベーコン、デカルトと時代を共にしていた。科学史家たちはときとして、ガリレオはプラトン主義者であったのか、ピュタゴラス学派であったのか、それともアリストテレス的でさえあったのかと言って、論争する。そうした問いにはっきりした答えはない。ガリレオは、これらの影響や他の幾多の影響が非常に強かった文化的風潮の内にいた。宇宙の究極的実在が数学的で抽象的であると考えた点では、彼をプラトン主義者やピュタゴラス学派とみなすことができる。物理的実在の細部と事実に忠実であった点では、彼をアリストテレス的だとみなすこともできる。異端審問所による裁判で頂点に達する宗教的権威との争いは、ローマ・カトリックへの彼の熱意が誤解されたことの表れだという指摘もある。というのも、彼が科学的事実と、聖書と神学の意見を分離しようとしたことは、現実には科学の進歩によって信用をなくすことから宗教的見解を救う試みであったからである。

ガリレオがピサの斜塔のてっぺんから重りを落としたという有名な話は、彼が自由落下の法則を発見したことを示している。彼は重さの異なった物体が同じ速さで落ちるとは断言しなかった。なぜなら、そうなるのは真空においてだけだからである。真空の可能性を否定したアリストテレスに反対して彼は、異なった重さのものが地上に到達するのに要する時間が異なるのは、比重に比例してではなく、媒質の抵抗によるのだと指摘した。この法則を実証するために行った実験は、斜面を下落する金属球の実験である。彼は測定された結果が法則に従ってなされた計算に反するかどうか試験した。それから、彼は自由落下の法則を、慣性という観念に関連づけた。これは、力が加えられなければ、物体は静止状態のままにとどまるか、斉一的な速度の運動状態のままにとどまるかの、どちらかであるとする理論である。この理論は、運動は状態ではなく過程であり、運動している物体は絶えず力が加えられなくてもおのずから運動するのをやめるのだというアリストテレスの見解に真っ向から対立するものである。ガリレオは、慣性という基本的な概念を使って、発射体の運動を説明できたし、したがってまた天体の運動の正確な図解に着手することもできた。彼の研究はその後ニュートンによって洗練されることになる。とはいえ、きわめて未熟な形でではあれ、四原質からなる部分と天界の部分とをもつ〈閉じた宇宙〉という古い考え方から、天体の領域が地上と同じ物質で構成されまた同じ法則に服している〈無限の宇宙〉という観念への飛躍は、彼の研究によってなされることになったのである。

ガリレオは、いわゆる第五原質つまりは完全な球体の真の本性に関する発見によって最初神学者たちの不興をかった。一六〇九年、彼は、オランダ人が制作した器械について得た説明に基づいて望遠鏡を作り上げた。彼は自分の作った望遠鏡を空に向け、自分が見たものを書きとめ、自分の発見を『星界の報告』というタイトルの短い本で公にした。彼は、月は完全な球形ではなく地球とまったく同じように山や谷やクレーターがあると述べた。彼は木星の周りに四つの衛星を見つけた。彼がこの事実を使って暗示したことは、地球がその周りを回転する月を伴いながら太陽の軌道を年周運動しているという考えは受け入れられなくても惑星はそうしていると考えている人々が、ひとたび木星にも衛星［月］があることを実感すれば、地球の運動をより容易に受け入れられると考えるかもしれないということである。四年後、彼は金星が月と同じように満ち欠けするのを発見した。これは、金星が地球ではなく太陽の軌道上を動いている重要な証拠だった。こうしたことはすべて、またしても、宇宙についてのアリストテレスの説明と、月ならびに第五原質から成るすべての天体が完全な球形で滑らかなのだというアリストテレスの主張に、まったく反していた。その上、それは聖書の次のような記載などとも矛盾することになった。たとえばヨシュアは、「日よ、ギベオンの上にとどまれ、月よ、アヤロンの谷にやすらえ」と命じ、その結果、「民がその敵をうち破るまで、日はとどまり、月は動かなかった」[★3]と記されているが、これなどは、太陽が、違った形で命令されるときを除いて、不動の地球の周りを廻っていることを暗示しているのだと解釈することができる。

その後数年にわたって緊張は高まった。数学を糾弾し「ヨシュアの奇跡」を引き合いに出したトマス・カッチーニというドミニコ会修道士が行った説教の結果として、小さな危機が起こった。このときには、異端審問所はガリレオに対する訴訟を却下した。すぐその後、ベルラルミーノ枢機卿は、地球の運動は仮説としては受け入れられるべきだが真理とみなすべきではないと勧告した。詳細は不明であるが、さらなる危機が一六一六年に起こった。それは解決し、ガリレイは再び研究にもどった。一六三二年までに、『プトレマイオスとコペルニクスの二大世界体系についての対話［天文対話］』の公刊が準備された。古い天文学体系と新しい天文学体系の利点を検討する一連の対話である『対話』はすぐにごたごたを起こすことになる。異端審問所は、これが出版を許可された著作であるにもかかわらず発売を禁止し、一六一六年の危機に対する曖昧な決着に再び光が当てられ、様々な論点が捏造され、異端審問所の面子を立てる交渉が裏で行われたようである。ガリレオは、『対話』の中で「行き過ぎた」こと、それに変更を加えることを、書面で認めた。彼はその見返りとして寛容な扱いを受けることを期待したが、無期限の禁固の判決によってショックを受け落胆させられただけだった。その後、判決は自宅での幽閉にさしかえられた。彼は、ニュートンが生まれた年、一六四二年一月九日盲目の身となって死んだ。幽閉の間、彼は『二つの新科学［新科学対話］』を書いたが、これも対話形式のもので、物質の構造と運動法則を検討していた。ローマ［カトリック］はガリレオによって書かれたり編集されたりしたいかなる著作も発行させないという決定をしていたが、この著作はついに［オランダの］ライデンで公刊された。

一六一六年の危機の間、彼は『クリスチーナ母公宛の手紙』を書いた。その中で彼は、科学と神学の関係について自分の考え方を詳しく述べた。増補版の『手紙』で彼は、ケプラーがかつて論じたように、聖書における言明は文字通りに受け取る必要はないと述べている。なぜなら、「ありのままの文法的な意味につねに縛り付けられていたら、かえって誤りに陥るかもしれない」からである。彼はさらに、「感覚的経験がわれわれの眼前におき、また必然的な論証がわれわれに立証するような自然的なものは、どんなものも、聖書の様々な箇所の証言に基づいて疑われたり（ましてや断罪されたり）すべきではない。というのも、そうした証言も言葉の背後に何らかの文字通りではない意味を隠しているかもしれないからである」と主張している。★4 この『手紙』が深刻な騒動を引き起こした後になって、ガリレイは、コペルニクスの体系は聖書に違反するばかりか証明可能ではないとも思われるので、それはただ仮説としてのみ取り扱うべきだという忠告を、ベルラルミーノ枢機卿から受けた。科学史家たちは、もしもガリレイがこの忠告を受けて慎重に行動すれば、咎められることなく研究をつづけることもできただろうと論じてきた。しかし、彼は求められた慎重さを欠いたまま振る舞った。おそらく、存在しうるあらゆる足枷から、仮説的な言葉で表現させるような足枷からさえも、科学を解放して、近視眼的な教条主義が招くあらゆるあざけりから神学を解放する必要性の方が、自分の現実的な発見よりはるかに重要だと彼は感じていたのである。彼の動機がいかなるものであれ、彼は神学からの否認を挑発しつづけ、少し警戒すれば避けられたような問題を引き起こしつづけたのであった。

裁判にかけられて有罪判決を受けたにもかかわらず、ガリレオの思想は一七世紀の〈新哲学〉の中心的な構成要素として生き残るのに成功した。彼の死の数日後、ベルラルミーノ枢機卿の身内の一人が、フィレンツェの友人に宛てて次のような手紙を書いている。

今日、ガリレイ氏が亡くなったという知らせが届きました。彼の死は、フィレンツェだけではなく、世界全体にとって、そして他のほとんどすべての普通の哲学者から以上にこの聖なる人物から輝きを受け取った今世紀全体にとって、大きな痛手です。今やねたみは止み、すべての子孫にとって真理の探究の道しるべとなるような知性の気高さが知られはじめることになるでしょう。[★5]

★注

1 本書のアリストテレスの項を参照、五八頁～。
2 Galileo, *The assayer*（『黄金計量者』）in Stillman Drake, *Discoveries and opinions of Galileo* (Doubleday, New York, 1957), pp. 237-8.
3 Joshua x, verses 12-13, *The Bible.*（『旧約聖書』「ヨシュア記」第一〇章一二～一三）
4 Galileo, *Letter to the Grand Duchess Christina,* trans. Drake in *Discoveries and opinions of Galileo.*（『クリスチーナ母公宛の手紙』）
5 Stillman Drake, *Galileo* (Past Masters, Oxford University Press, Oxford, 1980), p. 93 に引用されている。

本書の次の項を参照
アリストテレス、デカルト、ベーコン、ホッブズ

ガリレオの主な著作

ガリレオのイタリア語のタイトルは長くまた数が多い。したがって、私は英語のタイトルを用い、ガリレオの著作のいくつかの選集から引用した。彼の著作と書簡は、*Le opere di Galileo Galile*, ed. Antonio Favaro (Forence, 1890-1910, repr. 1929-39) に収められている。よい書誌が E. McMullin (ed.), *Galileo, man of Science* (Basic Books, New York, 1967) の中にある。

- *Galileo against the philosophers* (1605), trans, S. Drake (Zeitlin and VerBrugge, Los Angeles, 1976)
- *The starry messenger* (1610), trans. in S. Drake, Discoveries and opinions of Galileo (Doubleday, New York,

1957）（『星界の報告』山田慶児、谷泰司訳、岩波文庫、一九七六年）
- *Letter to the Grand Duchess Christina*（『クリスチーナ母公宛の手紙』）（1615), trans. in Drake, Discoveries and opinions of Galileo
- *Dialogue concerning the two chief world systems*（1632), trans. S. Drake（University of California Press, Berkeley, Calif., 1953, rev. 1967）（『天文対話』上下巻、青木靖三訳、岩波文庫、一九九六年）

参考文献

- Briggs, R. *The scientific revolution of the seventeenth century*（Longman, London, 1969）
- de Santiliana, G. *The crime of Galileo*（Mercury Paperback, London. I961）（ジョルジュ・サンティリャーナ『ガリレオ裁判』一瀬幸雄訳、岩波書店、一九七三年）
- Drake, S. *Galileo at work: his scientific biography*, 2nd edn（University of Chicago Press, Chicago, 1981）
- Koyre' , A. *From the closed world to the infinite universe*（Harper and Row, New York, 1958）
- ——*Metaphysics and measurement*: essays in the scientific revolution（Chapman and Hall, London, 1968), pp. 1-43
- ——*Galileo Studies*, trans. J. Mepham（Harvester Press, Hassocks, Sussex, 1978）（アレクサンドル・コイレ『ガリレオ研究』菅谷暁訳、法政大学出版局、一九八八年）
- Kuhn, T.（ed.）*The essential tension*（University of Chicago Press, Chicago, 1977）（「科学革命における本質的緊張」『トーマス・クーン論文集』我孫子誠、佐野正博訳、みすず書房、一九九八年）
- McMullin, E.（ed.）*Galileo, Man of Science*（Basic Books, New York, 1967）
- Wallace, W.A. *Prelude to Galileo*（Reidel, Dordrecht, 1981）

トマス・ホッブズ

Thomas Hobbes
1588–1679

ホッブズは、ジョン・オーブリーが語るように、スペイン無敵艦隊がイングランドに接近しているという知らせのため母親が恐怖にかられ、一五八八年四月五日に早産で生まれた。彼は九一才という堂々たる年齢まで生き、死の数日前まで精神と知性の明晰さを保っていた。彼は一七世紀の大哲学者の一人である。彼は知識を支える不可疑的な基盤を探求し、当時発達しつつあった自然科学と数学に深い影響を受け感化された。彼は一七世紀に生きたが、今日でも『リヴァイアサン』という本で具体化された政治哲学できわめて有名である。

ホッブズは、彼の深い関心を引いた哲学的問題について考えたり反省したりするために社会から幾分距離をとって、喧騒のない平穏な生活を送りたかったようだ。しかし、一七世紀の初期と中期は、ヨーロッパの多くの地域が大動乱の時代だった。イングランドでは、一六四二年に始まった大内乱［ピューリタン革命］が、七年後、チャールズ一世の処刑とオリヴァー・クロムウェルの不安定な護国卿政治で頂点をむかえていた。ホッブズは、重大な出来事が生じているそのすぐ間近かで人生を送り、当時の幾多の重要人物や権力者と知己であった。あるときは、フランスに亡命中のウェールズ皇太子の個人教師を務めた。またあるときは、自分が抱いている意見のために、主教たちに火炙りの刑に処せられるのではないかと恐れた。彼は、人生において二度、イングランドを離れてしばらくフランスに住む方が賢明であると考えた。彼は、このように重大な出来事の間近かに身を置いて心から国民の平和と安全を望んでいたので、統治の問題への解決策を考え出すため自分のあらゆる才能を駆使しようと決意した。一六五一年に出版された『リヴァイアサン』は、この努力の主たる成果であった。ホッブズはその中で、彼が「政治学」と呼ぶものが何であるかを明らかにした。それは、社会の中で生きている人間に関わる知識、しかも、政府が国民のために平和な国家を樹立してそれを維持することができるようになる知識の集成である。平和を手に入れるための彼の現実的な方策は決して異例なものではなかったが、平和にいたるために彼が用いた方法は新しかった。彼の哲学者としての偉大さは、主に革新的な方法に基づいており、それは大部分イタリアの同時代人ガリレオの物理学に由来している。ホッブズの考えでは、いやしくも尊敬の念を抱かれるような探求はどんなものも、その結論がいかなる曖昧さもなしに知識として認められるようなかたちで行われなければならない。思弁や臆見や臆断ではそうはならないだろう。幾何学やガリレイの物理学において使われているような演繹的推論ならば論理的に異論の余地のない結論を生み出してくれる。彼はそう考えて、政治社会の組織化と運営に関してもそれと同類の知識にいたるために演繹的推論を利用するのだと、決意する。

　幾何学的推論は、「与件」すなわちある基本的な前提ないしは一群の前提からはじまり、他のものではありえない結論に徐々に向かっていく。ガリレオは物理的宇宙の出来事を分析するためにこの方法を用いた。たとえば、重さと距離と角度に関するデータが与えられるなら、彼は物質的物体の運動を演繹してそれを予見することができた。[★1]ホッブズの革新性は、人間の行動の研究にこの方法をもち込んだ点にある。彼は、もしも人間の本性についての基本的な事実――「与件」――を明らかにすることができれば、その事実から人間がある状況の中でどのように行動するかを演繹することができると考えた。したがって、彼は、どんな原因が衝突を引き起こすのかということばかりではなく、どんな原因が平和的な共存をもたらすのかということをも発見できたし、平和と安全を樹立し維持できるような政府の形態のための処方箋を提示することもできたのだ。これが、『リヴァイアサン』の大胆で独創的な企てである。人間は、物理的宇宙のただの一面として研究することができる。人間の情念や気質もまた、物理的運動とその原因に照らして分析したり、平和と安全を生み出してくれる原因を与えることによって行為を規制していくことを目指した、ある種の定式化された処方箋に照らして分析したりすることが、立派にできるのだ。

　ホッブズの方法の基盤は、いかなるものも、根本的には、運動状態のうちにある物質なのだ、というガリレイの原理にある。彼は『自叙伝』の中で次のように書いている。

> 　本当は、ただ一つのものしか実在していないのに、それが一切のものごとの基盤となっているため、私たちはうっかり、夢のはかない幻のようなものだとか、鏡を使

って思いのままに数を増やせる像のようなものにすぎないものをとらえては、それらをまともな実在だと主張しているのだ。それらは、私たちの脳髄が生み出した幻想や産物以上のものではなく、それらを貫くただ一つの内なる実在は、運動でしかないのに、である。★2

ホッブズは、『リヴァイアサン』の最初の五つの章で、このような主張を展開し、それが人間をどのようにして包括するのかを示している。彼が述べるところでは、人間は感覚的存在である。感覚的経験は「それと同数の物質の運動」を原因としている。やはりまた物質の運動でもあり彼が「精神の概念」とも呼ぶわれわれの思考は、「感覚器官に則って生み出された」ものである。人間を運動状態にある物質の一部とみなすための条件を確立したあと、「第六章」では、人間の本性の記述、つまりは「一般に情念と呼ばれる、意志をもった運動」の説明をはじめる。ここでホッブズは、国家における平和な共存のために必要な状況がそこから演繹されるような「与件」を、順序立てて具体的に述べている。しかし、人間の本性についての彼の言明が、運動状態にある物質についての彼の以前の言明から演繹されてはいない点を、認識しておくことが重要である。そのような演繹は不可能である。というのも、情念や感情についての情報を物質の運動についての情報から演繹することは、できないからである。しかしながら、〈情念〉についての彼の分析は、〈情念〉を有意的運動とみなしており、そのかぎりでは、いかなるものも運動状態のうちにある物質であるのだという原理から導き出されなくても、その原理と矛盾するわけではない。

ホッブズは、「生命的」運動と「有意的運動」を区別している。「生命的」運動は、心臓や肺のような器官の運動のことである。それは、ひとたび生み出されるなら、まるで自発的であるかのように動く、生命を維持する運動である。「有意的」運動は、脳の小運動である「努力」によって誘発される。〈努力〉は、それを生み出した原因が何であれ、それに向かうか離れるかのいずれかの方向にむかう。ホッブズの分析は、身体の運動という観念から、快か苦のいずれかとして経験されまた善か悪のいずれかとして判断される欲求や嫌悪のような運動の観念へと、急ぎ足で移っていく。彼によれば、あるものへ向かう運動は、快として経験される。あるものから離れていく運動は苦として経験される。さらに、われわれは、自分の欲求するものを愛し、またこれを善とみなすのだと言われ、自分の嫌悪するものを憎み、またこれを悪とみなすのだと言われる。彼は、物質の運動に倫理的価値をはめ込んでいるのである。

『リヴァイアサン』の第一三章で、ホッブズは「自然状態」を記述している。彼は、自然状態では人々は力や能力の点で互いにほとんど差がないと主張する。さらに、自然そのものと自然的人間は善でもなければ悪でもない。自然状態では、各人は自分自身の生命を保持し死を避けるという自然権を行使している。「今の生活の幸福」は、欲求しているものを獲得できるという継続的成功にある。しかし、このような幸福は平穏な満足では決してなく、それは、「生それ自体が運動にほかならず、また生が、感覚なしにはありえないように、欲求や恐怖なしにもありえない」からだとホッブズは語っている。[★3] われわれの自然状態とは、われわれが欲するものへと向かうとき、同様のことを行っている他者たちとわれわれが衝突する状態のことである。それは、「管理権も支配もなく、〈私の物〉と〈あなたの物〉の区別もなく、各人が自分で獲得しうる物だけが各人の物であり、しかもそれは、それを保持していることができる期間だけである」ような状態のことである。[★4] しかし、自分の生命を守ろうとする欲求は平和を求める欲求でもある。なぜなら、自然的な人間の理性は、平和が生命の保持のための最善の状態であることを知っているからである。したがって、自然的人間は、たとえ不断に紛争に関与していても、安全と平和を欲求する者である。

ホッブズは、このような不幸な状態を活かす道が、つまりは自然状態の情念と理性を活用する道が、〈コモンウェルス［政治体］〉という人為的構造体の基礎になるのだと考える。神が自然的世界を作ったのとまったく同じように、われわれはそれを模して〈リヴァイアサン〉という人為的〈コモンウェルス〉を作らなければならない。それは、誇り高く強力であるが道徳的な創造物であり、地上において最高のものであるが神の法に従う創造物である。人為的〈コモンウェルス〉は、理性によって認識された自然法に基礎を置いているので、そのすべての市民の生命を守り恒久的な平和を維持しなければならない。

ホッブズによれば、恒久的な平和を確保する唯一の方法は、人々が一緒に契約を結び、その要求に対する反抗が実質的に不可能であるほど強力な至高の主権者のもとに身を置くことである。この至高の主権者には、それに従う人々の生命をつねに守るように行為する権限が与えられなければならないし、この至高の主権者は、国民の戦争を好む自然な情念をより大きな害が加えられるという脅しによって阻むほど、大きな力をもたなければならない。至高の主権者はいかなる約定や契約にも加わらないが、平和を求め正義を維持することを自然法によって義務づけられており、自然法を実効化するために必要なものならどんな人為的法を作っても構わない。ホッブズにとって、統治権は恒久的な平和を守りまた保持する権力にのみ属している。

『リヴァイアサン』は、ホッブズの同時代人の多くに不快を感じさせた。それにはいくつか理由がある。人間が運動状態にある物質の断片とみなされていること、自然状態における人間の本性と生のぞっとするような肖像が描かれていること、至高の主権者に絶対的とも言える権力が与えられていること、神的な統治権をもつ主権者という観念が根こそぎにされ、それに代わって、ただ法を執行する権力だけが授けられた主権者の権利という観念が立てられていること、そして、教会を至高な政治体の権威の下に置くこと、と同時に、教会の働きのあらゆる側面に迷信から脱した理性のするどいまなざしを突きつけることによって、教会からその独立性を剥奪したこと、である。ホッブズは、宗教に反対することが、一七世紀のイングランドにおける権威の崩壊の主たる源になると考えていた。彼は市民法と教会法の間にはいかなる実質的な区別もありえないと論じている。というのも、それらは事実上一つの法であり、彼が唱えている〈コモンウェルス〉においては一つの法であることが示されているからである。主権者の仕事は市民法を課すことによって自然法を実効化することであり、「〈コモンウェルス〉の法によって神の法と宣言されたものに対しては、すべての国民は神の法として服従する義務がある」[5]のである。

『リヴァイアサン』は、いろいろな意味で非常に多くの人々の不興をかったが、軽視されることはなかった。その厳密な方法は、注目と尊敬の双方を集めた。さらに、〈コモンウェルス〉の至高の主権者は、平和と〈コモンウェルス〉自身の不可分性を維持するかぎり一個人でも人間集団でもよいというホッブズの結論は、議会派と王党派の間の紛争において両方の派で使われるのに適切な両刃の剣だった。この新しい政治学は、国内紛争によって疲弊した社会のために新しい礎を築きたいと望んでいたすべての人々にとって実に魅力的な論題であった。

あらゆるものは運動状態のうちにある物質であるというホッブズの信念は、形而上学的唯物論と呼ばれている。唯物論的学説であるのは、あらゆるものは物質であると主張するからである。形而上学的であるのは、経験や調査研究によって影響を受けない統一化原理を、つまりは全体としての実在の特徴づけを与える企てだからである。

ホッブズの形而上学的唯物論は、ある種の哲学的問題を生じさせ、それを独自なやり方で扱っている。そのような問題の一つは言語と普遍的ないしは一般的な語に関するものである。ホッブズは、言語と言明の使用を考察するに際して、個別的名称と共通の名称を区別している。「アン」や「この男」や「この建物」のような個別的名称は、個々人ないしは個々の事物を指している。しかし、「女」や「男」や「犬」のような共通の名称は個々のものを指さない。それゆえ共通の名称はしばしば「普遍的」と呼ばれ、非物質的に存在するものと考えられた。けれども、全体が運動状態の物質から成り立っているシステムの中には非物質的**本質**の余地はありえないのだから、普遍的であるのは共通の名称でしかないということを、ホッブズは強調する。これが彼の唯名論の学説、すなわち、共通の名称ないしは普遍的名称に対応するいかなる普遍的本質も存在しないという見解である。たとえば、唯名論者は、「赤さ」であるようないかなる現実的存在も存在しないと主張する。存在するのは個々の赤いものであり、「赤い」や「赤さ」という言葉であって、現実に「赤さ」そのものであるようなもの、一種の普遍的本質であるようなものは何も存在しない。ホッブズは「この世で普遍的であるものは名称以外にはない」[★6]ときっぱり断言している。

　ホッブズの唯名論は、一七世紀中盤においてもなおヨーロッパ思想を広範にまた強固に支配していたアリストテレス哲学への批判でもある。アリストテレスは、世界は事物の本質についての知識によって理解することができると教えていた。本質がそれを提示している事物とは独立に存在することをアリストテレスはなるほど否定したが、それにもかかわらず彼の理論は、他の人々によって、「男」や「木」のような［共通の］普通名詞が個々の物質的対象とは別に非物体的に存在する本質を指していると考えるような理論へと、仕上げられていた。[★7]ホッブズの意見では、言葉は何も意味しないのだから、このような指示のすべては「無意味な言明」だということになる。普遍的名称ないしは共通の名称は、彼にとって、「何らかの性質に類似性があるために、多くのものに付与された」[★8]名称にすぎないのである。

　唯名論は、『リヴァイアサン』におけるホッブズの〈コモンウェルス〉の説明にとって重要な含意をもっていた。もしも「善」や「正義」や「悪」などのような本質が独立に存在するのではないのだとすれば、これは、正と誤の絶対的基準を設定するものは何ものもないことを意味する。「善」のような言葉は単なる名称であって、それは個々の事例を［同一の名称で呼ばれるものの］複数の姿とする働きをするにすぎない。何が善であり何が悪であるかは、国家つまりは巨大なリヴァイアサンという人為的構築体の一部としての〈至高者［主権者］〉の命令によって規定されるのである。

ホッブズの形而上学的唯物論は、意志の自由をめぐっても、いろいろと問題を生じさせる。もしもあらゆるものが物質であり、物質が予見可能で不可避的な仕方で動くのだとすれば、またひとたびわれわれがその運動を決定している因果法則を知るならば、人間の意志が自由であると言いうるだろうか。この問いに対するホッブズの答えは、率直で、明快で、彼の唯物論的主張とまったく矛盾していない。あらゆるものは因果的に必然化されており人間もまた他のあらゆるものと同様に因果体系の一部なのだから、起ることはみな必然的に起こるのだと、彼はたしかに語っている。しかし、人間の自由は因果的**必然性**からの自由として理解されるべきではない。ホッブズの説明では、何ものかを意志したり欲したりすることは、何であれ欲しているもののへ向かって動こうとすることである。したがって、もしも私が欲しているものに向かう私の運動が妨害されないなら、私は自由に行為していることになる。もしも私の運動が何らかの仕方で邪魔されたり妨げられるなら、私は自由に行為することができない。私の運動に対するこのような外的妨害は、私の自由を阻止するものである。しかしながら、私の一部を構成している何ものかのために私が欲するものを手に入れたり行ったりできない場合――たとえば、高く飛べるような体格をしていないために塀の反対側に向かって飛び越えることできない場合――、それは私の自由への拘束ではなく、私の内なる能力の自然な欠如にすぎない。ホッブズは流れている水という事例を使う。水は、それが自然に流れていくのを妨げる障害物がないならば、水路にそって自由に流れていく。ところが、水は自らすすんで上昇することはできない。それは、そうすることが水の本性に属さないからである。とはいえ、だからといってわれわれは、水は自由に上昇することができないとは言わない。それというのも、上昇できないことは、水にとって外的な妨害ではなく、水の本性の一部だからである。われわれは本性上一群の力と能力をもっており、自由とはその力と能力の妨害されざる遂行のことなのである。ホッブズは、「自由」ということの意味についての注意深い論述によって、われわれが自由である場合と自由でない場合の区別を引き出すことができた。しかしそれでもやはり、われわれの行うことはすべて必然化されているのだと主張することは、依然としてできるのである。人間の自由が普遍的な因果的必然性と両立可能であるという一般的な見解は、しばしば「弱い決定論」とか、単に「両立主義」と呼ばれている。

ホッブズは非常に野心的な総合を企てていた。他の一七世紀の哲学者たちと同様に、彼は知識のための強固な基盤を求め、やはり彼らと同じように、数学で使用されているような推論のうちにそれを見いだした。それと同時に、彼は、あらゆるものは運動状態にある物質として分析可能であり、感覚的経験は思考と知識の究極的な源であると考えた。彼によれば、感覚的知識は事物全体についての、個々の事物全体が何であるかについての知識である。すなわち、「対象全体は、その対象のいかなる部分よりもよりよく知られる」。それは事実についての知識である。しかし、感覚的経験もそれだけでは哲学にとって十分ではない。哲学の仕事は事物の原因を探求し、個々の存在ではなくその一般的本性を分析することである。彼はこれを「原因の科学」と呼んでいる。彼は次のように言っている。

全体の原因は部分の原因で合成されている。しかし、われわれは、合成された全体を知ることができるのに先だって、合成されるべきものを知ることが必要である。さて、ここでは、部分ということで、事物それ自身の部分を意味しているのではなく、その本性の部分を意味しているのである。人間の部分ということで、私はその頭や肩や腕を理解しているのではなく、その形態や量や動きや感覚や理性などを理解しているのだ。合成される、つまりは取り集められるどんな偶有性も、人間の本性全体を構成するのであって、(個々の)人間それ自身を構成するのではない。[★9]

部分についてのこの種の知識が明確かどうかは、一般的な用語に正確な定義が与えられるかどうかにかかっている。つまり、「動き」や「理性」や「感覚」などの用語は、「円」や「等しい」や「割る」のような数学的用語と同じよう厳密に定義されなければならない。厳密な定義から出発して、**演繹的**推論は異論の余地のない結論を生み出すことになる。しかし、ここでわれわれは、ホッブズにあってあるときは事物の原因についての理解について語り、またあるときは定義を起点とする推論について語っているように思われるからである。われわれが理解しなければならないことは、彼にとって、あるものをその本質的原因によって理解することと、その定義の論理的含意を推論して理解することの間には差異はないということである。たとえば、三角形の定義は、ホッブズによって三角形の原因とみなされ、その定義の含意は原因の結果とみなされていたのである。同様に、彼は、内乱における争いを、一群の結果を、その本質的原因へと分析していくことについて語っている。これらの原因は、人間の本性のある種の基本的な要素であることが明らかになり、またこれらの要素は人間の本性の定義でもあるのである。ホッブズは、原因と定義を同一視することによって、原因と結果から成る物理的世界に関する否定しえない知識に至ることができると考えた。これは、いろいろな局面で幾多の哲学的問題の中心にある食い違いを総合しようとする野心的な企てだった。

ホッブズの観念が引き起こした憤慨の感情の強さを測定するのは、われわれにとって容易ではない。多くの人々にとって、常識から引き出されまた常識に訴える宇宙についてのアリストテレス的考え方を退けることなど考えられないことだった。常識は、青表紙の本の青は表紙の中にある、チーズの香りはチーズの香りであると、われわれに言わせようとする。アリストテレスの世界像は、まさにそのような常識的説明で作り上げられている。それは、運動を運動体の中での変化として解釈し、宇宙を数学的に記述できない閉じた有限な体系とみなす。それというのも、数学的概念は、事物の質を、つまりは量とは区別される知覚される質を扱うことができないからである。この奇妙な「新哲学」を考察しようとした誰もが、伝統的信念を脇へおかなければならなかったし、常識的な観念を拠り所とすることなしに形成された理論こそがいっそう十全に物理的宇宙を理解させてくれるのだという思想を真剣に引き受けなければならなかった。その思想は、ガリレイの名言である「自然という本は幾何学の文字で書かれている」という思想である。運動は、静止と同様に存在の状態であって、目的への過程ではないのだ、という観念を受け入れるためには、より大きな知的努力が要求された。しかし、確実で異論の余地のない知識が獲得されるべきだからこそ、こうしたことがすべて要求されたのである。[★10] ホッブズは、喜んで新しい観念に取り組み、それを自然状態だけではなく社会や政治の状態にも適用しようと考える知的な冒険心をもっていた。彼の思想の力と独創性によって、彼は無神論者、宗教の敵、とてつもなく邪悪で冒瀆的な人物とみなされることになった。彼は、一七世紀にあって、きわめて現代的な人間だった。私の考えでは、彼は二〇世紀の思想ととても親密な関係にある。その大きな理由は、彼がそうした思想をすでに一七世紀に提唱していたことである。言語的意味についての理論家たちは、二〇世紀後半、彼の唯名論に新たな関心を示している。

★注

1　本書のガリレオの項を参照、一一二頁～。
2　Thomas Hobbes, *Autobiography*（The Rota, Exeter, Devon, 1979).
3　Thomas Hobbcs, *Leviathan*, Ch. 6.（『世界の名著28・ホッブズ』「リヴァイアサン」永井道雄・宗片邦義訳、中央公論社、一九七九年、一〇〇頁）
4　Ibid., Ch. 13.（ホッブズ同書、一五九頁）
5　Ibid., Ch. 26.（ホッブズ同書、二九八頁）
6　Ibid., Ch. 4.（ホッブズ同書、七四頁）
7　本書のアリストテレスの項を参照、五八頁～。
8　Hobbes, *Leviathan*, Ch. 4.（ホッブズ同書、七四頁）
9　Hobbes, *De corpore; English works*, vol. l, p. 67.
10　本書のガリレオの項を参照、一一二頁～。

本書の以下の項を参照
ガリレオ、スピノザ、デカルト

ホッブズの主な著作

- *De cive*（1642), *Latin Works*, vol. II, trans. as *Philosophical rudiments of government and society*（165 1) in English Works, vol. II（『市民論』）
- *Leviathan*（1651), *English Works*, vol. III and in C.B. Macpherson（ed.), *Hobbes: Leviathan*（Penguin, Harmondsworth, 1951)（『リヴァイアサン』『世界の名著28・ホッブズ』永井道雄・宗片邦義訳、中央公論社、一九七九年、『リヴァイアサン』水田洋訳、岩波文庫、『世界の大思想13』水田洋、田中浩訳、河出書房新社、一九六六年）
- *Of liberty and neccssity*（1654), *English Works* vol. III, 4（『自由と必然について』）
- *Behemoth*（1668), English Works, vol. IV（『ビヒーモス』）

ホッブズの著作は、*English works*, 11 vols と *Opera Latina*（*Lalin works*, 5 vols, ed. W. Molesworth（J. Bohll, London, 1839, and Oxford, 1961）に収められている。ホッブズの選集は、R.S. Peters の *Body, man and citizen*（Collier-Macmillan, London, 1962）の中にある。

参考文献

・Briggs, R. *The scientific revolution of the seventeenth century* (Longman. London, 1969)
・Kuhn, T. (ed.) *The essential tension* (University of Chicago Press, Chicago, 1977)（前掲「科学革命における本質的緊張」『トーマス・クーン論文集』）
・Peters, R.S. *Hobbes* (Penguin, Harmondsworth, 1956)
・Raphael, D.D. *Hobbes: morals and politics* (Allen and Unwin, London, 1977)
・Sorell, T. *Hobbes* (Routledge and Kegan Paul, London, 1986)
・Stephen, L. *Hobbes* (Macmillan, London, 1904)

ルネ・デカルト

René Descartes
1591–1650

デカルトは近代哲学の創始者とみなされている。彼は哲学者であるばかりか数学者でもあった。彼の野心は哲学を新たに始めることであり、不可疑的な知識の体系を支えるのに十分確実な基盤の上に哲学を打ち立てることであった。彼の時代に急速に広がっていった知的・学問的活動に関与したもっとも重要な人物の一人として、彼は当時出現しつつあった新しい方法や発見の重要性を高く評価し、それらによって向けられた堅牢なアリストテレス哲学への挑戦をよく知っていた。「コギト［我思う］」として知られている彼の有名な「我思う、故に我在り」という宣言は、考えるものとしての自分自身の存在の証明とされ、それは確実さへの探求の出発点をなしている。彼は同じように有名な「懐疑の方法」を使っている。この方法は、六つの省察から成る『省察』の中で見事に例証されている。『省察』では、全面的な懐疑論に近いと推定される立場から出発して、彼は異論の余地なく真であると考える一群の主張に到達する。「コギト」を起点に、彼は物体的な被造**実体**と非物体的な被造**実体**という二つの区別される**実体**の存在を肯定する論証を展開し、それによってデカルト的**二元論**を哲学にもたらした。またそれに付随して、どのようにして人間の心と人間の身体が相互に作用し合うことができるのかという問題を哲学にもたらした。

デカルトは、フランスのラ・エーで生まれた。彼は、ラ・フレーシュのイエズス会の学院とポアティエで教育を受け、一六一六年に法律を専攻して卒業した。そのときから一六二八年までの間、彼はドイツやイタリアやオランダやフランスを広範囲にまた頻繁に旅した。その間のある時期に、彼は、まずはプロテスタント軍で、次いでバイエルン公のカトリック軍で兵士として働いた。おそらくウルムにおいて、厳しい冬の間、暖炉のきいた部屋で自分の哲学の中に作り上げたいと願っていた研究方法について反省してそれを展開するために数日を過ごす機会があった。彼は、一六二〇年代に最初の主著『精神指導の規則』を書き上げた。これは一七〇一年まで出版されることはなかった。一六三四年に完成した『宇宙論』は、宇宙の起源と働きに関する科学的理論を提示していたが、ついこの間有罪が宣せられたガリレオの教えに賛成しコペルニクスの天文学の体系を支持していたので、自らその出版を差し控えた。彼の『方法序説』は、いくつかの科学的・数学的研究とともに一六三七年に書き上げられ、それらにつづいて、一六四一年には『第一哲学についての省察』が、一六四四年には『哲学の原理』が完成した。それから五年後、彼はスウェーデンに招かれて、クリスティナ女王によって当地に集められた学者集団に加わった。女王は、毎朝五時に哲学を教えるように求めたと言われている。その結果、彼は寒い北の冬の犠牲となり、スウェーデンに移り住んでから一年もたたぬうちに肺炎で死んだ。ジョン・オーブリーは、簡明な回顧録の中で、数学者デカルトの人を引きつける姿を垣間見せてくれている。彼は次のように書いている。

> 彼は非常に博学であったので、学識のある人は誰でも彼のもとを訪問した。彼らの多くは彼の道具を見せてくれるように望んだ（当時は数学の学習は多くの場合道具の知識をもつことにあり、サー・ヘンリー・サヴァイルが述べているように、妙技（trick）を行うことにあった）。彼は自分のテーブルの下から小さな引き出しを取り出し、彼らに脚の一本折れたコンパスを見せた。それから、彼は、定規として、二つ折りにした一枚の紙を使った。[★1]

確実さに至るためのデカルトの方法の第一段階は、自分の記憶や感覚の経験の明証性や自分を取りまく世界の存在や自分自身の身体の存在といったあらゆるものを疑うことが可能かどうかを考えることだった。『省察』の中で、彼は、「きわめて有能で、きわめて狡猾な欺き手がいて、策をこらして私をいつも欺いているかもしれない」[★2]と想定する。とはいえ、一つのこと、すなわち自分が考えていることを疑うことは不可能だということがわかる。すなわち、彼によれば、たとえ自分が考えている思考対象が偽りだとしても、それでもやはり思考対象をもっている間は自分は考えているのである。彼は「考える（cogitans）」という語を、あらゆる意識的な心的活動を指すのに使っている。それゆえ、彼が疑うことも考えることの一形態である。今や彼が理解することは、「私は考える」という命題を顧慮するだけで、その命題の真理性が打ち立てられること、それゆえ、自分が考えるものとして存在していることを疑うことはできないということである。彼は言う。「私はある、私は存在する。これは確実である。……さしあたり私が承認するのは必然的に真であるものだけである。《私はある》は、厳密に言えば、意識的な存在……だけを指すのである」。★3

自分が「考えるもの」であるというこの確実さは、知識の体系を構築するために要求される基盤をデカルトに与えた。彼はそれを「懐疑の方法」と「理性の光」と呼ばれるものを遂行することによって打ち立てた。彼はつづけて神の存在を肯定する二つの**論証**を提示する。第一の論証は、懐疑のために不完全な存在になったとはいえ、完全な存在としての神の観念を抱くことができる存在として、デカルトが自分自身を認知するところからはじまる。彼の主張では、この完全な観念は完全な存在からしか出てくることはできない。それゆえ、神は、この観念の源として存在しなければならない。**宇宙論**的論証と呼ばれるこの論証は、原因には少なくとも結果と同じだけの実在性がある、すなわち、観念が完全であるならばその観念の原因は同じように完全であるという**スコラ哲学**的原理に、ほとんど全面的に依拠している。神の存在を肯定する論証の二つ目、すなわち**存在論**的論証も同じスコラ哲学的言明に関係づけられている。この論証が強調するのは、もっとも完全な存在という観念はあらゆる完全性を含む存在という観念でもあるのだから、それはまた、あらゆる段階の実在性を含む存在という観念でもあることになる、という点である。それゆえ、もっとも完全な存在という観念は存在という観念を含んでおり、これが意味するのは神の**本質**にはその存在が含まれているということである。デカルトは今や、神は完全なのだから誰も欺くことはないし誰も誤謬に導くことはなく、それゆえ人間の能力を正しく使えば結局は「確実な」知識に至るだろうと主張することができる。最後の省察で彼は再び、物理的対象によってわれわれの内に生み出されているとわれわれが信じている観念について善良なる神はわれわれを欺くことはないのだから、物理的対象は存在する、と論じている。

『省察』におけるデカルトの「コギト」と彼のすべての論証は、それらが書かれて以来このかた、広範にわたりまた詳細な批判の対象になってきた。自らの存在は考えるものとして確実であるという主張の正当性は問題にされてきたし、神の存在に関する論証にも多くの不備が発見されてきた。こうした批判は、非常に独創的な刷新者としてのまた独立不羈の思想家としてのデカルトの威信に影響を与えるものではない。彼の研究は、スコラ的でアリストテレス的な自然学から**合理論**と科学的方法への偉大な移行を記しており、またその重要な一部をなしていたからだ。

デカルトは、心とは物質的ないし物体的実体とは区別される非物体的実体であるという結論から生み出された心と物体の二元論の問題で有名である。「実体」ということで彼が意味しているのは、彼に先だってアリストテレスがそうであったように、「独立した存在を有するもの、存在するために他の何ものにも依存しないもの」である。彼はさらに「おのおのの実体には一つの固有性があり、その固有性が実体の本質的な本性を成している[★4]」と主張している。すなわち、おのおのの実体には、それが現にそれであるためにもっていなければならない固有性があるのである。意識は心［精神］という実体の本質的固有性である。長さ、幅、奥行きなどに見られる延長は物体的ないし物質的実体の本質的固有性である。デカルトは、自分が身体をもつことを依然として疑うことができても、考えるものとして自分が存在していることは疑うことができないと実感することによって、心は物体から独立に存在できることを確信する。そして、物体が、したがって自分の身体が現に存在していることを証明して彼が満足するとき、彼は身体と心という二つの別々の実体がどのように相互作用して人間と呼ばれる統一体を形成するのかという問題に直面することになる。彼は、魂ないし心が身体を生気づけるものだとするアリストテレス的観念を退け、「私の魂は舵手が船に乗っているように私の身体の中にいるのではない。私は私の身体ときわめて密接に結ばれている……[★5]」と主張する。すなわち、心は、身体に求められた動きをさせるためにいわばスイッチやレバーを操作することによって身体に影響を与えるのではなく、心が直接に身体を動かすとともに、身体によって生み出された苦や快を観察するのではなく直々にこれらを経験しもするような、ずっと緊密な合一状態が存在するのだと、彼は強調しているのである。しかし、彼の生涯の終わり頃書かれた『情念論』の中では、このような合一に完全に因果的な説明を与えており、心と身体との相互作用は、「ある種のきわめて小さな腺[★6]」すなわち脳の基底部にある松果腺によって生じると述べている。彼が言わんとすることは、二つの耳、二つの目、二つの手等々をもつことによってわれわれが受け取ると彼が考えている二重の印象は、魂に到達するのに先だって、「脳の空室を満たす生気を介してこの腺で」統合されるということである。しかし、もちろんこの説明は、物質的実体がどのようにして非物質的実体に現に影響を与えることができるのかを示すまでには決していかない。おそらくその結果として、デカルトの立場からの心身問題がここ三世紀のもっとも人に知られもっとも議論を呼んだ哲学的問題になったのである。

二〇世紀に、J・B・ワトソンとB・F・スキナーは、心理的活動は観察される行動のデータによって全面的に説明可能だとする理論を提唱することによって、ある意味でこの問題を解決しようとした。この問題に対するそれとは全く異なったタイプの解決策が、心的概念ははっきりと目に見える行動によって分析されると主張したギルバート・ライルによって提起された。さらに別の解決策がルートヴィヒ・ウィトゲンシュタインによって主張され、彼は心的活動は客観的に接近可能な諸々の基準に照らしてのみ理解可能になると主張した。デカルトはたしかに彼の説明の不十分さに気づいていた。というのも、彼の生存中もこの説明に対する多くの反論がなされていたからである。この問題について一連の手紙をやり取りしたボヘミアの女王エリザベトは、次のような手紙を彼に出している。

意志に基づく行為を行うために、意識的実体にすぎない人間の魂がどのようにして動物精気の運動を規定することができるのかお教え下さい。というのも、運動の規定は、つねに動いている身体が動かされることから生じているように思われるからです。ところが、あなたは魂という概念から延長をまったく排除しており、そのような接触は非物質的であるものと矛盾するように私には見えるのです。[7]

まことにその通りである。

知識のためにしっかりした基礎を打ち立てるというデカルトの関心は、哲学に限定されなかった。彼にとって数学はあらゆる知識のモデルであった。というのも、数学の真理は否定できないからである。真理を求める者は誰も、算術的ないし幾何学的な証明と同じ確実さをもつことができないような対象について思い悩むべきではないと彼は語った。彼は形而上学と物理学と自然科学が一つの組織的構造の内部で相互に関連し合っていると考え、あらゆる科学的現象や自然現象についての知識はもとより、神や人間の魂についての知識もまた、幾何学の証明と同じくらい確実な知識として確保するのだという夢に突き動かされていた。こうしたことすべてに関して、彼は感覚的経験にはまったく依存せずに、「明晰で判明な」ものを覚知する人間の能力である理性に拠り所を求めている。彼は次のように言う。

私が「明晰」と呼ぶのは、注意している心に現前し現われているものである。あたかも、まなざしを向けている目に現前しているものが十分に強く目を刺激している場合に、われわれがそれを明晰に見るようなものである。

「判明」とは、明晰であるとともに他のすべてのものから分離されて、自らの内に明晰なものしか含まないようなものである……。★8

ある観念は判明であることなしに明晰である場合があるとデカルトは言う。しかし、ある観念が判明であればそれは明晰でもある。心の中でわれわれがもつ観念の明晰さと目で見られる物理的対象の明晰さの間で彼が立てる**類比**に、われわれは当惑すべきではない。むしろ忘れてならないのは、ここでデカルトは、完全に理性という領域の内部で、幾何学的定義がもつ明晰さと判明さを有する「観念」を使って考えているということである。このような研究態度は、デカルトに引き続いて展開される**合理論**の哲学と**経験論**の哲学にとってきわめて重要である。というのも、それは第一性質と第二性質の間でなされる区別の土台だからである。第一性質とみなされたのは、硬さ、延長、形、動き、数である。第二性質とみなされたのは、色、香り、におい、味である。デカルトは、第一性質は感覚的経験に由来するのではなく生得的であると主張している。『省察』の「二」で、彼は、火のそばに置かれたときに蜜蠟に生じる変化を考察している。火のそばに置かれると、「かおりは消失し、色は変わり、形はくずれ、大きさは増す。それは液状になり、熱くなり、ほとんど触れることもできず、もはや打っても音がしない」。★9 感覚によって知覚されるこれらすべての変化にもかかわらず、デカルトは彼の前にあるものが蜜蠟であることをまだ知っている。そこからの結論として、彼は純粋に知的なやり方で、物体を無限の変化を被りうる延長したものと考え、蜜蠟が蜜蠟でありつづけていることを彼が把握できるのは、この「理性の観念」によってであるとする。彼によれば、知るという働きを遂行するのは、感覚ではなく精神なのである。

デカルトはしばしば、自分の革新的な思想が彼に教育をほどこしたイエズス会の人々を攻撃することになるかもしれず、もっと上の筋からガリレオに与えられたような罰を受けることになるかもしれないと恐れた、臆病な人間として描かれる。それにもかかわらず、彼の思想は独自性と創造性で満ちている。彼は、より広い読者の目に触れるよう、『方法序説』をラテン語ではなくフランス語で書いた。彼の文体は、斬新で刺激的であるという意味で、品がありデカルトらしく個性的である。彼の議論は、彼の時代のもっとも著名で影響力のある人々からの、つまりはトマス・ホッブズ、ベネディクトゥス・デ・スピノザ、マラン・メルセンヌ、アントワーヌ・アルノー、フェルマ、女王エリザベト、ウィリアム・キャヴェンディシュや多くの神学者からの、論争や批判や賞賛を喚起した。結局彼は、世界についての理解に至る人間の知性の力と、［理性的］推論に基づいて判断する個々人の力への信頼を行き渡らせた。『精神指導の規則』の中で、彼は次のように指摘している。

「われわれがプラトンやアリストテレスの議論を全部読んでも、提起された問題に確固とした判断を下せないのであれば、われわれは哲学者にはなりえないだろう」[★10]。

★注

1 John Aubrey, *Aubrey's brief lives* (Penguin, Harmondsworth. 1978) p. 254.
2 Descartes, *Meditations on first philosophy*, Meditation 2.（『世界の名著22・デカルト』「省察」井上庄七、森敬訳、中央公論社、一九六七年、二五四頁）
3 Ibid.（同書、二四七頁）
4 Descartes, *Principles of philosophy*, Part I, 53.（『世界の名著22・デカルト』「哲学の原理」井上庄七、水野和久訳、中央公論社、一九六七年、三五五頁）
5 Descartes, *Meditations on first philosophy*, Meditation 6.（前掲「省察」二九九頁）
6 Descartes, *Passions of the soul*, Part I.（『世界の名著22・デカルト』「情念論」野田又夫訳、中央公論社、一九六七年、四二九頁）
7 Descartes, *Correspondence*, no. 30; Letter from the Princess Elizabeth.
8 Descartes, *Principles of philosophy*, Part I, 45-46.（前掲「哲学の原理」三五一頁）
9 Descartes, *Meditations on first philosophy*, Meditation 2.（前掲「省察」二五〇頁）
10 *Rules for the direction of the mind*, Rule III.（『精神指導の規則』野田又夫訳、岩波文庫、一九七六年、一八頁）

本書の次の項を参照
ガリレオ、スピノザ、ベーコン、ホッブズ

デカルトの主な著作
・*Rules for the direction of the mind* (1628)（『精神指導の規則』野田又夫訳、岩波文庫、一九七六年、『世界の大思

想7』山本信訳、河出書房新社、一九六五年、『デカルト著作集』第四巻、大出晁、有働勤吉訳、白水社、一九九三年）

・*Discourse on method*（1637）（『方法序説』落合太郎訳、岩波文庫、一九六七年、木場瀬卓三訳、角川文庫、一九六三年、『世界の名著22・デカルト』野田又夫訳、中央公論社、一九六七年、『世界の大思想7』小場瀬卓三訳、『デカルト著作集』第1巻、三宅徳嘉、小池健男訳、白水社、一九九三年）

・*Meditations on first philosophy*（1641）（『省察』三木清訳、岩波文庫、枡田啓三郎訳、一九六六年、『世界の名著22・デカルト』井上庄七、森敬訳、中央公論社、一九六七年、『世界の大思想7』枡田啓三郎訳、『デカルト著作集』第二巻、所雄章訳、一九九三年）

・*Principles of philosophy*（1644）（『哲学（の）原理』『世界の名著22・デカルト』井上庄七、水野和久訳、中央公論社、『世界の大思想7』枡田啓三郎訳、一九六七年、『デカルト著作集』第三巻、三輪正、本多英太郎訳、一九九三年）

・*The passions of the soul*（1649）（『情念論』『世界の名著22・デカルト』野田又夫訳、中央公論社、一九六七年、『世界の大思想7』伊吹武彦訳、『デカルト著作集』第三巻、花田圭介訳。白水社、一九九三年）

フランス語の標準的なデカルト著作集は、*Œuvres de Descartes*, ed. C. Adam and P. Tannery（12 vols and supplement, Paris, 1897-1910; Index général, Paris, 1913）. 標準的な英訳のデカルト著作集は *The philosophical works of Descartes*, trans, E.S. Haldane and G.T.R. Ross, 4th edn. 2 vols（Cambridge University Press, Cambridge, 1967）. 良いデカルト選集がある。*Descartes: philosophical writings*, trans. E. Anscombe and P. Geach（Nelson, London, 1971）, 別の選集としては、*The essential Descartes*, ed. Margaret D. Wilson（Mentor Books, New York, 1969）.

参考文献

・Balz, A.G.A. *Descartes and the modern mind*（Oxford University Press. Oxford, 1952）
・Gaukroger, S.（ed.）*Descartes: philosophy, mathematics and physics*（Harvester, Brighton, 1980）
・Haldane, E.S. *Descartes: his life and times*（Murray, London, 1905）
・Kenny, A. *Descartes: a study of his philosophy*（Random House, New York, 1968）
・Popkin, R. *History of scepticism*（Harper and Row, London, 1968）
・Williams, B.A.O. *The project of pure enquiry*（Penguin, Harmondsworth, 1978）
・Wilson, M.D. *Descartes*（Routledge and Kegan Paul, London, 1978）

ベネディクトゥス・デ・スピノザ

Benedict de Spinoza
1632–1677

スピノザは、一七世紀の輝かしい哲学者集団に属している。その集団のほとんどのメンバーは哲学者であるばかりではなく、数学者でもあり科学者でもあった。それにはデカルト、ライプニッツ、そしてホッブズも含まれている。彼は、ただ一つの実体しかなく、それは神であると主張した。彼の哲学的論証は、幾何学的な理論形式で提示されている。彼はまず定義と公理を立て、そこから定理と証明と系を派生させる。彼がただ一つの実体が神であると主張したことを理由に、彼のことを「神に酔える哲学者」と呼ぶ人たちがいた。しかし同じ理由から、彼を**唯物論**者で無神論者であるとみなす人々もいた。というのも、あらゆるものが神であるならば、神とは物質的宇宙にほかならないからである。スピノザが書いたあらゆるものに見られる意図は、理性を用いて真の善を発見し、そのようにして「未来永劫にわたる永続的で至高なる喜び」を得ることである。

スピノザは、スペイン異端審問所を逃れて亡命したユダヤ人の両親のもとアムステルダムで生まれた。彼は正統派ユダヤ教徒として育てられ、マイモニデスを含む多くのユダヤ人哲学者[★1]の研究を学んだが、一六五六年異端の主張をしたかどでユダヤ人コミュニティーから形式上追放される。その後レンズ磨きで生計を立て、「コレギアント派」として知られていたプロテスタント集団の中の友人たちと聖職者のいないグループを作った。一六六一年彼は、デカルトの影響が見られると共にデカルトを批判してもいる著作『知性改善論』を書き始めた。一六六三年に哲学的主著『エチカ』に取りかかったが一六七五年まで完成されることはなかった。思想と言論の自由を擁護する論考を書くためにそれを中断したからである。この論考〔『神学・政治論』〕は一六七〇年匿名で出版された。それは正統派の人々に衝撃を与え、彼らはすぐに誰が著者であるかをつきとめ、スピノザは幾多の出版物や文書によって攻撃され中傷された。一七世紀のオランダの寛容な雰囲気の中で彼は拘束されるには至らなかったが、彼はこれ以上本を出版しないことが最善の策だと判断した。彼の短い人生の残りの時間をかけて、『エチカ』を完成し、死後未完の形で出版されることになる『政治論』に取りかかった。彼が科学と数学に深い関心を抱いていたことは、一六六七年に売りに出された彼のささやかな蔵書の一連のタイトルから明らかである。その売却文書から、彼が収集した本には幾何学、代数学、天文学、自然学、解剖学、錬金術そしてもちろん光学に関する書籍が含まれているのがわかる。ガリレオやデカルトやホッブズや他の多くの人々と同様に、彼は数学が宇宙についての真理を発見する手段だと信じていた。

スピノザは、物事の真の在り方を知ることができれば、どうすれば望ましい行為を行って至福に至ることができるのかを学ぶこともできるだろうと考えた。彼の真理探究の基盤は実体という概念だった。彼は、実体をそれ自身で存在しそれ自身によって考えられるものと定義した。それは、その存在に関して他の何ものにも依存しないものである。『エチカ』の「第一部」の中で彼は、それ自身によって考えられるただ一つの実体、つまりは「神すなわち〈自然〉」しか存在することはありえないと論じた。スピノザと同時代の人々が深い衝撃を受けたのは、このように神と物理的宇宙が同一視されていることだった。しかしながら、実体が定義上他の何ものにも依存しないものであるのなら、創造された宇宙をその創造者から区別された実体として定立することは、矛盾を生み出すことになる。そこで、スピノザは、創造者とその被造物のすべては、一つの実体でなければならないと主張する。神と〈自然〉は一つなのである。神は超越的ではなく内在的なのであって、神すなわち自然は、全体として見れば自己-創造的で、まったくの自由である。スピノザにとって、このただ一つの偉大なシステムの内部におけるすべての関係は論理的関係であり、このシステム全体についての真理を知ることは、そのシステムのあらゆる部分の間で保たれている論理的結びつきを知ることである。論理的結びつきは**必然的**結びつきなのだから、このシステムのすべての真理とその相互関係を知ることができるようになれば、宇宙には、**偶然的**なものや、現にあるものとは別物でありうるようなものは、何一つ含まれていないことがわかるだろう。スピノザは次のように述べている。「自然の中には偶然的なものなど何一つ存在しない。いっさいは、神の本性の必然性から一定の仕方で存在や作用へと決定されているのだ[★2]」。これは、神すなわち全体としての〈自然〉は自由であるが、自然の内部のあらゆるものは決定されており、神という概念から論理的に演繹することが可能なのだということを意味している。神は自己を決定することによってのみ自由であり、論理的に必然的な仕方で事物を生成へと決定する。

　自然の内部ではあらゆるものが決定されているのだという主張には、人間の自由についてのスピノザの説明のための様々な含意がある。しかし、このような含意を理解するためには、スピノザの体系をもう少し明らかにしなければならない。スピノザによれば、唯一の実体である神は無限の属性をもつが、制限のある人間の知性は様々な事柄に関してこれらの属性のうち〈思考〉と〈延長〉という二つの属性の下でしか考えることができない。すなわち、われわれは宇宙について、精神ないしは思考のシステムとして考えるか、物理的存在のシステムとして考えるかの、いずれかしかできないのである。属性は実体の本質を、つまりはそれなしには実体が現にあるものではなくなってしまうような根本的本性を成している。したがって、延長は物体的事物に本質的であり、神と呼ばれる唯一の実体の物体的側面に本質的である。しかしわれわれは〈思考〉と〈延長〉を、二つの並存する存在者のシステムの別々の基盤と考えてはならない。それらは単に、唯一の実体の異なった側面にすぎないからだ。スピノザはまた「様態」についても語っている。〈様態〉は実体の変様であると彼は言う。人間の身体や物体は、いかなるものも〈延長〉という属性の〈様態〉である。それは、特異な構造によって他の物質から区別される物質粒子の配合ないしは構造である。同様に人間の精神は〈思考〉という属性の〈様態〉である。身体は実体の物質的側面であり、精神は実体の心的側面である。スピノザは、「人間の精神は人間の身体の観念である」[★3]と述べている。これは、精神が身体のあらゆる部分や機能についての完全な考えあるいは「観念」をもっているという意味ではなく、〈延長〉の〈様態〉、つまりは〈延長〉の変様にはどれにも、〈思考〉の〈様態〉、つまりは〈思考〉の変様とみなされる相関者が必然的に伴う、という意味である。〈思考〉と〈延長〉を属性とする唯一の実体を主張することによって、スピノザは、二つの別々の実体がどうすれば相互作用しうるかを示さなければならないというデカルトの難問を避けたのである。[★4]

　個々の人間は別々の実体ではないが、個々人あるいは個々の存在者は「自己の存在に固執しようと努力する」とスピノザは主張している。彼はこのような努力を「コナトス（*conatus*）」と呼ぶ。そのもっとも明確な事例は、有機的生命の内にある。すなわち、有機体が傷つけられたり危害を加えられたりすることから逃れるために反応したり、加えられた損傷を修復したりするときの、そのやり方の内にある。思考とみなされる場合のコナトスは、自分の存在を維持しようとする意識的な努力ないしは欲望であり、そのようなものとして個々人の同一性を構成するものである。「いかなるものにとっても、自分の存在に固執しようとする努力（コナトス）こそが、ほかでもなくもの自身の事実上の本質をなすのだ」[★5]とスピノザは語っている。しかし、すでに述べたように、スピノザの宇宙は、生じるもの一切がもっとも厳密な必然性にしたがって生じるような一なるものである。そうなると、いかなる奮闘も努力も、そして実際のところ、人間のいかなる動きや行為も、神という始源からの論理的な演繹の帰結でもある、因果的連鎖の要素であることになる。あらゆるものは必然的に現にあるところのものであり、それとは違ったものであることはできない。人間にとってだけでなく宇宙の他のあらゆる部分にとっても事態がどのように存在しているのかについてのこのような説明は、スピノザが神を自己原因的で内在的な唯一の実体として定義していることから来ている。彼は次のように言っている。

　精神の中には絶対的な意志や自由な意志は存在しない。むしろ精神は、このことやあのことを意志するようにある原因によって決定され、この原因も他の原因によって決定され、さらにその原因も他の原因によって決定される。そしてそのように無限に進むのである。[★6]

神の自由さえも、理性が〈完全な存在〉にとっては可能だと考えるものによって制限されているように思われる。スピノザは次のように論じている。

　いっさいは神の能力に依存する。それゆえ、ものが異なった状態で存在するためには神の意志に変化がなければならないだろう。ところが神の意志は（神の完全さからきわめて明瞭に示してきたように）変化することはありえない。それゆえ、ものが今とは異なった在り方で存在することはできない。[★7]

　スピノザのいかなる妥協も許さない決定論の学説は、「ぞっとする仮説」と表現された。しかし、『エチカ』の「第五部」には「知性の能力あるいは人間の自由について」というタイトルがついており、それは「最後に私は、われわれを自由へと導く方法あるいはその手段に関する〈倫理学〉の他の部分にうつる」という言葉で始まっている。自由への道は、知的能力の最善の使用を手段としている。『エチカ』の最初の方で、スピノザは三種類の認識を区別している。一番低い種類の認識は、感覚によって獲得される認識である。スピノザはそれを「漠然とした経験」と表現している。なぜなら、それは、自分の身体についてのその人自身の観念と、外的対象を感覚することによって獲得された観念との混合物だからである。厳密に言えば、この種の経験は、認識ではまったくない。というのも、他の合理論の思想家と同様に、スピノザによれば、認識はつねに演繹的推理の結論であって、相互に無関係な観念や命題の単なる集合ではないからである。第二の種類の認識は、「十全な観念」によって提供される。これらは人間の思考の中に行き渡っている一般的観念であり、スピノザはそれらを「共通概念」と呼ぶ。それらは第三の種類の認識を打ち立てるために要求される基盤を形成する。運動、硬さ、数学の定理は共通概念の事例であり、共通概念は、ひとたび明晰かつ判明に形成されるならば、第三の種類の認識において理性が働く際の素材を提供してくれる。スピノザは、『知性改善論』の中で、「精神は、明晰な観念ないし認識が多くなりつづけるのにつれて、同時に（eo ipso）、精神の進歩を容易にするより多くの『道具』を獲得する」★8と指摘している。彼によれば、真の観念をもつ人は「同時に自分が真の観念をもっていることを知っている」。われわれは真の観念を疑うことはできない。なぜなら、それは必然的にまた論理的に真だからであり、それを否定すれば矛盾が生まれるからである。これがわれわれが真理として受け入れなければならない基準である。十全な観念はそれ自身の内部に論理的整合性をもつものであり、その真理性の試金石はこの論理的整合性である。

スピノザはもっとも高い種類の認識を「直観的知識」と呼んでいる。第二の種類の認識に属する「十全な観念」を使うことによって、「ものの本質」の認識へと進む。この種の認識は「神への知的愛」である。なぜなら、この種の認識は神を万物の始源として認めすべてのものの間にある必然的な結びつきを覚知することによって、神との関係であらゆるものを識別し理解するからである。この種の完全な認識は神にのみ属することができる。有限な〈様態〉である人間は、部分的で断片的な理解しかもたない。スピノザは、「われわれが個々の対象について多くを理解すればするほど、ますます神を理解する」と述べている。というのも、彼の体系の内部では、われわれが自然的経験をすればするほど、本質の認識の源泉である十全な観念を生み出すためのより多くの素材が手に入るからである。彼によれば、われわれがもつ観念が混乱し「不十全な」場合われわれの精神は受動的である。「精神が、第二の種類と第三の種類の認識によって理解するものが多ければ、それだけ悪であるような感情で苦しめられることが少なく、死を恐れることがそれだけ少なくなる」[★9]のだから、われわれは認識を能動的に追い求めなければならない。人間の自由は、受動性と受苦からの自由である。それは、あらゆるものがなぜ現にあるものなのかについての理性的な理解である。人間の悲惨はいつも認識の欠如の結果であり、精神の幸福と平和はつねに真正な認識に比例している。したがって、「自分自身と自分の感情を明晰かつ判明に理解する人は神を愛する。そして自分自身と自分の感情をより多く理解するにつれてそれだけ多く神を愛する［定理一五］。……第三の種類の認識から、存在しうる最高の精神の平和が生じてくる」[★10]。

スピノザは徹頭徹尾合理論者であり、この事実から彼の哲学の性格が出てくる。『エチカ』の定理の多くは、たくさんの段階を経て演繹をたどりなおすことが必要なので理解するのがむずかしい。しかし、たとえわれわれが宇宙についてのスピノザの幾何学につまずいても、定理や注解や系に含まれている幾多の明快な主張を楽しむことができる。彼の方法の厳格なまでの飾り気のなさは、厳粛で処罰的な倫理学の表現手段ではなかった。むしろそれは、公正で洗練された常識を表す見解を生み出した。「快活は、過度になりえず、つねに善である。反対に憂鬱はつねに悪である」[★11]という魅力的な結論が演繹推理の体系によって支えられているのを知るのは愉快である。

★注

1 本書のマイモニデスの項参照、七八頁〜。
2 Spinoza, *Ethics*, Part I, Prop. XXIX.（スピノザ『エチカ』（上）畠中尚司訳、岩波文庫、一九七五年、七二頁、「定理二九」）
3 Ibid., Part II, Prop. XIII.（スピノザ同書、一〇八頁、「定理一三」）
4 本書のデカルトの項参照、一三二頁〜。
5 Spinoza, *Ethics*, Part III, Prop. VII.（『エチカ』（上）、一七七頁、「定理七」）
6 Ibid., Part II, Prop. XLVIII.（『エチカ』（上）、一五二頁、「定理四八」）
7 Ibid., Part I, Prop. XXXIII, note 2.（同書、八〇〜八一頁、「定理三三、注解二」）
8 Spinoza, *Treatise on the correction of the understanding*, Part VII, 39.（スピノザ『知性改善論』畠中尚司訳、

岩波文庫、一九七六年、三四頁）

9 Spinoza, *Ethics*, Part V, Prop. XXXVIII.（『エチカ』（下）、一三一頁、「定理三八」）

10 Ibid., Prop. XXVII.（『エチカ』（下）、一二三頁、「定理二七」）

11 Ibid., Part IV, Prop. XLII.（スピノザ同書、五四頁、「定理四二」）

本書の次の項を参照

デカルト、ホッブズ、マイモニデス、ライプニッツ

スピノザの主な著作

・*Treatise on the correction of the understanding* (started 1661, published in 1677), trans. Andrew Boyle in Everyman Library no. 481 (Dent, London, 1910, 1959, 1963)（『知性改善論』畠中尚司訳、岩波文庫、一九七六年、『世界の大思想9』森啓訳、河出書房新社、一九六六年）

・*Treatise on theology and politics* (1670)（『神学・政治論』畠中尚司訳、岩波文庫、一九四四年）

・*Ethics* (started in 1663, completed in 1675, published in 1677), trans. Andrew Boyle in Everyman Library no. 481 (Dent, London, 1910, 1959, 1963)（『エチカ』上下巻、畠中尚司訳、岩波文庫、工藤喜作、斉藤博訳『世界の名著25・スピノザ／ライプニッツ』中央公論社、一九六九年、『世界の大思想9』高桑純夫訳、『スピノザ倫理学：羅和対訳』中村為治訳、山本書店、一九七九年）

スピノザの著作のラテン語での標準版は、*Spinoza opera*. ed. C. Gebhardt (4 vols, Heidelberg. 1924). である。英訳のスピノザの著作は *The chief works of Benedict de Spinoza*, trans. R.H.M. Elwes (2 vols, Dover Publications, New York, 1956) に収められている。

参考文献

・Bennett, J.A. *A study of Spinoza's ethics* (Cambridge University Press, Cambridge, 1984)
・Hampshire, S. *Spinoza* (Penguin, Harmondsworth. 1951)
・Parkinson, G.H.R. *Spinoza's theory of knowledge* (Clarendon Press, Oxford, 1954)
・Wolfson, H.A. *The philosophy of Spinoza* (Harvard University Press, Cambridge, Mass. 1983)

ジョン・ロック

John Locke
1632–1704

ジョン・ロックは、バートランド・ラッセルによって「哲学者の中でもっとも幸運だった」と評されている。なぜなら、彼の哲学的、政治的見解は、同時代の多くの人々によって広く理解され暖かく歓迎されたからである。彼の人生の大半の間、イングランドは、王の権力を制限し、定期的な議会開催を確立し、権威主義を打ち倒して宗教の自由を保証しようとする、徹底的な政治変革に関わっていた。ロックはこうした熱望の体現者として哲学ばかりではなく政治学においても活躍した。『人間知性論』（一六九〇年）で明らかにされた彼の認識論は、デカルトによって創設された大陸**合理論**の後をうけて成立した**経験論**の哲学において非常に重要である。『人間知性論』は、「信念、臆見、同意の根拠と程度とともに、人間の知識の起源と確実性と範囲についての」批判的探求である。やはり一六九〇年に出版された『統治論二編』もそれと同じくらい重要である。その中で、彼は王権神授説に反対する議論を展開し、すべての人間は自然状態においては自由かつ平等であり、ある種の自然権を有していると主張している。ロックの政治学説はアメリカの憲法と一八七一年にフランスで成立した憲法に具体化された。存命中彼は自分の政治的論考のほとんどを匿名で発表し、もっとも重要な研究と考えていた『人間知性論』とそれらを分離しておく方を選んだ。

ロックは、サマセットのリントンで生まれた。彼の父は弁護士で、チャールズ一世に反対して戦った議会派の一人だった。ロックは、ウェストミンスター・スクールに入学し、ついでオックスフォードのクライスト・チャーチで学び、一六五六年にバチェラー・オヴ・アーツ（BA）を得た。彼は修士の学位を得るまでそこにとどまりつづけ、一六六四年には道徳哲学の監察官に任命された。彼は医学の研究をはじめ、一度も実践は行わなかったが医師として認定された。一六六五年、彼は外交任務でサー・ウォルター・ヴェーンとともにブランデンブルク選帝侯のもとに赴いたが、その後は外交上の仕事の申し出を断り、オックスフォードにもどって哲学に注意を集中しはじめる。彼は、自分を侍医としてロンドンの家に住むよう招いたシャフツベリ伯と意気投合した。シャフツベリ邸にいる間、政治学と哲学がともに開花した。ロックはまた、影響が大きく不安定な政治的事件のただ中にいた。一六八三年、シャフツベリ伯が反逆のかどで弾劾される危機に陥った。彼はオランダに逃れその地で死んだ。ロックもまたオランダに亡命し、スチュアート王朝の専制政治が終わるまでの大部分を研究と『人間知性論』の執筆に費やした。しかしそれだけではなく、オレンジ公ウィリアムをイングランドの王位につける計画にも深く関与した。一六八八年の革命［名誉革命］の後、ロックは、後にメアリ女王となるオレンジ公の后をともなってイングランドにもどった。彼の二つの主著『人間知性論』と『統治論二編』が一六九〇年に出版されると、それらの著書は活発な論争を引き起こした。そのころにはもうロックは健康を害していたが、できるかぎり研究と公共奉仕に関与しつづけた。彼の人生の最後の一三年間、サー・フランシスとレディー・メイシャムの邸宅のあるオーツで過ごし、あいかわらずものを書き、文通し、論争し、多くの人々の愛情と尊敬を享受した。彼は、一七〇四年一〇月二八日オーツで、レディー・メイシャムが彼に「詩編」を読み聞かせているときに死んだ。

ロックの主たる哲学的関心は、一七世紀と一八世紀の他の多くの哲学者がそうであったように、人間の心の能力と知識の本性にあった。『人間知性論』の序論である「読者への手紙」の有名な一節で、彼は、哲学者の仕事を「われわれの知識への道をふさいでいるごみくずをいくらか片づけて」、少しばかり地面をきれいにしなければならない「下働き」の仕事と表現している。合理主義は理性の力が実状をはるかに越えて働くことを許してしまったために、これまた過剰な懐疑的反動を誘発してしまったと、彼は感じていた。彼としては、心の力が及ぶ範囲を発見できれば、ひとはこの知識によって、心の了解を越えるような「事柄をもてあそぶこと」にはもっと用心深くなるかもしれないと考えた。つまり、そうした知識があれば、ひとは「心の極限に達したときには立ち止まって、検討の結果、力が及ばないと判明した事柄には穏やかな無知の状態にとどまること」[★1]ができるはずだと考えたのである。

ロックは、仲間の経験論者たちと同様に、人間の知識は究極的には感覚的経験に由来すると主張した。それゆえ、『人間知性論』の第一巻で彼は、生得的であるような観念が存在するのだという見解、つまりは経験によって獲得されたのではなく人間の心の構造の一部として存在しているような観念をわれわれはもっているのだとする見解を検討して、これを退けている。第二巻で彼は、今の見解にかえて、心はいわば「文字をまったく欠き、観念を少しももたない白紙」のようなものだと主張し、「心はどのようにして観念をそなえるようになるのか」と問うている。彼の答えは、感覚と反省という形での経験が心が働く際の原料を提供し、心は複雑な仕方でそれらを分析し組織化するというものである。感覚は、感覚器官が刺激されて意識の中に結果が生み出されるときに受け取られる。反省は、「心が自分自身の働きとその働き方についてもつ知覚」であり、その素材という点では、感覚によって生み出された他の心的活動に依存している。心がそのようにして気づくものはどんなものでも、ロックは「観念」と呼ぶ。そして、苦い・酸っぱい・寒い・暑いのように他の観念を含まずわれわれが創造することもできない単純観念と、心が単純観念を合成し結びつけるときに心によって生み出される複合観念を区別した。複合観念は、現実には存在しないユニコーンやサチュロスのような奇妙なものの観念のこともあるが、経験によって獲得された単純観念の寄せ集めであることが分析すれば必ずはっきりする。『人間知性論』を三回改訂する中でロックは、ときとして観念についての四つの説明の細部の間に不一致を生み出しながらも、観念についての説明を練り上げていった。とはいえ、観念は、人間の心に関する彼の見解にとってきわめて重要である。なぜなら彼は、観念というのは世界をわれわれに表現してくれるしるしだと考えているからである。言いかえれば、観念は、われわれにとって外的な世界やわれわれ自身の思考や他者の思考などをつかむための手段だからである。ここから生まれる彼の知覚理論は、一つの因果論である。つまり、われわれは、物理的刺激が感官に作用し、それによって心の中に観念が生じると考えなければならないからだ。しかし、われわれは、感官の刺激によって生まれた観念しか知覚しないのだから、世界を直接知覚することはないというのが、この理論の帰結であるように思われる。

　そのような理論に対する異論はいくつもある。たとえば、現実に知られることになるのが観念だけならば、われわれは外的対象についてまったく何も知ることができないのではないだろうか、という異論である。同じような脈絡で言えば、一方で、われわれの感官に作用する外的な生理学的過程に基づく考えを採用しながら、他方で、そのような過程についての直接的な知識をもつことはできないと主張する理論など、本当に信用することができるのだろうか、という異論である。

　物理的対象について何を知ることができるのかについて

のロックの説明は、ロックが「読者への手紙」の中で賞賛し、またロックが自分自身をその「下働き」と考えた彼の同時代人たち、すなわちボイルやニュートンのような「建築請負人」の科学と合致している。これらの科学者たちは、世界をその質ではなく構造に照らして説明しようと努め、色や香りなどの質の経験は構造から区別される存在としてではなく構造に照らして説明することができると考えていた。ロックも同じような立場に立ち、一般に第一性質と名づけられるものと第二性質と名づけられるものを区別している。第一性質は、「物体がどんな状態であれ、物体からまったく分離できず、物体がどんな変様や変化を受けようと、どんな力が物体に加えられようと、物体が不断に保有している」ものである。彼は、一粒の小麦を例として、われわれがどれほどそれを細かく砕いても、それぞれの部分は第一性質である「固さ、延長、形、可動性を、依然としてそなえている」と指摘している。第二性質は、彼によれば、「物それ自身にあってはその第一性質によって、すなわち、物の感知できない部分のかさ・形・組織・運動によって、色や音や味などの多種多様な感覚を生む力能であるにすぎないもの」★2である。したがって、かさ・数・形などは現実に物それ自身の内にあるが、色や香りのようなもの、また温かさや冷たさなどはそうではない。第一性質は「誰かの感官が知覚しようとしまいと」物の内にあるのだから、ロックは第一性質を真実の性質と呼んでいる。第二性質に関しては、彼は次のように述べている。

> そうした感覚を取り去ろう。目に明るさも色も見せず、耳に音を聞かせず、上顎に味あわせず、鼻に嗅がせないようにしよう。そうすれば、色も味も香りも音もすべて、そうした特定の観念としては消えてなくなり、それらの原因に、すなわち、部分のかさ・形・運動に還元されるのである。★3

ロックは、このような理論を提唱することで、色と味と香りがそれ自体において物であるというアリストテレスの見解に異議を唱えているのである。彼は、物がもつ三番目の性質についても明確に述べている。この第三性質というのは、「別の物体のかさ・形・組織・運動に変化を引き起こして、その物体に、これまでとは別様な働きをわれわれの感覚器官に及ぼさせてしまうような」★4、物体が自ら備えている力能のことである。ロックは、鉛を柔らかくし溶かすという火の力能を例としてあげている。ここでもやはり、物がこのような性質をもつのは、その第一性質のおかげである。このような性質は何か第一性質と区別されるようなものではない。

実体という概念はロックにとって悩みの種である。『人間知性論』「第二巻第二三章」で、単純観念の集合体は「いつもおそろいで出掛ける」と指摘している。すなわち、それらは、われわれが木やリンゴや犬等々と呼ぶ物を形成するのである。そして彼は次のように言う。「われわれは、これらの単純観念が自存している様子が想像できないために、単純性質たちがそこに身を置き、単純性質たちがそこから身を起こすがゆえに、それらの支え（*substance*［実体］）とも呼びうるような基体（*substratum*）がきっと何かあるはずだと、とかく思いこむことにしているのだ[★5]」と。このような基体が厳密には何であるのかもっと詳しい明確な説明を求めてみても、それは「何かわからないもの」としか答えられないのだと、彼は述べている。ロックは、われわれのすべての観念が経験に由来すると主張しているのだから、実体という概念など無意味だと言って退けるだろうと期待されるかもしれない。ところが実際は、さにあらずである。ウスターの主教、スティリングフリート博士への手紙の中で、性質が現実に存在するのに実体の支えなしで存在できると考えるのは矛盾であろうから、実体という概念なしですますわけにはいかないと説明している。こう語ることで彼は、存在という概念が必然的に実体という概念を含むのだと想定しているのである。しかし、これは決して自明なことではない。ロックは、自分の経験論の帰結を自ら十分に受け入れていないと言ってしばしば批判される。彼は、アリストテレスを源とする強固に打ち立てられた伝統を完全には捨てきれなかったようである。

言語が『人間知性論』の「第三巻」の主題である。ロックの見解は、われわれは観念しか直接に知ることはないという結論にいたる因果的知覚論に基づいている。観念はそれを所有する人にだけ属しているところから、言語は、われわれが望むときにお互いのコミュニケーションを可能にしてくれるとともに「われわれの観念を感知可能なものにしてくれる印」から成る、記号の体系なのだと、ロックは考える。ロックによれば、観念は語なしでもそれだけで可知性をもつことができるが、語は、単に思考を公けに表現するためにだけあるのであり、観念の裏付けがないかぎり、意味をなさない。

ロックは、一般的な観念を表現する一般的な語をわれわれがどのようにして手に入れるのかを、抽象という概念を使って説明している。彼によれば、現実に存在するあらゆるものは個別的なものであるが、われわれが幼少期から成人へと成長していくにつれて、われわれは人々や事物がもつ共通な性質を観察していくことになる。たとえば、たくさんの個々の人間を見ることによって、「それらから時間と場所のような状況を分離し、またそれらをあれこれの個々の存在へと限定している他の観念をも分離することによって」、われわれは「人間」という一般的な観念に至ることができる。[★6] これが抽象の過程である。しかし、彼によれば、「一般や**普遍**は、物の真の実在には属さず、知性が自分で使うために作った案出物・創造物であり、語であろうと観念であろうと、記号だけに関わるのである」[★7]。一般的なものや普遍的なものがある種の真の実在を有することを認めたら、経験論的立場との整合性がなくなってしまっただろう。ロックが認めるのは、個々の抽象観念はそれぞれ別々の**本質**だという点までである。すなわち、

円と卵形とは、羊と山羊と同じように本質的に異なっており、雨と雪とは、水と土と同じように、本質的に違っている。というのも、ある存在の本質である抽象観念は、他の存在に伝達されることができないからである。[★8]

『人間知性論』の「第四巻」は「知識と臆見について」と題され、概してこの本の中でもっともうまくいっていない部分と考えられている。それは経験論の研究に合理論の結論が下されたものと評されてきた。ロックは、知識とは「われわれの任意の観念同士の結合や一致あるいは不一致や背馳」[★9]の知覚であると言う。彼は四種類の一致・不一致を掲げ、「現実的」知識と呼ばれるものと「習慣的」知識と呼ばれるものを区別している。ある人の知識が現実的と考えられるのは、その人があることを本当であると立証し、心の中もしくは「眼前に」その証拠をもっている場合である。証拠が「眼前に」ない場合は、その人の知識は「習慣的」知識と言われる。彼はまた、「論証的」知識と「直観的」知識の、独創的ではないが重要な区別を立て、確実さの三段階を定めている。直観的知識は、心が「二つの観念の一致や不一致を、直接にその観念だけで……」知覚するときに獲得される。「そのようにして心は、白は黒ではなく、円は三角ではなく、三は二より大きく、二は一たす一に等しいということを知覚する」[★10]。この直観的知識は、「人間の脆さがもちうる」最高の確実さをもたらしてくれる。論証的知識は、一連の直観に依存するが、記憶を含んでいるので直観的知識より確実ではない。第三段階の確実さは、「感覚的知識」に属する。感覚的知識は、「個々の外在的な物から観念が［心へ］現実的に入ってくることについてのわれわれがもつ知覚と意識による、それら個々の外在的な物についての」知識である。[★11] これによってロックは、感覚的知識が私が今知覚しているものについての知識

にすぎないと言おうとしているのである。たとえば私は、今書き物をしている部屋の外には廊下があって階下には台所があることを知っていると、言うべきではない。なぜなら、私は今それらを知覚していないからである。これは「知識」という言葉をかなり制限された意味で使おうとすることであり、万一その意味を採用することになったら、知識という言葉の日常的な使用法が根本から変わってしまうだろう。ライプニッツはロックの三段階の確実さを批判して次のように書いている。「見込みを土台とする臆見もおそらく知識の名に値するだろう。もしもそうでなければ、ほとんどすべての歴史的知識や他の多くの知識が崩壊するだろう」。

ロックの政治哲学は、主に『統治論二編』の二編目で知られている。その第二章は次のような宣言ではじまる。われわれすべては自然においては完全に自由な状態にある。人々は、「他人に許可を求めたり他人の意志に頼ったりすることなしに、自然法の範囲内で、自分の行動を律し、自分が適当と思うままに自分の所有物と身体を処理するのに」自由である。ロックは、自然法が神の意志に由来するもので理性を使うことで発見可能である考えている。平和を守り互いに害を与え合うことを避けるよう義務づける自然法を現実化することは、各個人の責任である。だがもしそうしない個人がいる場合には、市民的統治が形成される。すなわち、人々は互いに契約を交わし、自然法と生命・自由・財産に関する自然権を擁護する政治体を形成する。この社会の統治者が個人の権利をおかしたり、絶対的な権力を得ようとした場合には、国民にはこの統治者を排除する権利が与えられている。

ロックは、個人を、市民社会を樹立するために契約を結ぶ者、あるいは彼の言い方では「契約者」として描き出している。しかしこれは、誰もが熟慮の末にある特定の時に契約を結ぶということを意味していない。彼の言わんとするのは、人々は、現実に存在している政治体制に何らかの仕方で同意することによって統治に服する義務を負うということである。このような同意は暗黙の同意であってもよいと、ロックは主張する。というのも、「どの統治のどの部分の領土でも、これを所有したり享受したりする者は誰でも、そのことによって暗黙の同意を与えているのであり、それを享受している間は、その統治の法に服する義務を負う」からである[★12]。ロックによれば、たとえ暗黙にではあっても、同意は自由に与えられるのだから、契約の条項が守られているかぎり服従は義務づけられている。このような見解には、批判がまったくないわけではない。たとえば、ある種の体制に対して、それを受け入れるだけで暗黙の同意を与えることは、たしかに可能でも、何かをすることとまで暗黙のうちに引き受けるのは不可能だとも、論じられてきたからだ。したがって、暗黙の同意という概念は、統治に服する個人の義務を理由づけるのには十分ではないのである。

ロックは自分自身を「下働き」と称し、彼を批判する人たちは彼の経験論を大胆さに欠けて煮え切らないとも評してきた。にもかかわらず、著名人として生きていた間も、死後何世紀たっても、彼の影響力は強く、広範囲に及んでいる。D・J・オコーナーは、「ロックの仕事がなかったら、バークリやヒュームやラッセルやムーアの仕事もガラッと違ったものになっていただろう」と指摘している。[★13] 多くの政治社会の憲法や、彼の研究に着想を得たペインやジェファーソンのような政治思想家の思想も、やはりまたそうであっただろう。

★注

1 John Locke, *Essay concerning human understanding*, Book I, Ch. 1, 4.（ジョン・ロック『人間知性論』（一）大槻春彦訳、岩波文庫、一九七二年、三五頁）
2 Ibid., Book II, Ch. 8, 9.（ロック同書、一八八頁）
3 Ibid., Book II, Ch. 8, 17.（ロック同書、一九二〜三頁）
4 Ibid., Book II, Ch. 8, 23.（ロック同書、一九七頁）
5 Ibid., Book II. Ch. 23, 1.（『人間知性論』（二）二四三頁）
6 Ibid., Book III, Ch. 3, 6 and 7.（ロック『人間知性論』（三）九五頁）
7 Ibid., Dook III, Ch. 3, 11.（ロック同書、一〇〇頁）
8 Ibid., Book III, Ch. 3, 14.（ロック同書、一〇五頁）
9 Ibid., Book IV, Ch. 1, 2.（『人間知性論』（四）、七頁）
10 Ibid., Book IV, Ch, 2, 1.（同書、一七頁）
11 Ibid., Book IV, ch. 2, 14.（同書、二八〜九頁）
12 John Locke, *An essay concerning the true origin, extent and end of civil government*, Chapter 8, 19.（『統治論二編』第二編「市民的な統治の真の起源と範囲と目的とに関する小論」『世界の名著27・ロック／ヒューム』「統治

論」宮川透訳、中央公論社、一九六八年、二六八頁）

13 D.J. O'Connor, 'Locke' in D.J. O'Connor (ed.), *A critical history of Western philosophy* (The Free Press, New York, 1964; Macmillan, London, 1985). pp. 204-19.

本書の次の項を参照
デカルト、バークリ、ヒューム、ライプニッツ、ルソー

ロックの主な著作

- *A letter concerning toleration* (1689), ed. J. Tully (Hackett, Indiana, USA, 1983)（『世界の名著27・ロック／ヒューム』「寛容についての書簡」生松敬三訳、中央公論社、一九六八年）
- *An essay concerning human understanding* (1690), ed. P.H. Nidditch (Oxford University Press, Oxford, 1979)（『人間知性論』（一）〜（四）大槻春彦訳、岩波文庫、一九七二〜七年、『世界の名著27・ロック／ヒューム』「人間知性論」大槻春彦訳、中央公論社、一九六八年）
- *Two treatises of government* (1690). ed. P. Laslett (Carnbridge University Press, Cambridge. 1960)（『世界の名著27・ロック／ヒューム』「統治論」宮川透訳、中央公論社、『統治論』伊藤宏之訳、柏書房、一九九七年）
- *Correspondence*, ed. E.S. de Beer (8 vols, aarendon Press, Oxford, 1975-)

ロックの選集には *The works of John Locke*, ed. P. Nidditch (Clarendon Press, Oxford, 1975-1999) がある。

参考文献

- Aaron, Richard I. *John Locke*, 3rd edn (Clarendon Press, Oxford, 1971)
- Bennett, J. *Locke, Berkeley, Hume: central themes* (aarendon Press, Oxford, 1971)
- Colman, J. *John Locke's moral philosophy* (Edinburgh University Press. Edinburgh, 1983)
- Cranston, M. *John Locke, a biography* (Oxford University Press, Oxford, 1985)
- Dunn, J. *Locke* (Past Masters, Oxford University Press, Oxford. 1984)（ジョン・ダン『ジョン・ロック：信仰・哲学・政治』加藤節訳、岩波書店、一九八七年）
- Hunter, M. *Science and society in restoration England* (Cambridge University Press, Cambridge, 1981)
- Mackie, J. *Problems from Locke* (Clarendon Press, Oxford, 1976)

- O'Connor, D.J. *John Locke* (Penguin, Harmondsworth, 1952; New York, 1968)
- Parry, G. *Locke* (George Allen and Unwin, London 1978)
- Tipton, I.C. (ed.) *Locke on human understanding* (Clarendon Press, Oxford, 1977)
- Woolhouse, R.S. *Locke* (Harvester Press, Brighton, 1983)

ゴットフリート・ヴィルヘルム・ライプニッツ

Gottfried Wilhelm Leibniz

1646–1716

ライプニッツは、一七世紀の知的巨人たちの中でさえ飛び抜けて博学な人物として位置づけられている。彼は、数学者であり科学者であり哲学者であった。また法律家であり外交官であり技術者であり発明家であり歴史家でもあった。彼は、これらすべての分野における自分の仕事を、彼の**形而上学**的体系によって支えられていると考えていた。彼によれば、実在は究極的にはモナドと呼ばれる無数の非物質的実体から成る。それは、「部分もなければ、ものが出たり入ったりできるような窓もない単純な実体[★1]」である。彼の論じるところでは、神は無限に完全な存在であり、無数の可能的世界の中から存在しうる最善の世界を創造し、その世界の中では、あらゆることが、神が予め打ち立てた神の最初の定めに由来する形式（pattern）にしたがって展開する。ライプニッツの考えでは、哲学は大きな実践的重要性をもち、科学や数学の発達のために一貫した基礎を提供するばかりか、神学的問題や政治的問題をも解決できる。彼の目指したことは、知識の一大総合であり、普遍的な百科事典であったが、それは、大きな政治・社会的問題に直面したときに、一堂に会して正しい解決策を見極められる学者たちの国際的共同体が、目録や概要や索引を通じて利用できるはずのものであった。彼は、自分を、人生の大半を捧げたハノーヴァーという小さな国の国民ではなく、世界の市民だと考えていた。このような広い見方は、多数のしかも広範囲にわたる輝かしい企ての中にも現われており、これが並はずれた量の業績となっている。

ライプニッツは、三〇年戦争が終結する数年前にライプツィヒで生まれた。ライプツィヒ大学の哲学教授であった彼の父は、ごく小さなときから読書することを彼に教え、その後彼の知的能力は飛躍的に発達する。彼は一四才のときにライプツィヒ大学に入学して、二年後に卒業し、法学博士の学位を得るために研究をつづけた。この学位は一六六六年にアルトドルフ大学で与えられた。彼はこの大学での教職を断り、彼が生涯にわたって興味を抱きつづけた問題、錬金術に関わるニュルンベルク協会で秘書として少しの間働いた。その後彼は、彼をある任務でパリに派遣することになるマインツの大司教に仕えた。パリで彼が出会った人物の中には、哲学者マルブランシュをはじめ、神学者で哲学者であるアルノー、オランダの物理学者ホイヘンスがいた。彼は数学の知識を広げ、パスカルが作ったものより優れた計算機を発明した。彼は一六七三年にロンドンを訪れ、そこで王立科学協会の会員に選ばれた。その年、マインツの大司教が死に、彼は職を失うことになった。彼の興味を引かなかったのであまり気が進まなかったが、結局はハノーヴァーのブルンスヴィック公のもとで図書館司書の職に就いた。その仕事をつづけながら、彼はアムステルダムに行き、そこでスピノザを訪問し、四日間の活発な議論を楽しんだ。残念ながら、これが刺激的な哲学的交流を行う最後の機会となった。彼は、仕事のための旅行を除いてはハノーヴァーで生活し働き、手紙と文書の交換を通じてのみ他の学者と接触した。図書館司書としての彼の主な仕事は、ブルンスヴィック家の歴史を書くことだったが、この歴史をまとめ上げる一方で、他の多くの分野でも仕事をした。彼は、極限**計算法**［微積分］の発見に関するかなり不幸な論争に巻き込まれた。彼もニュートンも他のヨーロッパの数学者たちも同時にこの計算法に取り組んでおり、事実上誰がその考案者ないし発見者とみなされるべきかについて、論争が起こったらしい。ニュートンは、友人たちが彼のことを精力的に弁護したので、この論争を免れることができた。ライプニッツには彼を助けるためにはせ参じる擁護者がほとんどいなかったので、自分で自分を弁護するという手段に訴えなければならなかった。彼は、自分を弁護する文書を匿名で出すことでこれを行った。これは、よりにもよってまったくひどいやり方であって、彼を擁護する文書を誰が書いたのかがすぐに判明したのだから、とりわけそうである。この論争の正確な真相が何であれ、時の経過が示しているように、今なお使われているライプニッツの記号法のほうがニュートンのそれより優れているとみなされている。ライプニッツの伝記作家たちは、彼は自分の非常に独創的な論理学の研究が同時代の人々に認知されなかったことにも失望していたと指摘している。彼の論理学における業績は今ではもう認められているが、論理学に関する彼の多量の論考は、二〇世紀の初頭までハノーヴァーの王立図書館の中で顧みられぬままであった。一七一六年に彼が死んでも、ハノーヴァーの宮廷も、ロンドンの王立科学協会も、ベルリン・アカデミーも、ほとんど注目することはなかった。いくつかの要因がこのような不人気に関わっているが、その中には彼の俗物的で傲慢な傾向がある。しかし、敵意のほとんどは、どうやらライプニッツが国家主義に反対していたことや、単一の普遍的社会という未来像を抱いていたことなどから誘発されたもののようである。この点に関して言えば、彼の思想の非常に多くのものと同様、彼は時代のずっと先まで行っていたのである。

ライプニッツのもっとも有名な著作は、『形而上学叙説』(一六八六年)、『人間知性新論』(一七〇四年)、『弁神論』(一七一〇年)、『モナドロジー(単子論)』(一七一四年)である。『弁神論』だけが彼の存命中に出版された。同じく有名なのが、自由や個物の概念についてアントワーヌ・アルノーと交わした、またニュートン的宇宙に関してクラークと交わした、一連の書簡である。しかし、彼の論考のリストを掲げるだけでは、たとえそれがいかに網羅的なものであっても、彼の関心や能力や創意や輝かしい知的能力や巨大さがどれほどのものだったかを示すことはできない。彼が行った研究の完全版を編纂する仕事は一九二三年になってやっとはじめられ、まだ終わっていない。

デカルトは実在が根本的に二つの**実体**から成ると主張し、スピノザはただ一つの実体しか存在しないと語った。それに対してライプニッツは、実は無限に多くの実体、すなわちモナドがあると考えた。ライプニッツのモナドは、存在のもっとも単純な単位であり、それぞれのモナドは延長も部分ももたない、それぞれ異なった単純な実体である。したがって、ライプニッツにとって、究極的な実在は物理的なものから成るのではない。われわれは、モナドということで、物質ではなくエネルギーを考えなければならないし、異なった意識段階を有することで互いに異なったものを考えなければならない。人間はモナドの集合体であり、その内の支配的モナドは精神のモナドで、モナドの集合体をある程度意識的存在に統合している。個々のモナドは、神によって「一挙に」創造されたり消滅させられたりするのであり、各々のモナドはそれが創造されたときから自分自身の内に、自分がそれになるであろうところのもののすべての潜在的可能性をそなえている。それぞれのモナドは、他のすべてのモナドが展開するのと調和して、しかしながら、他のモナドに影響を与えたりそれから影響を受けたりすることなく、自らの存在を展開する。宇宙の創造に際して、神は無数の可能的世界を構想することができるが、神はすべての可能的世界の中で最善なものを創造する。神は完全な世界を創造しない。なぜなら、それは論理的に不可能だからである。神が完全な世界を創造するとすれば、神は自分自身を厳密に再び生み出さなければならないだろう。しかし、神は非-延長的な精神であるのだから、神の性質を再び生み出してもそれは眼に見えず、したがって非-存在となるだろう。かくして、あらゆる可能的世界の中の最善のものは、最高度の完全さと両立可能な、能うかぎり多くの実在をそなえている世界である。神は、各モナドの展開の詳細を、そして各モナドが自らを展開しながら経験するあらゆる関係や関係の複合を知っており、またそれを予見する。『モナドロジー』のパラグラフ五六でライプニッツは次のように述べている。「すべての被造物が各々の被造物と、また各々の被造物が他のすべての被造物とこのように結びつき対応しあっているということは、それぞれの単純な実体が、他のすべての単純な実体を表出する様々な関係をもっていること、したがって、単純な実体は、宇宙を映し出す永遠の生きた鏡であるということを、意味している」。各々のモナドはそれぞれ異なった観点から宇宙を映し出すのだから、彼が語るように、「あたかもそれと同じ数の宇宙があるかのようであるが、しかしそれは、各モナドの異なった観点に対応した、唯一の宇宙の異なった眺望である」[★2]。各モナドは、全体を映すことはないが——というのもこれは神のみがなしうることであるのだから——、ある意味では全体を表象している。ライプニッツは、「モナドが制限を受けているのは、その対象についてではなく、対象を認識する様々な仕方においてである」と語っている[★3]。日々の経験における物事の外見上の相互作用は、実は神の定めの結果である。それは、神のみがその全体を知っている予定調和の営みである。

ライプニッツは、自分の哲学をいくつかのきわめて一般的な原理の上に基礎づけている。第一の原理は、実在は実体とその属性から成るというものである。論理的に言えば、あるいは文法的に言えば、これは、述語が帰せられる主語という見地から彼がものを考えていたということである。彼はまたある種の根本的な思考の原理を受け入れていた。たとえば、矛盾を含むいかなる言明も偽でありその反対の言明が真であるという矛盾の原理、いかなるものもそれが現にあるようにあるのには十分な理由があるという充足理由の原理である。特殊な型の真理は、これら二つの原理のいずれかから派生する。それの反対が成り立たない**必然的**真理としての理性の真理は、矛盾の原理から派生し、それの反対が成り立つ**偶然的**真理としての事実の真理は、充足理由の原理から派生する。

必然的真理は、分析によって必然的であることが示される。「独身男性は未婚の男性である」という必然的真理は、「独身男性」と「未婚の男性」という語の定義がひとたび考察されるならば、必然的であることが示される。事実の真理には十分な理由がある。とはいえ、事柄の特定の状態の理由を探し求めるならば、たとえば、特定のテーブルが特定の場所を占めていることの理由を探し求めるならば、いくらでも多くの「理由」を挙げつづけることが可能である。ライプニッツの体系では、神のみが、偶然的真理が現にそれであることの理由すべてを知ることができる。神があらゆる偶然的真理の究極的で十分な理由なのである。神の知性は真理に関わること一切を把握できるので、神にとってはいかなる偶然的真理も、理性の真理と同様、分析的に真である。これは、モナドは創造されたとき、自らがなるであろうところのものをすべて自らの内に含んでいるという学説の、単なる裏面にすぎない。この学説の論理的表現は、真なる命題においては、述語の概念は主語の概念の中に含まれている、となる。モナドについての完全な概念、拡張して言えば、モナドの集合についての完全な概念は、それについて真に言うことができるものすべてを含んでいるのである。

ライプニッツの学説の一つの重要な帰結は、選択ができるというわれわれの能力や他者に影響を与えたり他者から影響を受けたりすることもあるというわれわれの可能性について通常われわれが抱いている信念の多くは、どうやら維持できそうもないということである。まさにこのような反論が神学者アントワーヌ・アルノーによってなされた。ライプニッツは二人の間で交わされた手紙の中でその反論に出会うことになった。一六八六年、ライプニッツは『形而上学叙説』の概要をアルノーに送った。それを読んだアルノーは、ここには驚くべき事柄がつまっていると直ちに言明して、彼の支援者であるエルンスト・フォン・ヘッセン=ラインフェルス方伯に次のような手紙を書いた。

私はこれらの省察の中に、肝をつぶすような事柄を非常に多く発見しました。私が間違っていなければ、それらは、すべての人類に強い衝撃を与えるでしょうが、明らかに世界全体から拒絶されるであろうような一編の論考がどんな役に立つのか、私にはわかりません。[★4]

アルノーにとって、ライプニッツの学説は個人の自由だけではなく神の自由にさえ制限を加えているように見えるのだ。というのも、個人の概念が、その個人にこれから起こるであろうことすべてを含んでいるのだとすれば、神がいったん個人の存在を定めてしまうと、この存在は神でさえ変えることのできないような容赦ない行路を歩むことになるという意味で、神の自由は制限されるからである。そして、その個人の自由は、彼の人生の出来事が予め選択されている以上、まったくもって存在しないことになる。したがって、もし神が、アダムを存在するようにしたとき、アダムがするであろうことをすべて知っているとするなら、アダムは決定されておりいかなる選択も行わないと結論することしかできない。同様に、神は、アダムがなるであろうところのものすべての潜在的可能性を含むモナドの集合体としてアダムを生じさせたのだから、アダムにそうなるようにさせることしかできず、他のいかなることもさせるようにはできないことになる。

このような反論に対して、ライプニッツは、理性の真理と事実の真理の区別に訴えることによって、また『形而上学叙説』八から一三のパラグラフで彼がすでに行っている指摘を強調することによって、答えている。彼によれば、アダムは自分のすること一切を論理的必然性から行うわけではない。すなわち、朝目覚めたアダムが、起き上がって散歩することも、あるいは〈[エデンの]園〉にいる楽しみを享受しながらもう少し横になっていたりすることも、論理的には可能である。彼が実際に行うことには十分な理由があろうし、そうした理由は神に知られているだろう。しかしながら、アダムが行うであろうことは、神が定め神が知っているのだから、アダムが自ら行うことを行うであろうことは確実なのだが、アダムが自ら行うことを行うのは決して論理的に必然的ではなく、別のことを行うこともつねに論理的には可能である。ライプニッツの学説が神の自由を制限しているという反論に対して、彼は、神の自由は恣意的な行為においては実証されないと答えている。もっとも偉大な自由は、善であるものにしたがって行為することであり、これこそが神が行うことを自由に選んだものである。神は、すべての可能的世界の中から、最善のものを創造することを自由に選択したのであり、またわれわれが神の最初の定めに発することを知っている世界の整然たる体系全体を創造することを自由に選択したのである。

アルノーは、ライプニッツの答えに満足しなかった。アルノー自身の見解は、アルノー自身のような個人という概念は、「もしもそれが私の中になければもはや私自身ではなくなるような本性をもつもの」だけを含んでいるのであって、「私に起こるであろうことのすべて」を含んでいるのではない、というものである。[5] アルノーによれば、自分は自分の存在そのものに本質的な一連の特徴によって定義されるのであり、「私が別に自分であることをやめなくても勝手に私の身に起こったり起こらなかったりするような、そんな[偶然的な]性質をもったものは、ともかく私個人という概念の中に含まれていると考えるべきではない」。[6]したがって、アルノーによれば、ある個人があるタイプの人間として、たとえば男性として、独身者として、神学者として定義されるならば、彼の人間としての自由は、彼自身の固有なやり方でこのような役割の詳細を生き抜くことにあることになる。しかし、自己充足的で完全で、なるであろうところのもののすべてを神によって選択されているモナドを基礎とするライプニッツの形而上学は、このような見解を認めることはできない。

ある人々にとっては、事態の真相についてのライプニッツの説明は、奇妙で突拍子もないもののように聞こえるかもしれない。ライプニッツ自身にとって、広がりのない無数の自己充足的な実体という仮説、無限の完全さをもちあらゆる可能性と現実性を認識している神によって創造された実体という仮説は、事態は究極的にはどうあらなければならないかについての理性的な反省から帰結する実在についての考え方にすぎなかった。その上彼は、理性的に考えられた原理は**経験**科学に基盤を提供しなければならないとも考えていた。要するに、理性の働きによって到達された論理-形而上学的構造は、諸々の現われの世界にとって、物質・物体・空間・時間・運動そして人間の相互作用の現象にとって、まったく十全な基礎であると彼は考えていたのである。

★注

1 Leibniz, *Monadology*, para. 7.（ライプニッツ『単子論』河野与一訳、岩波文庫、一九七八年、二一五頁）
2 Ibid., para. 57.（ライプニッツ同書、二六九～二七〇頁）
3 Ibid., para. 60.（ライプニッツ同書、二七一頁）
4 G.H.R. Parkinson (ed.), *Leibniz: philosophical writings* (Dent, London, 1973), p. 48, note 2. を見よ。〔「アルノーとの往復書簡」『ライプニッツ著作集8』竹田篤司訳、工作舎、一九九〇年、二一三頁〕
5 *The Leibniz-Arnauld Correspondence*, letter from Arnauld to Leibniz, 13 May 1686.〔同書、二三八頁以下、とくに二四七頁〕
6 Ibid.〔同書、二四七～八頁〕

本書の次の項を参照
スピノザ、デカルト、バークリ、ヒューム、ロック

ライプニッツの主な著作

- *Discourse on metaphysics* (1686), trans. P. Lucas and L. Grint (Manchester University Press, Manchester, 1961)(『形而上学叙説』河野与一訳、岩波文庫、一九五〇年、『世界の名著25・スピノザ/ライプニッツ』清水富雄、飯塚勝久訳、中央公論社、一九六九年、『ライプニッツ著作集8』西谷裕作訳、工作舎、一九九〇年)
- *The Leilbiz-Arnauld correspondence* (1686-90), trans. H.T. Mason (Manchester University Press, Manchester, 1967)(「アルノーとの往復書簡」『ライプニッツ著作集8』竹田篤司訳)
- *New essays concerning the human understanding* (1704), trans. P. Remnant and J. Bennett (Cambridge University Press, Cambridge, 1981, 1982)(『人間知性新論』米山優訳、みすず書房、一九八七年、『ライプニッツ著作集4・5』谷川多佳子、福島清紀、岡部英夫訳、工作舎、一九九三年、一九九五年)
- *Theodicy* (1710), trans. E.M. Huggard (Routledge and Kegan Paul, London, 1952)(「弁神論」『ライプニッツ著作集6・7』佐々木能章訳、工作舎、一九九〇年、一九九一年)
- *Monadology* (1714) in *Leibniz selections*, ed. P. Wiener (Scribner's, New York, 1951, and Bobbs-Merrill, New York, 1965)(『単子論』河野与一訳、岩波文庫、一九七五年、『世界の名著25・スピノザ/ライプニッツ』「モナドロジー」清水富雄、竹田篤司訳、『ライプニッツ著作集9』西谷裕作訳、工作舎、一九八九年)
- *The Leibniz-Clarke correspondence* (1715-16), ed. H.G. Alexander (Manchester University Press, Manchester, 1956)(「ライプニッツとクラークの往復書簡」『ライプニッツ著作集9』米山優、佐々木能章訳)

ライプニッツのよい選集は、P.P. Wiener, (ed.), *Leibniz selections* (Charles Scribner's Sons, New York, 1951)

参考文献

- Broad, C.D. *Leibniz: an introduction*, ed. C. Lewy (Cambridge University Press, Cambridge, 1975)
- Brown, S. *Leibniz* (Harvester Press, Brighton. 1984; paperback, 1986)
- Ishiguro, H. *Leibniz: philosophy of logic and language* (Duckworth, London, 1972)
- Rescher, N. *Leibniz: an introduction to his philosophy* (University Press of America, Lanham, 1979)
- Saw, R.L. *Leibniz* (Penguin, HanTlondsworth, 1954)

ジョージ・バークリ

George Berkeley
1685–1753

バークリの哲学の主な推進力は、物質のようなものは何も存在しないという主張である。彼によれば、われわれが外界で知覚し通常はそこに存在していると受け取っている対象はすべて、ただ心の中にしか存在しない観念の集まりである。この、幾分ぎょっとするような考え方こそ、彼がまったく明らかな事実とみなしていたことなのである。彼は次のように書いている。

真理の中には心にきわめて近く明瞭で、これを見る人はただ目を開けさえすればよいほどのものがある。そして私は、次の重要な真理をもってこの種類であるとする。それはほかでもない。天の群と地の備えの一切は、一言でいえば、世界の巨大な仕組みを構成するすべての物体は、心の外には少しも存立しておらず、物体が存在するとは知覚されることあるいは知られることなのである。したがって、それらの物体が私によって知覚されないか、あるいは私の心の中に存在しないとき、あるいは他の何らかの被造的精神の心の中に存在しないとき、それらの物体はまったく存在しないか、ある永遠の精神の心の中で存立するかのいずれかである。★1

このような哲学や、外的世界が何らかの仕方で心によって生み出されるという似たような見解をとる他の哲学は、「観念論」として知られている。バークリの主張では、神が整然とした仕方でわれわれの中に観念を植え付け、神の心の中にはいつもあらゆるものが存在している。実在は、神の永遠なる心とわれわれの有限な心から成り、両者の間の理性的なコミュニケーションは観念を手段にして行われる。バークリは、物質を退けることによって、物体的実体を説明したり、心と物質の相互作用を説明したりするという先達たちが取り組んだ解決の難しい問題に決着をつけ、万物を支える必然的な源泉という役割に神を復帰させる。

しかしながら、物質を退けることは、物理科学をどう考えればいいのかという難問を生み出す。というのも、このような科学は、バークリが非存在であると断言した物理的宇宙についての真理を明らかにすると、主張しているからである。最終的に彼は、科学の言明が事実的な真理ではなく役に立つ理論であると論じることによって、この難問を解決する。このような見解は、バークリと同時代の人々にはほとんど受け入れられなかったが、二〇世紀に入ると、理論的構造は事実的な真理としてではなくそれらによって与えられる有用で予見的な足がかりとして採用される、ということを認める科学者や哲学者によって、支持されることになった。

バークリは、イングランドの血筋であるが、アイルランドに生まれた。彼の祖父が〈王政復古〉のときにアイルランドに移住したからである。彼はキルケニーに生まれ、キルケニー・カレッジに入学した。一五才の時ダブリンのトリニティー・カレッジに入り、そこでロックの哲学を含む最新情報を取り入れた教育を受けた。一七〇四年に卒業したが、研究のためそのままダブリンにとどまり、一七〇七年に特別研究員に選ばれた。彼の最初の著作『視覚新論』は弱冠二四才のときに出版された。一年後『人知原理論』を出版した。これは彼のもっとも重要で影響力のある著作であり、一般に『原理論』として知られている。一七一三年に彼はロンドンに赴き、そこで『ハイラスとフィロヌースとの三つの対話』を出版し、アディスン、ポープ、スウィフト、スティールに出会うことになる。その後、彼は大陸の旅を続け、それからインディアンや黒人や白人のアメリカ植民を聖職者にするための訓練を行うカレッジをバミューダに立てようとして、短い期間ロードアイランドのニューポートに移った。しかし、資金を提供する機関が現われず、この大胆な企ては放棄されなければならなかった。彼は一七三二年にロンドンに戻り、一七三四年にアイルランドのクロインの主教に任ぜられた。彼は明らかに彼の教区にいる貧民の福祉に強い関心を抱いていた。彼はタール水が価値のある医学的特性をもっていると確信するにいたり、一七四四年に『タール水の効能に関する一連の哲学的反省と探求』を出版した。この本は『サイリス(*Siris*)』として知られ、実際的な助言だけではなく、哲学的反省も含んでいる。これがバークリの最後の哲学的論考である。ところが、一七〇五年に書きはじめられ、彼の哲学的見解の発展を記しつづけた二冊のノートが、一世紀以上もたってから発見された。これらの魅力的なノートは、一八七一年、その発見者であるA・C・フレイザーによって出版され、現在は『哲学的覚書』として知られている。バークリが自分自身のためにノートに書き記している助言の一つは、次のようなものである。「メモ。いつでも最大限に謙虚であること——最大限の礼儀正しさと尊敬をもって数学者たちを論破すること、その際虚無主義者（Nihilarians）のごとく振る舞わないこと。注意せよ。皮肉を好む汝の本性を抑制せよ」。[★2]

一七五二年、バークリはオックスフォードで引退生活に入り、ホリーウェル・ストリートにある家に住んでいた。一七五三年一月の日曜の晩、妻が聖書を朗読しているのを聞きながら、突然亡くなった。

一八世紀初期の物の本性に関する支配的見解は、一七世紀にめざましく発展した新科学に、強固にして確実な基礎をもっていた。しばしば「新哲学」や「粒子論的哲学」として知られていた新科学は、物質的宇宙はその構造においては原子や「粒子」から成り、その働きにおいては機械論的であると主張していた。これは、一般に物体の第一性質と考えられた特性である、かさ・形・大きさ・運動によってだけで、世界がどのように作り出されているのかを説明することである。われわれが通常物に帰する味や色や温度のようないわゆる第二性質は、物それ自身の内にあるのではなく、外的物体の「力能」によってわれわれの中に生み出されたものとして、われわれの内にあると考えられた。知覚は、一般的には、刺激が感覚器官から脳に伝えられ、脳が原因となって「観念」が「心の中に」生み出されるようになるという、因果的過程として分析された。そして、現実に知覚されるのは、外的対象それ自身ではなく、「心の中に生み出された」こうした観念だと論じられた。このような理論の重要な代表者はジョン・ロックである。バークリの哲学が理解されるべきなのは、新科学に基礎づけられたロックの見解が含意していることに対する批判的応答としてである。[★3]

バークリは、心の中の観念こそが知覚の対象だとする点で、ロックと意見を同じくしている。その後の彼の推論は、ロックとはまったく異なった結論に至る。彼は、第一性質が物の中にあり第二性質がわれわれの中にあるというのは実のところ本当ではないとして、ロックの第一性質と第二性質の区別を攻撃する。第二性質は、それを観察している人の状態やその人を取りまいている状況に応じて変化するので、われわれの中にあるとロックは言ったが、バークリは、このことはいわゆる第一性質の知覚にも同じように当てはまると指摘する。たとえば、知覚された形はわれわれが動きまわると変化し、運動速度についてのわれわれの判断は、われわれと動いている物の距離に応じて変わる。バークリによれば、事物についてのわれわれの観念が、それが表現していると想定されるものの正確な表現となるのはどの時点であるか、あるいは事物についてのわれわれの観念は、はたして本当に、それが表現していると想定されるものの正確な表現なのか、これらの問題については何も知るすべはない。すなわち、観念が外的対象によって生み出されたと想定する理由はなく、したがって因果的過程としての知覚の理論全体は批判的検討に耐えられないのである。それゆえ、良識（common sense）の示唆にしたがって、物質的実体が存在するという信念を捨てるべきである。彼は、「われわれが全力をつくして外的物体の存在について考えるとき、われわれはその間いつもわれわれ自身の観念を熟視しているのである」[★4]と語っている。

『原理論』におけるバークリの説明の中心にある主張は、存在するとは知覚することとあるいは知覚されることである、というものである。これが、存在することの意味である。バークリは、ある人々が知覚しもせず知覚されもしないものが存在していると仮定していることは重要な誤謬だと考えた。『哲学的覚書』の中で次のように指摘している。以前の哲学者たちによって生み出された混乱は、「彼らが存在とは何であり、存在がいかなる点において成立するのかを知らなかったことから生じた。これが彼らすべての〈愚考〉の源泉だった。私が主に要求しているのは、〈存在〉の本性と意味と意義を発見することである」[★5]。彼自身の見解では二種類のもの、つまりは精神と観念しか存在しない。精神は知覚し、観念は知覚される。観念は受動的であるが、精神は能動的で、観念の原因になることができる。人間は有限な精神であるが、神は、われわれの観念の多くの原因になる無限な精神である。神はわれわれが通常外的世界の直接的な知覚と考えているものについての観念の原因である。たとえば、今朝見また聞いたモリバトのことを今考えているときのように、われわれが何を知覚したのかについて反省することはわれわれ自身が原因となって引き起こされている。バークリは、このような非唯物論［唯心論（immaterialism）］の主張が、以前の哲学者たちを悩ませてきた実体や知覚や知識に関するやっかいな問題を解決する、あるいはむしろそうした問題を生じさせないようにすると考えている。しかしそればかりか、それが率直で良識のある思考の自然な帰結であると信じている。彼が提唱していることの外見上の非現実性に困惑する人々のために、彼は次のように書いている。

われわれがその存在を否定する唯一のものは、哲学者が物質ないし物体的実体と呼ぶものである。……このことが物の存在ないし実在性を減じることになると考える人がいるならば、その人は、私が考えうるかぎり平明な言葉で前提として語ってきたことをまったく理解していないのである。これまで述べてきたことの概要をここに記すことにしよう。精神的実体、心、あるいは人間の魂があり、自らの中で随意に観念を意志しまた喚起する。しかし、これらの観念は、心や魂が感覚で知覚する他の観念に比べて淡く弱く安定性に欠ける。感覚で知覚される観念は、〈自然〉の規則ないしは法則にしたがって、心や魂に刻印されるので、人間の精神よりもずっと強力で賢明な心の結果であると自ら告げている。後者の「感覚で知覚される」観念は、前者の「心が随意に喚起する」観念よりもより多くの実在性を有すると言われている。それが意味しているのは、後者の観念がそれらを知覚する心の勝手な作り物ではないということである。この意味で、私が日中見る太陽は本当の太陽で、私が夜想像する太陽はその観念である。ここで与えられているような実在性の意味では明らかに、すべての草木、星々、鉱物は、総じて宇宙体系のあらゆる部分は、われわれの原理によっても、他のいかなる原理によるのと同じくらい実在的存在である。実在性という語の意味が他の人々において、私が言う意味と異なるかどうかを、各人が自分の思考をのぞいて考えてみてほしい。★6

したがって、バークリが求めているのは、世界とわれわれ自身の身体を、ある意味でまるでそこに実在しないかのように扱うという、われわれとしては拒まざるを得ない人間の奇妙な変様を企てることではない。「われわれは、前提とされた原理によって……〈自然〉の一物といえども奪われることはない」★7と彼は述べている。彼が変様しようと望んでいるのは、ものの本性を説明しようと企てながら、論理的不調和を生み出し、人間の知る能力に深い疑いを喚起し、もはや神に依存することのない機械論的宇宙の制作者という地位に神を格下げしてしまった概念装置なのである。彼の批判的な吟味の対象になるこのような概念装置のある一つの側面は、ロックの抽象観念についての説明である。バークリはこの説明を、「あらゆる哲学の諸派とあらゆる科学における無数の誤謬と困難」を生み出した源泉だと考えていた。簡単に言えば、ロックは、抽象観念は幾多の事物からそれらが共有している赤さのような共通の特性が抽象されて形成されると主張した。この赤さという観念がひとたび打ち立てられるなら、他の対象に関しても赤さを見分けることが習慣化される。バークリはこのような説明が必要ではないし不可能でもあると考えた。それが必要でないのは、彼によれば、何らかの事物における赤さの認知は、比較がなされるべき赤さという「抽象観念」に訴える必要がないからである。求められるのはただ、ある対象が他の赤い対象に似ていると適切な仕方で見られることだけである。しかしまた、抽象観念が存在しうるという可能性もないとバークリは論じる。というのも、言葉は何らかの知覚や感覚的観念を指すことができなければならないのだが、ロックの説明はこれを許さないからである。たとえば、人間という抽象観念はありえない。なぜなら、「私が心に形成する人間の観念は、白い人か黒い人か褐色の人か、まじめな人か不正直な人か、背の高い人か低い人か中背の人のいずれかでなければならない」からであり、これらの特徴から抽象して、ロックが提起していたような人間についての一般的な概念を作り上げることは不可能だからである。バークリは、一つの観念を構成する個々の要素を分離することができることは認めている――「私は、手や目や鼻をそれぞれ単独に身体の他の部分から抽象して、あるいは分離して考えることはできる」と語っている――。しかし「個別的なものから抽象して一般的な観念が形成できる」ということは否定する。[★8] ここで問題になっているのは、バークリの哲学において根底的な重要さをもつものである。それは、知覚できるものに関してのみ意味のある言説は可能だという原理である。一般的な言葉は、個別的なものから「抽象された」観念を指すのではなく、それなりに似通ったいくつかの個別的なものを指すのが習慣化されたものだ、というバークリ自身の説明は、この重要な原理と一致している。なぜなら、抽象観念は分析の結果不可能であるように見えるのに対して、似通った個別的なものは知覚可能な観念であるからである。

バークリは、精神について語るようになると、一貫性を維持するのは難しいことに気づく。観念とは感覚についての観念でしかないのだから、精神についての観念は存在することができないからである。その上、観念は「受動的で惰性的」であり、精神は能動的存在であると語られているのだから、精神は観念ではありえない。彼は次のようにつづけている。「われわれが魂や精神について、また意志するとか愛するとか憎むといった心の働きについて、われわれがこれらの言葉の意味を知っていたり理解しているかぎりにおいて、それらについての想念（*notion*）をもっているということも、同時に容認されなければならない」。[★9]『原理論』のその後の部分で、彼は、われわれが精神についての直接的な知識をもっていると論じている。すなわち、「私は観念のいくつかの運動や変化や結びつきを知覚するが、それによって私は、そうした運動や変化や結びつきに随伴しそれらを生むのに協力するある特殊な要因、つまりは私自身のようなものがあることを知らされる」[10]。そして、われわれがわれわれの仲間の精神を直接に知覚することがないのとちょうど同じように、神を直接に知覚することもないと、彼は述べている。すなわち、

違いは次の点だけである。観念の有限で狭い集まりが個々の人間の心を指すのに対して、われわれが視線をいずれに向けようと、われわれはいつでもどこでも〈神性〉の明白なしるしを知覚する。——というのも、われわれが見たり聞いたり感じたりするすべてのもの、ともかくも感覚によって知覚するいかなるものも、神の力能の記号ないしは結果だからである[11]。

バークリの体系では、あらゆるものがいつも神の意志に依存している。「精神どうしの交わりを維持し、それによって精神がお互いの存在を知覚できるようにしている」のは神である[12]。自然は神と別のものではない。しかし、自然は「ある一定の一般的な法則にしたがって、われわれの心に刻印された結果ないしは感覚の可視的な系列」[13]にすぎない。自然の内に生み出される「怪物や早産や花のうちに落ちる実や荒野に降る雨や、人生の中で起こりがちな悲惨さやそれと似通ったこと」は、ほとんど神の意志の直接的な所産とみなすことはできないという反論を予想して、バークリは、自然の仕組みを直接動かし管理するものは、「〈人生〉の諸事においてわれわれを教導するものとして」必要であると指摘する。「〈自然〉の汚点や欠陥そのものも……われわれに効用がなくはなく」、「この世に存在する苦や不快の混合物は……われわれの安寧に不可欠で必要である」。要するに、われわれが広い視点に立ったり万物の間の結びつきを認知したりすることができないことによって、われわれはあるものを悪とみなしてしまうのである。心の包括的な理解力を駆使するならば、われわれは「〈自然〉の〈仕組み〉を通じて輝き出る神の〈知恵〉と善性の聖なる痕跡」を認めることになるであろう[14]。バークリは、神と〈義務〉をわれわれの研究の第一位に置くことを説き、『原理論』を終えている。

実在についてのバークリの見解には驚くほどの仕組みがあり、彼の哲学には神と人間と自然という大きなテーマに関する魅力的な集成がある。彼は、意味と実在の尺度としての感覚的経験を固守する点で**経験論**者である。しかし、そのような経験論を、物質の拒絶という文脈に置いてみると、まるで万華鏡を一振りしたかのようになる。なぜなら、あらゆるものはすっかり変わってしまっているのに、すべては依然としてそこにあるからである。バークリはわれわ

れの足下から地面を取り去り、われわれの足さえも取り去る。しかしながら、その結果として彼は、ただ単にあたかもあらゆるものが依然としてそこにあるかのように考えつづけることを容認しているのではなく、あらゆるものが依然としてそこにあることを確信をもって主張しているのだ。思うに、これは非常に上手な概念的魔術を行うことである。それは、「物質」という概念と「観念」という概念の融合を試みるが、この試みは結局成功していない。魔術で眩惑しながらも結局は納得させられないのである。このような失敗によっても、ロックの哲学の特定の側面に反対するバークリの議論の詳細な部分やその鑑識眼の価値が落ちることはない。

　バークリの思想についてのもっとも簡単な説明でさえ、「存在するとは知覚されることである」という彼の学説を奉る二編の有名な詩を入れないわけにはいかない。最初は、ロナルド・ノックスの五行俗謡である。

ある若者がこう言った。
「中庭あたりには誰もいないのに、
木が存在しつづけているのを、
神様がご覧になったら、
まさに奇怪だと思うに違いない」。

これには、返答がついている。

拝啓
君の驚きこそ奇怪だ。
私はいつでも中庭あたりにいるのだから。
だからくだんの木は、
これからも存在しつづけることだろう。
ほかでもなく、私がながめているのだからね。
敬具
神より[★15]

★注

1 Berkeley, *A treatise concerning the principles of human knowledge*, Part I, para. 6.（バークリ『人知原理論』大槻春彦訳、岩波文庫、一九七七年、四七頁）

2 Berkeley, *The philosophical commemaries*, Notebook A, 633.

3 本書のロックの項を参照、一四六頁～。
4 Berkeley, *Principles*, Part Ⅰ, para. 23.（前掲『人知原理論』、六〇頁）
5 Berkeley, *Commentaries*, Notebook A, 491.
6 Berkeley, *Principles*, Part l, para. 35-36（前掲『人知原理論』六八～七〇頁）
7 Ibid., para. 34,（同書、六八頁）
8 Ibid., Introduction, para. 10.（バークリ同書、二一～二二頁）
9 Ibid., Part I, para. 27.（同書、六四頁）
10 Ibid., para. 145.（同書、一六四頁）
11 Ibid., para. 148.（同書、一六七頁）
12 Ibid., para. 147.（同書、一六六頁）
13 Ibid., para, 150.（同書、一六八頁）
14 Ibid., paras. 151（同書、一六九～一七二頁）
15 B. Russell, *History of Western philosophy*（AIlen and Unwin, London, 1967), Ch. 16, p. 623.（バートランド・ラッセル『西洋哲学史』第三巻、市井三郎訳、みすず書房、一九六九年、一二五頁）を見よ。

本書の次の項を参照
ヒューム、ライプニッツ、ロック

バークリの主な著作

- *An essay towards a new theory of vision*（1709）（Everyman Library, no. 483, Dent, London）（『視覚新論』下条信輔、植村恒一郎、一ノ瀬正樹訳、勁草書房、一九九〇年）
- *A trealise concerning the principles of human knowledge*（1710）（Everyman Library, no. 483, Dent, London）（『人知原理論』大槻春彦訳、岩波文庫）
- *Three dialogues between Hylas and Philonous*（1713）（Everyman Library, no. 483, Dent, London）（『ハイラスとフィロヌースとの三つの対話』）

バークリの著作は、*The works of George Berkeley, Bishop of Cloyne*, ed. A.A. Luce and T.E. Jessop（9 vols. Thomas Nelson and Sons, London. 1948-57）に収められている。バークリのよい選集としては、M.R. Ayers（ed,),

Berkeley: Philosophical works (Dent, London, 1975) がある。

参考文献

- Armstrong, D.M. *Berkeley's theory of vision* (Melbourne University Press, Melbourne, 1960
- Bennett, J. *Locke , Berkeley, Hume: central themes* (Oxford University Press, Oxford, 1971)
- Flage, D.E. *Meaning and notions in Berkeley's philosophy* (Croom Helm, 1986)
- Ritchie, A.D. *George Berkeley: a reappraisal* (Manchester University Press, Manchester, 1967)
- Thomson, J.F. 'Berkeley' in D.J. O'Connor (ed.), *A critical history of Western philosophy* (The Free Press, New York, 1964; Macmillan, London, 1985)
- Tipton, I.C. *Berkeley* (Methuen, London, 1974)
- Urmson, J.O. *Berkeley* (Oxford University Press, Oxford, 1982)
- Wamock, G.J. *Berkeley* (Blackwell, Oxford, 1982)

ジョーゼフ・バトラー

Joseph Butler
1692-1752

［イングランドの］ダーラムの主教ジョーゼフ・バトラーは、自分の道徳哲学を啓示神学ではなく自然神学に結びつけた。彼は、啓蒙された自愛の実践を説き、自愛が他者への慈悲を含んでいると論じた。彼によれば、人間の本性は、欲求と性向の単なる集合ではなく、諸部分が相互に関係した位階の体系、しかもそれを制御する良心をともなった体系だと考えた。このような人間観は、彼の神学と一致している。というのも、彼によれば、宗教がわれわれに教えることは、「神の摂理として知られているもの」によってわれわれに与えられた自然な制御と調和しているからである。

バトラーは、［イングランド南部の］バークシャーにあるウォンティジに、引退した織物商の八番目の子供として生まれた。家族が長老派教会会員であったので、ジョーゼフは、国教会と意見を異にする家族の子弟のために優れた教育を行っていた特別なアカデミーの一つに入学した。それにもかかわらず、彼は英国国教会に引き寄せられたが、家族はそれに反対しなかった。一七一五年、オックスフォードのオーリエル・カレッジに普通学生［自費生］として入学した。聖職叙任後、彼は生活のためにいくつかの職業につき、一七二六年に彼の道徳哲学を具体化した著作『一五の説教』を出版した。その後、彼は数年間隠遁生活を送り、ブラックバーン大主教から「埋葬されたが死んでいない」と評された。しかし、一七三六年、彼はキャロライン女王によってクロジットの教会書記に任ぜられた。彼は毎晩学者グループに参加し、この集いは女王を楽しませた。女王が死の床にあるとき、彼女は彼が高位の聖職に就くよう要請した。彼は、ブリストルの主教、次いでダーラムの主教になった。彼は、害した健康を回復しようと訪れたバースで、一七五二年に亡くなった。

バトラーが人間の本性を見るとき、彼はそれがいくつかの要素で、つまりは欲求や情念や感情や判断を下す能力のような「原理」で、成り立っていると考えている。人間におけるそれらの要素の自然的な配置は、より優れた原理が指揮するような具合になっている。より劣った原理が支配するようになると、その人の本質的な本性は乱されてしまう。バトラーは、情念と欲求を総じて位階の下位に分類している。慈悲心がその上にあり、自愛がその上であり、一番高い位置にあるのが良心である。「慈悲心という習慣的気質」をもっているなら、その人は「慈悲深い」と呼ばれる。真の自愛は、幸福を生み出すであろうものについての偽りの観念を与える「想像上の自愛」とは、区別されなければならない。真の自愛は、「度を超えた自愛」や「自分自身への溺愛」ではなく、自分自身の幸福に対する「冷静で理性的な関心」を顕示する「理性的な自愛」である。自愛は、幸福を減じるものを得ようとして働いている場合には、その人のある特定の情念と傾向性の関わりの中で機能している。バトラーは、正しいことをすることが、人間の本当の幸福と衝突することはほとんどまったくないだろう、と主張する。彼は「自愛は……そのとき、一般的に言って、美徳と完全に一致し、人生の唯一の行路へとわれわれを導いていく」と語る。したがって、徳のある行動は、自分自身の利害や喜びをなおざりにすることを決して求めない。バトラーは次のように書いている。

> 同情と慈悲という気質は、それ自身で喜びを与えるものである。良いことをすることによってこの気質を楽しませることとは、積極的な喜びと楽しみを与え……慈悲と自愛は……われわれ自身の最大の満足がわれわれが十分な程慈悲をもつかどうかにかかっているほど、完全に一致している。[★1]

自愛は、冷静で理性的なものである場合、自分にとって一番ためになるものを発見する。良心は、自愛より必ずしも強くはないが自愛よりも優れており、正であるものと誤であるもの、善であるものと悪であるものを見分ける。バトラーの良心に関する説明は、彼の〈説教〉の二と三で与えられている。彼は良心について次のように指摘している。「それが正しいとき強さをもち、それが明白な権威をもつとき力を有するならば、それは世界を絶対的に支配するだろう[★2]」。彼は、人間が良心の働きを通じて行う判断には、意見の一致がいつも存在すると考えていたようである。彼は、良心は「相談されることも助言を求められることもないまま、威厳をもって良いと判断したり悪いと非難したりする」と言っている。良心は、自然的な道徳性の永続的な原理を肯定して、これらの原理と「習慣の偽りの原理」を区別するために人類に授けられた神与の自然な能力であるように思われる。バトラーは良心の権威について次のように書いている。

この能力が……良いと判断する……行動の方針はどんなものも、総じてまったく疑いようがない。それはあらゆる年齢の人々、あらゆる国々が公然と告白したものであり……地球上のあらゆる市民の憲法の第一にして根本的な法が……その実践を人類に課しているものである。それは、正義、誠実、そして共通善への敬意である。★4

文化から来る価値の違いという問題がバトラーを困惑させたようには思われない。われわれは、原理の位階がその自然的な秩序のまま機能しているときは良心と慈悲と自愛の間にいかなる葛藤もないことを思い起こすなら、良心を、単に日常生活の中で正であるものと誤であるものを個々人に知らせてくれるにすぎないものと考えなければならない。われわれ自身の本性にしたがって行為することを肯定するバトラーの議論にはちょっとした循環論以上のものがあるが、彼は人間の本性についての自分の分析の理由づけをほとんどしていない。

人間の本性についてのバトラーの説明は、トマス・ホッブズのそれと鋭く対立している。ホッブズは、われわれが行うどんなことも自分の安全と力を守ることを動機とするよう、われわれの本性が構成されていると主張した。すなわち、われわれの外見上の慈悲深い行為や同情的な行為はみな、友人を獲得したり、敵をなだめたり、自分を守ったり、自分を優位に立たせたりするためになされるのである。したがって、ホッブズが主張するように、われわれは、自己保存のためにしか行為することはできない。このような見解に反対して、バトラーは、いくつかの探求的な問いを立てるよう良識に訴える。もし〈慈悲〉が自分の力を増強する手段として理解されるなら、ある人の不幸がわれわれ以外の誰かによって軽減されるのを見るとわれわれは喜びを感じることがあるという事実を、ホッブズはどう考えるだろうか、と彼は問う。われわれが他ならぬこの人に良いことをしてあげたいと思うことがあるということを、ホッブズはどのようにして説明できるのだろうか、とも彼は問う。バトラーの見解は、彼の同時代人シャフツベリ伯アンソニー・アシュレイ・クーパーのそれとも異なっている。クーパーは、人類が慈悲への本能を所有していると主張したが、人間の本性を支配する良心が存在することは認めなかった。これは人間の本性に関する不十分な説明であると、バトラーは感じた。なぜなら、それは、有徳な行為ではなく悪徳の行為によって幸福が手に入るかもしれないと考える人間を抑制する手段を、考慮に入れていないからである。

自然神学に関するバトラーのもっとも有名な論考は、『自然宗教と啓示宗教の、自然の構成ならびに推移に対する類比について』(一七三六年)に含まれている。彼は自然を神の摂理の結果とみなし、自然の研究によって、われわれがどのようにあるのかだけではなく、どのようにあるべきかをも知ることができると考えている。破壊を被ることなしに自然に変化していくという観察的事実を利用して彼が指摘するのは、こうした自然な過程との**類比**によれば、死によってもたらされる大きな変化を経験してもなお死後の生を生きることとは完全に可能だということである。また彼によれば、自然についてのわれわれの経験は、行為の中には満足と快を生み出すものもあれば苦痛や不快を生み出すものもあることを、示している。われわれが自然とのこうした相互作用から学ぶことは、宗教が邪悪な者への罰と有徳な者への報いについて教えることと類比的である。自然な原理にしたがった自己鍛錬の生活によって習慣を形成できるというわれわれの自然な能力と、それと同じような仕方で来世での生を準備できるという可能性にも、類比がある。

バトラーは、さらに、自然宗教と啓示宗教の類比をも引き出す。彼によれば、あらゆる生物は他者によってこの世に生み出され養育される。それと同じように、神は媒介によって世界を統治し、イエス・キリストはわれわれの媒介者なのである。聖書はこのような媒介の効用を説明しているわけではないが、それが神秘的であるということを、それへの反対の論拠とすべきではない。なぜなら、それは、われわれの能力の自然的限界を超えた多くのものの一つにすぎないからだ。キリスト教の正しさを支持する歴史的証拠はたくさんあると、バトラーは主張している。その全体は「完全に信じうるものであり」、キリスト教の正しさを支持する一群の積極的な証拠は、たとえその一部が疑わしいものであっても、破壊されることはありえない。『類比』の最後の部分で、自分の類比的方法に対するかなり苦労した擁護論を展開している。求められていることは自然宗教と啓示宗教の双方の困難を扱うことなのだから、自然宗教でも困難は同じだとして啓示における困難を解決するのは、卑怯なことだと言って反論されるかもしれないと、彼は述べる。しかし、その場合、「卑怯な」という形容詞は、人生の困難を解決しようとする多くの試みにも適用することができることになろう。彼によれば、彼が類比において行うことは、宗教の教説は信じられないと語る人々に直截な答えを与えることである。というのも、彼の類比は、日常経験で確実なものと宗教の教説の間にあるからである。もしもわれわれが日常経験の確実さを受け入れるなら、宗教の教えを信じられぬものとみなすいかなる理由もない。

　バトラーは、道徳哲学の発展の中で重要な位置を占めている。彼は、啓示宗教への信頼から脱して、人間の本性の研究と、道徳的行為に導くものとしての良心の観念へと向かう動きの一部を成している。彼は、先達や同時代人の見解を改めて、彼らの欠陥とみなされるものを是正した。人間はつねに自分の安全と快を守るために行為するというホッブズの理論に反対する彼の鋭い議論は、広く人間の本性に関するその種の見解に対する論駁として有名になった。

★注

1 Butler, *Fifteen sermons*, Sermon 3, §8, and Serrnon 1, §6.
2 Ibid., Sermon 2, §14.
3 Ibid., §8.
4 Butler, *Dissertation 2*, *On the nature of virtue*, §1.
5 本書のホッブズの項を参照、一二〇頁〜。

本書の次の項を参照
カント、ホッブズ、ミル

バトラーの主な著作

・*Fifteen sermons preached at the Rolls chapel* (1726), ed. W.R. Matthews (G. Bell and Sons, London, 1949)
・*The analogy of religion, natural and revealed, to the constitution and course of nature* (1736)
・*Dissertation 2, Of the nature of virtue* (1736), an appendix to the Analogy (SPCK, London, 1970)
出版されているバトラーの選集は、2 volumes, ed. J.H. Bernard (Macmillan, London, 1900).

参考文献

- Broad, C.D. 'Butler' in *Five types of ethical theory* (Routledge and Kegan Paul, London, 1930)
- Duncan-Jones, A.E. *Butler's moralphilosophy* (Penguin, Harmondsworth, 1952)
- Mossner, E.C. *Bishop Butler and the age of reason* (Blom. New York, 1936, and Ayer, Salem, New Hampshire, USA, 1969)

デイヴィド・ヒューム

David Hume

1711 - 1777

ヒュームの哲学は、一八世紀半ば以来、西洋思想の展開に重要な影響を及ぼしてきた。それは、「はじめ感覚のうちになかったものは、心のうちにもない」という経験論的原理に由来する徹底した懐疑論の哲学であり、一七世紀の**合理論**の哲学者たちの主張や結論の多くに対して注目すべき反論を展開している。ヒュームは、神や人間の魂や絶対的な道徳的価値などに関する知識については、断定を下すもっともな理由はないと主張する。彼の目的は、人間の本性と人間の知性を検討することであった。というのも、彼が述べているように、「重要な問題で、人間の学の内にその解決が含まれていないようなものは一つとしてない」[★1]からである。彼の方法は「経験と観察」を有効に利用することだった。彼は『人性論』の「序論」の中で次のように書いている。

そして、あくまで実験にしたがいつづけ、すべての結果をもっとも単純かつ少数の原因から説明することによって、われわれのすべての原理を可能なかぎり普遍的なものにするよう努めなければならないが、だからと言ってわれわれが経験を越え出ることができるわけでないのは、たしかである。したがって、人間本性の究極的で本源的な性質を発見したと称するどんな仮説も、おこがましい空想にすぎないものとして退けられるべきである。[★2]

ヒュームはエディンバラで生まれた。彼の父は、ベリック近くの小さな領地ナインウェルズを所有していた。彼の母は法律家の家の出で、独立心があり非常に知的な女性だった。デイヴィドが二才のとき夫と死別してから、家族の教育としつけに身を捧げた。デイヴィドは法律を学ぶように勧められた。一二才のときエディンバラ大学に入学を認められたが、彼の言うところでは、「哲学と学問一般の研究以外のあらゆることに耐え難い嫌悪」[★3]をおぼえた。彼は、学位を取得することなく大学を去ったが、家での研究生活はつづけた。彼の最初の、そしておそらく彼の最高の哲学的著作である『人性論』は、一七三九年にまずそのうちの二巻が、一七四〇年にその三巻が匿名で出版された。この著作はほとんど注目されることはなかった。ヒュームはそれについて「熱心な人々の間にざわめきを引き起こすほど有名にもならず、輪転機から死産した」★4と書いている。一七四〇年に匿名の『人性論摘要』が刊行されたが、今ではこの摘要の著者がヒュームであることは分かっている。その後の数年の間、彼はエディンバラとグラスゴーで教授職の選にもれてしまう。彼は、後に狂人であることが判明する若きアランデイル侯爵の個人教授を引き受けてから、セント・クレア将軍に書記として仕え、海外への軍事遠征に同行し、一七五二年にエディンバラのスコットランド弁護士会のライブラリアンの職を引き受けた。彼は、この地位にあるとき、六巻から成る『英国史』を執筆した。これについてヴォルテールが次のように述べている。「『英国史』の中では、ヒューム氏は議会派でも王党派でもなく、英国国教会派でも長老派でもなく――彼は単なる司法官である」★5。一七六三年に、彼が大いに人気を博することになる都市パリへ赴き、パリの大使館でハートフォード卿の秘書官になった。このときまでに、彼は作家としての地位を確立していたが、それは彼が高い評価を受けた歴史を書いたからだけではなく、哲学や政治や道徳や宗教に関する一連の本や論考をも書いていたからである。ボズウェルは、一七六二年に彼を「英国におけるもっとも偉大な作家」と評している★6。知的世界の寵児としてフランスで三年過ごした後、ヒュームは、イングランドに帰国するに際してジャン＝ジャック・ルソーを政治亡命者として伴った。この好意には不幸な結末が待ちうけていた。というのは、ルソーが彼の支援者を信じず、そのため誤解が生じたからである。ルソーはフランスに戻り、ヒュームは一七六九年に故郷エディンバラに帰ってニュータウンに家を建て、そこで哲学的省察を楽しみながら友人や地元の市民たちと楽しく過ごした。このとても気だての優しい人物が一七七七年に死ぬまでの二年間は病気だった。彼が自分の「弔辞」と呼んだものの中で書いた記述には、彼を知る人は心からこぞって同意した。彼は次のように書いている。

私は穏やかな性格で、自制心があり、明るく文化的でユーモアがあり、愛着を抱くことがあっても恨みにかられることはほとんどなく、どんなことに熱中しても決して中庸を欠くことはなかった。自分の情熱の中心を占めていた文名を愛する気持ちにしても、たびたび失望させられたからといって、不機嫌をさそうこともなかった。[7]

『人性論』でヒュームは、ひとは世界をどのように知覚するのかという問題の検討からはじめている。われわれの知覚には二種類あると彼は述べる。すなわち、「心にはじめて現われるときの感覚、情念、情緒」である印象と、「思考や推論を通じて現われるこれら［印象］のおぼろな心像」としての観念である。[8] 印象と観念は単純なものであるか複合的なものであるかのいずれかであり、ヒュームは、単純観念はすべて単純印象に由来すると主張している。印象を原因として観念が生じるが、観念は印象の原因にはならない。われわれは、観念が生じる順番で観念を保持する記憶という能力と、印象からすでに引き出されている観念を配列し直すことのできる想像力という能力をもっている。そのような想像力は、「金」という印象と「山」という印象からすでに引き出された観念を結びつけて「金の山」という複合観念を形成する。新しい単純観念は印象からのみ引き出される。

ヒュームにとって、印象と観念の主な違いは、力強さの程度の違いであり、二種類の知覚のうち印象の方が活気がある。これは、合理論者が感覚的経験と理性を区別して理性の働きの方に優位を与えたことに、彼が異を唱えたことを意味している。ヒュームは、分析可能でまず第一に感覚的印象に準拠する主張だけを信じる。それゆえ、彼は、神の実在や魂などについての知識や、また様々な性質の受け皿となる、いわゆる無色透明な実体についての知識などに関するあらゆる主張を退ける。なぜなら、これらの概念の起点となるような感覚的印象など、どこにも見いだせないからである。彼は、何よりもまず、観念はつねに個別的なものの観念であり抽象された一般性の観念ではないというバークリの見方と意見を同じくすることによって、**抽象観念**ないしは一般観念を説明する。さらに彼は、たがいに似通った観念が一つに連合すると、ある特定の観念が、すでに連合した一群の観念たちの「代理となる」ことがあると指摘する。

『人性論』の中で、ヒュームは世界について語るときのわれわれの語り方をめぐって、一つの重要な説を明確に述べている。彼は次のように言う。

人間の理性や探求などのあらゆる対象は、おのずから次の二種類に分類される。すなわち〈諸観念の関係〉と〈事実の問題〉である。第一の種類に属するものは、幾何学、代数学、算術の諸学である。約言すれば、直観的に確実であるか論証的に確実であるかのどちらかであるようなすべての断定である。……この種の命題は、宇宙のどこかに存在するものに依存せずに、単に思考の働きによってのみ発見可能である。……人間の理性の第二の対象である事実の問題は、同じような仕方では確証されない。またそれらを真とするわれわれの明証性は、それがいかに大なるものであろうと、前者の明証性と同質ではない。事実の問題のすべてには、その反対がつねに可能である。なぜなら、反対は決して矛盾を含むことができないからである。……太陽は明日昇らないであろうという断定は、太陽は明日昇るであろうという断定に劣らず理解可能な命題であり、またこの断定と同じように矛盾を含んでいない。★9

この説はときとして「ヒュームのフォーク」として知られている。その趣旨は、いかなる有意味な命題も、観念間のある種の関係を表現するものとして、それらの言葉の意味にしたがって**必然的**に真か偽であるような命題であるか、あるいは必然的にではなく単に**偶然的**に真か偽であるような推定上の事実を述べる命題であるかの、いずれかでなければならないということである。感覚的経験から引き出されないからと言ってすでに退けられた神や魂などに関する命題は、フォークのどちらの又にも引っかからない。『人間知性研究』の終わりで、ヒュームは次のように記している。

もしもわれわれが神学あるいはスコラ形而上学の何か一巻を手にしたら、それは量や数に関する何らかの抽象的な推論を含んでいるか、と尋ねてみよう。否である。では、それは事実と存在の問題に関する何らかの経験的な推論を含んでいるだろうか。否である。だとしたら、そんなものは火にくべてしまうがよい。というのも、それはただ、詭弁と妄想しか含みえないからだ。★10

あらゆる有意味な観念は感覚の印象から引き出されなければならないとするヒュームの主張は、「あらゆる出来事には原因がある」という根本原理を説明しようとするとき、重大な困難を彼に与えた。因果性の根本原理はわれわれの実際的な予測や備えのすべてにおいてこの上なく重要なので、幻想やキマイラ［荒唐無稽な異種混淆的空想］として捨て去るわけにはいかないだろう。その上、われわれは、原因とその結果にはある種の必然的な結びつきがあると考えているように思われる。だが彼によれば、このような結びつきは、観念同士の関係に認められるような必然的結びつきではない。また、われわれが因果性の観念を獲得するのは、原因と呼ばれるある種の力が、たがいに因果的に関係しているとみなされる二つの物の間に働いているのを現実に観察することによってでもない。たとえばビリヤードのキューがビリヤードの球を打つとき、「原因」というある種の存在が両者の間に働いているのだ、などという感覚的印象を受け取るわけではないからだ。現実に観察されるのは、キューの運動につづいて球の運動が起こったということだけだ。彼は言う。「これが外的感覚に現われるすべてである。……したがって、原因と結果に関する個々の事例のどの一つにおいても、力あるいは必然的結びつきを暗示できるものは何も存在しない」[★11]。それでは、因果性の観念はどのようにしてわれわれのもとに到来するのだろうか。

ヒュームの答えは、炎が熱を生み出すといった対になっている出来事をわれわれはたえず観察しているからだ、というものである。そうであるために、対の一方が起これば他方も心に浮かぶのである。つまりわれわれは、炎を見れば熱を期待するようになる。われわれは最後には、炎は熱を生み出さなければならないとまで言うようになり、炎を熱の原因とさえ呼ぶようになる。それゆえ、ヒュームによれば、原因と結果の観念をわれわれに与えるのは、いろいろな物事を経験することによって発達した、心の習慣である。「あらゆる出来事には原因がある」は、こうして、事実問題に関する命題として無事に分類されることになる。それは究極的には経験と観察に由来するのである。原因につづく結果に帰せられる必然性は、世界の中の事物の在り様の一部ではなく、われわれの内にあるもの、われわれの心の働き方それ自身に由来するものである。われわれが観察するのは、いくらかの出来事が絶え間なく結合・連結しあっている姿でしかないが、そのような結合が永続する保証はない。われわれは、炎でやけどをしたことがあるので、将来火がわれわれを燃やすだろうと信じるようになる。あらゆる信念と同様にこの信念も、推論の過程ではなく自然的本能の働きに由来するものである。ヒュームが観察という方法を使って提示したのは、信念が生じてくる仕方についての記述である。

ヒュームは、自己という概念にも躊躇することなく彼の方法を適用している。彼は「ある哲学者たち」によって主張された「われわれは自己と呼ばれているものをいつでも直接に意識している」という見解を考察し、それに反対して、われわれは自己という観念をもっていないと主張する。その理由を彼は次のように述べている。

> あらゆる現実的な観念を生じさせるのはある一つの印象でなければならない。しかし自己もしくは人格という

のは、何か一つの印象であるのではなく、かえっていくつかの印象と観念がそれに関わりをもつと想定されるもののことだ。もしも何らかの印象が自己という観念を生じさせるのだとすると、その印象はわれわれの一生を通じて変わることなく同じものでありつづけなければならない。なぜなら、自己とはそういう仕方で存在するものだとされているからである。しかし、恒常的で不変な印象などどこにも存在しない。苦と快、悲しみと喜び、いろいろな情念や感覚がつぎつぎに継起し、決してすべてが同時に存在することはない。それゆえ、これらの印象のどれかや、何か他の印象から、自己という観念が引き出されるはずはない。したがって、自己などという観念は存在しないことになる。[★12]

彼は、自己と呼ばれるものが「知覚の束」にすぎないと結論し、次のように言う。

私が私自身と呼ぶものにもっとも深く入り込んでも、私が出会うのはいつも……ある特定の知覚や他の知覚である。私はどんなときも、知覚なしに私自身を捕まえることはできない……。もしも誰かが真面目で偏見に捕らわれない反省に基づいて、自分は自分自身について「知覚とは異なる」想念をもっているのだと考えるならば、私はもはやその人とは理性的議論を交わせないと告白しなければならない。……おそらくこのような人は、自らが自分自身と呼ぶ単純で連続的な何かを知覚しているのだろう。けれども私は、そんな原理は私の内にないことを確信しているのだ。[★13]

『人性論』の「付録」でヒュームは自己の問題に立ち戻り、自分の先の説明にひどい欠陥を発見したと告白している。彼が説明できないと考えているのは、それぞれが他のすべてから区別され分離されている知覚がどのようにして互いに結びついて「束」を構成するようになるのかという点である。「この困難は私の知性には重すぎる」[★14]とぶっきらぼうに述べている。

ヒュームは道徳性に注意を向けるときも、印象の学説に改善を施してはいるが、他のすべての論題とまったく同じ探求的観察方法を用いている。改善された点は、「反省の印象」を、つまりは怒りや幸福の観念などが引き出される、怒りや幸福といった自分の内的状態への反省によって受け取られる印象を、定立している点である。道徳性と道徳的判断を説明するときのヒュームにとっての困難は、徳と悪徳、善と悪といった印象と観念を順に生み出すことができるのは、いったい特定のどんな知覚なのか、という問題である。というのも、われわれは徳と悪徳をそれ自体として知覚することはないからであり、たとえ特定の有徳の行為や悪徳の行為を知覚することはできても、特定の行為の中に現実の徳と悪徳を指摘するのは依然として困難だからである。『人性論』の有名なくだりで、彼は次のように書いている。

> ある行動をもって悪徳であると認めてみよう。たとえば殺人を考えてみよう。この行動をあらゆる方面から検討して、悪徳と呼ばれるような事実問題や現実の存在が見いだせるかどうか、よく考えてみよう。どのようにそれを考えようと、見いだされるのは、ある種の情念・動機・意欲・思考だけである。ここには、それ以外の事実問題はない。対象を考察するかぎり、悪徳はすっかり姿をくらませてしまうのだ。[★15]

ヒュームは、徳と悪徳を知覚するという難問を、ふたたび自然な人間的性向を拠り所にして解決する。彼によれば、悪徳は「あなたが自分の反省を自分の胸中に振り向けて、それに応えてあなたの中に非難の感情が湧き起こるのを見いだしたときに、はじめて」発見される。「ここに［悪徳の］事実がある。しかし、それはあなた自身の中にあるのであって、対象の中にあるのではない」[★16]。悪徳や徳や他の道徳的性質は、われわれの自然な反応に依存している。それらは、われわれ自身の感情に向けられた反省によって生み出された「反省の印象」である。ヒュームは、われわれの道徳的判断の不一致を説明すると同時に、理性を用いることによって近づくことのできる永遠の道徳的価値なるものの実在をめぐる、合理論的考え方を覆したのである。彼にとって、道徳性は理性の問題ではなく、感情の問題である。

ヒュームは、因果的結合を、原因とその結果の必然的な結びつきではなく諸々の出来事の習慣的結びつきとして分析したが、これは自由意志についての彼の見解にも関わりがある。『人間知性の研究』の中で、彼は次のように主張している。言葉の上ではわれわれの行為は因果的必然性から自由であると主張しながら、実際には自然やあらゆる物理的出来事の場合と同じように、われわれ人間の行動にも因果的規則性が見いだされると期待しているのをわれわれは知っている。マッチを擦ることで炎が生じるのを期待するのとまったく同じように、ある行為が何らかの動機に由来していることをわれわれは期待するのである。実際には暗黙のうちにこのようなことを認めておきながらなぜ口では認めないのかについて、彼は次のように説明している。すなわち、われわれ自身の外部で物事を観察するときには、われわれは結びつけられた出来事の間に必然的な結合があると考える傾向がある。ところが、自分の行為を反省するときには、動機と行為を束ねる同じような結合の感覚をもたない。そのためにわれわれは、両者の間の絆を感じないことを理由に、われわれの行為はこうした結合を免れていると言うのである。ところが実際は、あらゆる事柄にとって、また、あらゆる人にとって、事態は同じなのだとヒュームは述べる。というのも、われわれの外部の物質において観察される習慣的結合性は、われわれ自身にも当てはまるからである。とはいえ、この結合は必然的な結合ではない。それは、ある出来事同士の間には習慣的もしくは一定の結びつきがあるということにすぎず、われわれ自身の心の中には、ある出来事を、その出来事が習慣的に結びついた他の出来事に関連させる傾向性があるということにすぎないからだ。これが「必然的結合」の実態についての説明である。人間の自由は、そのような「必然性」から逃れているという点にあるのではなく、欲したことを行うのに自由である点にある。われわれは、自分が欲したことを行うのを制限されず、欲しないことを行うのを強制されないときに、自由である。自由は、必然性に対立するのではなく、束縛に対立するのだ。人間の自由に関するこのような見解は、ヒュームがトマス・ホッブズと共有するものであり、その後の自由意志をめぐる多くの論争にも強い影響力をもつものであった。それはしばしば「弱い決定論」とか「両立主義」として知られている。自由を、因果性から逃れていることとしてではなく、欲することを行う自由として定義することによって、因果的決定論の信念と人間の自由の信念は、たがいに両立可能になるのである。

ヒュームの哲学は懐疑論の哲学であるとともに自然主義（naturalism）の哲学でもある。というのも、彼は人間の本性（*nature*）を説明し、またそうすることで、われわれ人間の本性上の性向から形成される様々な信念は、理性（reason）では説明がつかないと論じているからである。ところが、上記の結論に至るために、彼は自分自身の推論する（reasoning）力を使ったのだし、『人性論』の第一巻の終わりあたりで、理性をとまどわせるために理性を使ったことで生み出されたジレンマに、自ら直面してもいるのだ。彼が「精妙で精密な推論」をすべて退けるとしたら、それは「すべての学問と哲学をことごとく捨て去ること」になる。しかし、もしも彼が「理性の等価物」にしたがって当然なされるべき考察をしているのだとすれば、彼は矛盾の罪を犯していることになる。というのも、それは、等価物を、それゆえまさに問題になっている理性を、承認し利用することにほかならないからだ。彼は、「私はこれらすべての問題にとまどい、想像しうるかぎりもっとも嘆かわしい状態にある自分を思い描き始める」と述べている。彼は、こうした袋小路について反省を加え、また実際それについて推論することによって、次のような結論を下している。「理性はこうした雲を吹き払うことはできないのだから、自然それ自身がこの目的を十分に果たして……こうした哲学的憂いから私を癒してくれるというわけだ……。かくして私は友人たちと夕食をともにし、双六をやり、会話を交わして楽しむのである」[★17]。こうしてジレンマを表し、落胆を打ち明けることは、おそらく、ヒュームがすでに人間について主張した点を鮮明にすることを意図している。すなわち、「自然は、絶対的かつ統御しえない必然性によって、呼吸したり感じたりするだけではなく、判断するようにも、われわれを決定したのである」[★18]。

★注

1 David Hume, *Treatise of heman nature,* Introduction（ヒューム『人性論』（一）大槻春彦訳、一九四八、岩波文庫、二二頁）
2 Ibid.（同書、二三〜四頁）
3 David Hume, *My own life.*
4 Ibid.
5 Voltaire, *Oeuvres complètes*（52 vols, Paris, 1883-7), vol XXV, pp. 169-73.
6 David Hume, *Treatise of human nature;* ed. E. Moosner (Penguin, Harmondsworth, 1969), Editor's Introduction, p. 24.を見よ。
7 Hume, *My own life.*
8 Hume, *Treatise;* Book I, section I（『人性論』（一）、二七頁）.
9 Ibid., Appendix B.［ヒューム『人間知性の研究・情念論』渡部峻明訳、晢書房、一九九〇年、四一〜二頁］
10 Hume, *An enquiry concerning human understanding.* XII, iii.（ヒューム『人間知性の研究・情念論』渡部峻明訳、晢書房、一九九〇年、二三四頁）
11 Ibid., VII, i.（同書、九一頁）

12 Hume, *Treatise*; Book Ⅰ, section Vl.（『人性論』（二）、一九四九年、一〇一～二頁）
13 Ibid.（同書、一〇三頁）
14 Hume, *Treatise*; Book Ⅲ. Appendix.（同書「付録」、一五〇頁）
15 Hume, *Treatise*; Book Ⅲ, Section l.（『人性論』（四）、一九五二年、三三頁）
16 Ibid.（同書、三三頁）
17 Ibid., Book Ⅰ, section VII.（『人性論』（二）、一二四頁）
18 Ibid.（同書、一二五頁）

本書の次の項を参照
バークリ、ホッブズ、ロック

ヒュームの主な著作

- *A treattse of human nature*; Books Ⅰ and Ⅱ（1739）and Book Ⅲ（1740）, ed. L.A. Selby-Bigge, revised P.H. Nidditch（Oxford University Press, Oxford, 1902, 1975, 1978）（『人性論』全四巻、大槻春彦訳、岩波文庫、一九四八～一九五二年、『世界の名著27・ロック／ヒューム』「抄訳」土岐邦夫訳、中央公論社、一九七七年）
- *An abstract of a treatise of human nature*（1740）, ed. J.M. Keynes and P. Sraffa（Cambridge University Press, Cambridge, 1938）
- *An enquiry concerning human understanding*（1748）and *An enquiry concerning the principles of morals*（1751）, ed. L.A. Selby-Bigge, revised P.H. Nidditch（Oxford University Press, Oxford, 1902, 1975, 1978）（『人間知性の研究・情念論』渡部峻明訳、晢書房、一九九〇年）
- *Four dissertations*（1757）: *Natural history of religion, Of the passions, Of tragedy, Of the standard of taste in The philosophy works of Hume*, ed T.H. Green and T.H. Grose（Longmans, Green, London, 1895）
- *Autobiography: My own life*（1777）, printed as appendix A in E.C. Mossner, *The life of David Hume*, 2nd edn（2 vols, Oxford University Press, Oxford, 1980）

参考文献

- MacNabb, D.G.C. *David Hume*（Hutchinson, London, 1951）

- Mossner, E.C. *The life of David Hume*, 2nd edn (2 vols, Oxford University Press, Oxford, 1980)
- Passmore, J. *Hume's intentions* (Duckworth, England. 1 980)
- Smith, N. Kemp *The philosophy of David Hume: a critical study of its origins and central doctrines* (Macmillan, London, 1941)
- Stroud, B. *Hume* (Routledge and Kegan Paul, London, 1977)

ジャン=ジャック・ルソー

Jean-Jacques Rousseau

1712－1778

政治哲学全体の中でもっともよく引用される主張の一つは、ルソーが『社会契約論』の「第一章」の冒頭を飾る「人間は自由なものとして生まれたのに、いたるところで鎖につながれている」という一節である。ここで彼が述べている鎖は、特殊な独裁的支配の鎖ではなく、合法的統治一般の鎖であり、彼の主たる関心は、この種の拘束に服することの正当な理由を発見することだった。ルソーは、一般には、自然状態と理想的人間としての「高貴な自然人」に美点を見いだす態度を誰にもまして取りつづけた人と考えられている。しかし、彼の成熟した思想は、このような見解の多くを退けて、市民社会の利益と利点を認め、市民社会の「鎖」は、人民の一般意志が自分たちの真の善のために定めたことを現実化してくれるかぎりにおいて、正当化されると考えた。自由は彼にとってこの上もなく重要であり、彼の理論全体は、すべての人のために自由を確保することを目指すというものだが、ただしその自由は、拘束の排除という形態においてではなく、共通の善のために法を作るという活動に関与する、積極的な自由として考えられている。ルソーにとって、人々を自由にするのは、無政府状態ではなく法である。『社会契約論』において、ルソーはこのような自由を支える原理を探求し、「あるがままの人間」と「ありうべき法」を検討している。彼は、「各構成員の身体と財産を、共同の力のすべてをあげて守り保護し、その中では各人がすべての人々と結びつきながら、しかも自分自身にしか服従せず、以前と同じように自由である」[★1]と自ら書いているような、政治的連合形態を明らかにしようとしている。

ルソーは、ジュネーヴで生まれた。彼の養育と教育は因習に囚われないものだった。母親は彼が生まれて数日で亡くなり、彼に対する父親の世話は幾分風変わりなものだった。一七二八年、彼はジュネーヴを離れ、その後旅をし勉強した。個人教師をやったり、音符の新しい表記法を手がけたり、幾多の興味深くまた彼に影響を与えた人々と出会った。（喧嘩をしたために）ほんの短い間であったが、ヴェニスのフランス大使の秘書をしたこともあった。彼の論文の出版は、「学問と芸術の復興は道徳を純化する効果を生んだかどうか」に関する論考にディジョンのアカデミーが賞を与えた一七五〇年にはじまった。これが今や「第一論文」［『学問芸術論』］として知られている研究である。一七五五年にはこれよりずっと長い第二論文、つまりは『不平等起源論』を出版したが、これもやはりディジョンのアカデミーによって立てられた問題に答えるものだった。教育論『エミール』と『社会契約論』が出版された一七六二年に、彼の研究はピークに達した。『エミール』はパリ高等法院によって有罪とされ、ルソーはヌーシャテルに逃れ、プロシア王の庇護の下で暮らした。一七六五年、ルソーはスコットランドの哲学者デイヴィド・ヒュームによってイングランドに招かれたが、その後喧嘩別れをしてしまう。その主な理由は、ヒュームが自分に屈辱を与え中傷しようとしているという馬鹿げた思いこみをルソーがしたことにある。一七六七年に彼はフランスに戻り、三年間各地を転々とした後、一七七〇年ついにパリに身を落ち着けた。一七七八年、彼はエルムノンヴィルのジラルダン侯爵の領地に移り、二ヶ月もしないうちにその地で死んだ。人生の最後の数年間、彼は自分の個人的で情緒的な生活について書いた。いくつかの対話［『対話　ジャン・ジャックを裁く』など］や、未完の夢想［『孤独な散歩者の夢想』］や、彼の人生の最初の五三年を描き死後出版された有名な『告白』がそれである。

ルソーは、『社会契約論』の中で、社会構造は家族構造が拡大したものであると指摘している。社会の統治者は家族の父親のようなものであり、自らの自由を統治者に委ねる人民は、自分の安全を守るために自分の自由を父親に委ねる子供のようなものである。力は正しさを生み出さないと彼は述べている。われわれは合法的な力にだけ従うのである。統治者と人民の間で交わされる契約は、相互の権利と義務を現実化するという点でのみ契約でありうる。その上、ルソーの構想では、連合した市民たちこそが、主権をもつ統治者を構成し、それゆえ彼らこそが立法組織を決定する。ルソーの言う社会契約は、すべての個人があらゆる権利を引き渡す場合にしか働かない。彼は、「われわれ一人一人は、自分が個人として行使する人格と力を集団に帰属させ、さらにわれわれは、各個人を、全体の不可分な部分を形成するものとして、政治体へと迎え入れる」[★2]と語る。個人は相集まって集団的な道徳体に、すなわち全体としてみれば主権を有する権力である一種の分散した自己になる。

主権者というのは、一つの道徳的概念であり、一つの合理的な抽象であるが、これが主権者を構成する人民の平等と自由の基盤となるのである。主権者は自然的自由を市民的自由に変え、道徳はそれを通じて表現されうることになる。社会契約もまた一つの抽象である。つまりそれは、ある特定の時と場所で作成されるような合意を説明する概念ではなく、むしろある国家なり市民社会でこそ成り立つような連合を説明する概念なのである。

ルソーは、個々人の利己的欲求の総体である「全体意志」と、各市民が万人にとっての善は何によって生み出されるのかを反省するときにだけ達成される〈一般意志〉を区別している。〈一般意志〉は、その起源においてだけでなくその適用においても、一般的でなければならない。「意志を一般的なものにするのは、利害関心をもつ市民の数ではなく、彼らを統合している利害関心である……。主権者は、全体としての国家だけを知っている」[★3]。ルソーは、〈一般意志〉はつねに正しいと主張している。これは、人民の現実的な熟慮がいつも正しいという意味ではなく、各市民が十分に情報を与えられ、一般的な善について理性的に熟慮するときには、到達されるその結論は正しいだろうという意味である。その上〈一般意志〉の立法化は、自由の絶頂であり、充実である。というのも、主権をもつ集団的な人格を樹立する最初の契約には、そのメンバーが自ら自由に加わったうえで、この自前の法のもとにすすんで服することになるのだから。市民は、主権者に服するものとして、自ら立法組織を作ることに関与し、彼もしくは彼女は、個人として、それによって割り当てられた権利を受け取るのだ。「主権者と臣民は、異なる側面から見られた同じ人民でしかない」とルソーは述べている。われわれは自由であれと自らに迫るのである。

一般大衆は、いかに善意をもっているとはいえ、集団で〈一般意志〉を現実に決定できるまでにどのようにしてなるのかという問題は、ルソーをひどく悩ませた。「盲目的な大衆は、自分たちにとって何が善であるのかさえめったにわからないところから、自分たちが何を意志しているのかなど知らないのは普通だというのに、いったいどうしてそのような大衆に、立法組織といった困難な一大事業が実行できるのだろうか」[★4]と彼は問う。この難問に対する彼の解答は、〈立法者〉という概念である。この〈立法者〉とは行政者でも主権者でもなく、多くの人々によって求められている社会にとっての客観的善を明確にできるような知性をもった誰かのことである。彼によれば、〈立法者〉は、立法組織の構造の完全な外部にいる。ところが〈立法者〉は、ほとんどの人民が半分も理解しないで求めている当の理想を語ることで自ら注目の的になってしまうような、神のごとき性質を有しているのだ。ルソーの体系におけるこの奇妙な概念は、多くの議論を生んだ。とりわけ、〈立法者〉という観念を導入することで、結局彼は専制政治を招来してしまうような政治理論を作り出したのだと、非難された。彼はまるで、人類はいかなる助けもなしにもともと善性をそなえているのだということが突然信じられなくなってしまったかのようであり、人類を正しい方向に導くためには何らかの力を発見しなければならないかのようなのだ。『社会契約論』の終わりの方で、彼は同じような調子で、各市民が生涯縛られることにもなるような国家に対して忠誠を誓うという観念を導入している。これもまた、自由主義的気風の読者に衝撃を与えた。彼を革命のチャンピオンとみなす人々もまだいたが、それは主として彼の初期の著作が帯びていた調子によるものであった。そこでは彼は、自分を取りまいている文化の頽廃をののしり、人間の本性を堕落させてきたと彼が考えたその手練手管に罵詈雑言を浴びせていたのである。彼の死後三年、フランス革命がはじまった二年後の一七九一年、まちがいなく彼の名前はフランスで多くの人々の口にのぼり、平等主義と〈一般意志〉に関する彼の思想は誰もが口にする言葉になった。

　ルソーは、教育論である『エミール』で、田舎で育つ子供の発達を考察し、幼児期から成人に至る自然な成熟過程の根底にある原理を分析しようとした。彼は、それがどんなに悪徳や誤りを犯しやすいものであっても人間の自然な善性への信頼を主張し、子供の発達の各段階での必要性に応じて穏やかに優しく養育することを唱え、「自然は、子供が、人間である以前に、子供であることを欲している」という思想にとりわけ共鳴している。子供が成熟するにつれて、他者との関係がはじまり、それがいっそう重要なものになる。道徳的・政治的自覚がそれにつづき、最終的に個人は、教育によって不自然な刺激や緊張から守られていたら、理性的存在の共同体の中で自分の自然的な力を十分に行使できる立派な社会的人間になるはずだ。

　ルソーの著作は、そこでは各人が充足のうちにあって幸福で自由であることができるのだとする自分の未来社会像を何としても伝えてみせるのだという、激しく個性的な性格をもっている。彼の見解が広範囲に影響を与えてきたのは、一つには、それらが活力と情熱にあふれているからであるが、それだけではなく、それらが、困難であると同時に永遠の関心の的でもある自由や人間関係の問題――おそらく解くことが不可能な問題――に焦点を当ててもいるからである。彼は、自分の思想全体に着想を与えたものとして、道徳に対する学問と芸術の影響というディジョン・アカデミーが立てた問題を考えていたときにどっと彼の心に押し寄せた様々な思想に、思いをはせている。一七六二年に書かれたマルゼルブ宛の手紙の中で、それらの思想を前に涙を流しながら木の下に座っていたときの様子を述べて、次のように書いている。「あの木の下で私に光明を与えてくれた無数の偉大な真理の内から私が捉えることのできたすべてが、まったく弱々しい形でではありますが、私の主な著作の中にちらばっているのです……[★5]」。

★注

1 Rousseau, *The social contract*, Book I, Ch. 6.（ルソー『社会契約論』桑原武夫、前川卓次郎訳、岩波文庫、一九七四年、二九頁）
2 Ibid.（同書、三一頁）
3 Ibid., Book II, Ch. 4.（同書、五一～五二頁）
4 Ibid., Ch. 6.（同書、六一頁）
5 Rousseau, *Second letter to Malesherbes*, 1762.（「マルゼルブへの手紙」、ルソー『エミール』（下）今野一雄訳、岩波文庫、一九六四年、三〇一頁）

本書の次の項を参照
カント、ヒューム、ホッブズ、ロック

ルソーの主な著作

・*A discourse on the arts and sciences*（1750）（『学問芸術論』前川貞次郎訳、岩波文庫、『ルソー全集』第四巻、『ルソー選集5』山路昭訳、白水社、一九七八年、一九八六年）
・*A discourse on the origin of inequality*（1755）（『不平等起源論』本田喜代治、平岡昇訳、岩波文庫、一九七四年、『ルソー全集』第四巻、『ルソー選集6』原好男訳一九七八年）
・*A discourse of political ecomomy*（1755）（「政治経済論」『ルソー全集』第五巻、『ルソー選集7』）坂上孝訳、一九七九年）
・*The social contract*（1762）（『社会契約論』桑原武夫、前川卓次郎訳、岩波文庫、一九七四年、『ルソー全集』第五巻、

『ルソー選集7』作田啓一訳、一九七九年)

以上の著作はG.D.H. Coleによって英訳され、*The social contract and discourses*, revised and augmented by J.H. Brumfitt and John C. Hall (Everyman Library, Dent, London, 1973) に収められている。

- *Emile* (1762), trans. B. Foxiey (Dent, London, 1974) (『エミール』今野一雄訳、岩波文庫、上下巻、一九七五年、『世界の大思想17』平岡昇訳、河出書房新社、一九六六年、『ルソー全集』第六、七巻、『ルソー選集8-10』樋口謹一訳、『エミール』永井喜輔、宮本文好、押村襄訳、玉川大学出版部、一九八二年)
- *Confessions* (1781), trans. J.M. Cohen (Penguin. Harmondsworth, 1971) (『告白』桑原武夫訳、岩波文庫、『ルソー全集』第一、二巻、『ルソー選集1-3』小林善彦訳)

ルソーのフランス語の選集は、*Oeuvres complêtes de Jean-Jacques Rousseau*, eds. B.G. Pléiade and M. Raymond (Paris, 1 959-71).

政治的論考の英訳は、*Political writings*, ed. C.A. Vaughan (2 vols, Cambridge University Press, Cambridge, 1915).

参考文献

- Broome, J.H. *Rousseau: a study of his thought* (Edward Arnold, London, 1963)
- Masters, R.D. *The political philosophy of Rousseau* (Oxford University Press, Oxford, 1968)

インマヌエル・カント

Immanuel Kant
1724–1804

カントは、プラトンやアリストテレスとならんで、西洋文化のなかで最も重要な哲学者のひとりに列せられている。彼の著作はひじょうに独創的であるとともに、たいへん広範囲に及んでいる。それが生み出されたのは、哲学の発展において決定的な時期、つまり、理性的［合理的］思考に対する大陸流の忠誠と感覚的経験への英国流の信奉とが緊張関係にあった時期であった。カントはこのふたつのテーマの総合を企て、まさにそのことによって哲学の流れを変えたのである。彼は、感覚的経験がわれわれのすべての信念の源であるという**経験論**者の主張の説得力を認めたが、それらの信念は根拠づけられることができないとするその主張の**懐疑論**的な結論は、受け入れることができなかった。その一方で、同時に彼は、現実に存在したりしなかったりするものについての事実的真理（factual truths）が、最終的にはひとり理性の使用のみによって確証されることができるとする**合理論**者の主張も退けた。したがって彼は、形而上学的な認識、つまり、神の実在や魂の不死性といったことがらについての認識を得ることができるのかどうか、また人間存在は自由意志をもつのかどうかを探求することこそが、自分の仕事であると考えたのである。この課題は、一七八一年に刊行された彼の『純粋理性批判』のなかで着手された。この『純粋理性批判』はすぐさま、たいへん重要な著作であると見なされたが、カントの晦渋な文体と使われている数多くの専門用語のために、ドイツ語からの翻訳は困難であることが明らかとなった。その結果、この著作の影響の広がりはごく緩慢なものにとどまった。だがそれにもかかわらず、カントの偉大さは今日、適切にも十分な認知を得ている。彼の広範な作品は、『純粋理性批判』のなかで論じられた**認識論**や形而上学のみならず、宗教哲学・道徳・芸術・歴史そして科学をも扱っている。

カントは、東プロシアのケーニヒスベルク、その後はソビエト連邦の一部となりカリーニングラードと名前を変えた町の馬具匠の息子であった。彼は地元の高校を出てからケーニヒスベルク大学に進んだ。大学卒業後、彼はいくつかのプロシア人家族の家庭教師となったが、自分自身の研究は続けていた。そして一七五五年、ケーニヒスベルク大学で修士の学位を取り、それ以降その大学で講義を続け、一七七〇年にはそこで論理学と形而上学の正教授になった。この時期までの彼の著作は、主として、自然科学に関するものであった。それらの作品はときとして、彼の後期思想の萌芽を示してはいる。けれども、形而上学的なことがらについての認識を要求する理性論者の主張に対する真に批判的な態度という点で、彼の独創性が明らかになりはじめたのは、ほかならぬ『純粋理性批判』の刊行によってであった。この『第一批判』に引き続いて、やつぎばやに、さらなる著作が出されている。すなわち、一七八三年には『純粋理性批判』の中心的な考えを簡略に提示したものである『学問として現われうるであろうすべての将来の形而上学へのプロレゴーメナ［序説］』、一七八五年には『人倫の形而上学の基礎づけ』、一七八八年にはこの『人倫の形而上学の基礎づけ』の発展版である『実践理性批判』、そして一七九〇年には『判断力批判』が出された。以上の数年間にカントはまた、『自然科学の形而上学的原理』をも生み出している。一七九三年、『単なる理性の限界内における宗教』の出版は、あるちょっとした騒動を引き起こした。この書はフリードリッヒ・ヴィルヘルム二世によって問責され、この国王はカントに、今後はいかなる神学的な著作も出さないことを誓約させたのである。

だがカントは、自らの死期にいたるまで執筆し続けた。彼はほとんど旅行することもなく、ケーニヒスベルクで静かな規則正しい生活を送った。そして、生活時間の几帳面さという点では、後に伝説になるほどの評判を得た。あるときカントはひじょうにまれなことに、いつもの午後の散歩に遅れて出かけたことがあったが、それは彼がルソーの本『エミール』を読んでいたからだと伝えられている。彼は多くの友人がおり、彼を知るすべての者から敬愛されていた。ただし、彼の社交生活は彼の仕事の時間と同じように規律正しいものであったため、彼の一連の膨大な著作にはまったく悪影響を与えてはいないように思われる。カントについて次のように指摘されたことがある。「彼は、かつてほかの誰が為したより以上に、プラトンの思弁的な独創性とアリストテレスの博学な綿密さとを自分自身のなかで結びつけた★1」と。

カント哲学のもつ何か力や独創性といったものは、因果性という概念に対する彼の取り扱いを眺めることで、かいま見ることができるであろう。カントが言うには、彼の

「独断のまどろみ」をはじめて打ち破ってくれたのが、デイヴィド・ヒュームであった。ヒュームが指摘したところによると、「すべての出来事には原因がある」という主張は必ずしも［**必然的に**］真ではない。いいかえれば、「xはyの原因である」という主張は、xという概念から演繹されうるものではない。しかしだからといって、その主張は感覚的経験から単純かつ直接に引き出されるものでもない。というのも、感覚的経験がわれわれに教えてくれることのすべては、「yは通常（regularly）xに続いて起こる」ということであって、「yは必ず［必然的に］xに続いて起こる」ということではないのだから。[★2] 以上のことは、すべての出来事には原因があるとする広範な主張には何の根拠づけもなく、かくしてまた、ニュートン的な自然体系の全体にも何の根拠づけもない、ということを意味していた。ヒュームはわれわれが因果律に帰している必然性を分析し続け、それは、われわれが定期的に（regularly）結びついて起こるふたつの出来事を観察する際、受け取られた感覚的印象に対してはたらくわれわれ自身の心的プロセスから生み出される産物なのだと考えた。つまり、われわれはしばしば、定期的に結びついて起こる一対の出来事を観察しているうちに、やがてその一対の一方が起こると他方を心の中で思い起こすようになり、こうしてわれわれは一方が他方の原因であると言ったり、両者は必然的に結びついていると信じ込んだりするようになるというわけである。しかし、心がどのようにしてある信念をもつにいたるかに関するヒュームの心理学的な説明は、それによって信じ込まれるものの真理に対する根拠づけではない。カントは、ヒュームが因果律の無根拠さを「異論の余地のないまでに明らかにした」ことを認めた。そしてカントもまた、形而上学者たちが必然的に真であると見なしてきた他のいくつかの命題――たとえば「神は現実に存在する」とか「人間の魂は不死である」とかいった命題――が同様に根拠づけがたいものであると考えた。「独断のまどろみ」の中にいたカントは、経験を超えてまで真理を発見しようとする理性の能力を問いに付すことはなかった。だが、そのまどろみから呼び覚まされたカントは、人間の理性の活動範囲を批判的に検討すること、そして「そうしたことは形而上学としてそもそも可能なのか」という問いをあえて問うことを決意したのである。彼は結論を導く自らの分析を「革命的［転回的］」と評している。なぜなら、その分析はヒュームとはまったく逆の立場に基づいていたからである。簡単にいえば、われわれのもつ因果性という観念は結局、定期的に結びついて生じる出来事の感覚的経験から由来する、とヒュームが論じたのに対して、カントは事態を逆転させて、われわれは何らかの客観的経験をもつためにも因果性という概念をもっていなければならないと主張したのである。
カントは形而上学の可能性に関する自らの問いを論じるために、人間的経験の構造を検討する。彼は認識のために必要とされる諸条件を解明しようとするのだ。彼が論じるところによれば、認識は主観的な経験に基づいているが、その主観的経験は、諸感覚を触発する外的存在物によって引き起こされる。そのようにして受動的に受け取られたものは、悟性のいくつかの形式的原理に従って把握されることにより認識となる。つまり、受動的で感覚的な受容性が精神の能動性によって引き継がれるのである。彼はこの分析に際して、一連の綿密な用語を使っている。「対象」という用語は、諸感覚を触発する外的な存在物を指し示すのに一般的に使われている。感性がそのようにして触発されるとき、彼はそのことを「表象を受け取る」というふうに語っている。この表象は、ロックのいう「観念」やヒュームのいう「印象」に相当する。感性は精神に直観をもたらすが、直観はカントの用語法ではつねに感覚的である。ひとたび与えられた直観は、悟性の能動性のおかげで思考となることができるであろう。カントがいうには、主観的で感覚的な経験は、このようにして客観的で概念的な認識へと変えられることができるのである。

現に感覚的経験の内でわれわれに現前しているものを、カントは「現象」と呼ぶ。それが現象であるのは、そのようにわれわれに現前しているものが、感覚に与えられるものを受け取るわれわれの受け取り方のおかげでわれわれに現われてくるものだからである。彼は現象の中に質料と形式を区別する。質料は感覚において与えられるものであるが、われわれは形式に関しては「精神の中に」あるものと考えねばならない。感覚が受け取られる際の形式とは〈空間〉と〈時間〉であり、それらは精神の中にア・プリオリにある、すなわち、いかなる感覚的経験とも独立にある、とカントは主張する。彼はこのふたつを「純粋直観形式」と称している。感覚を通して得られる認識について、彼は次のように書いている。

すべてわれわれの直観は現象についての表象にほかならない……われわれが直観する物は、それ自体においては、われわれがそれを直観するとおりのものであるわけではないし、それらの物の諸関係も、それ自体においては、それらがわれわれに現象するとおりのものを成しているわけでもない……それらは現象であるから、それら自体においては存在することができず、ただわれわれの内においてのみ存在しうるにすぎない。対象がそれ自体において、われわれの感性のあらゆるこうした受容性から離れていかなるものでありうるかは、われわれにはまったく未知のままである。★3

カントはここで、彼の認識論の核心に存するある区別を強調している。彼が言っているのは、われわれが現象の内で直観するものはそれ自体においてあるがままの物ではなく、物を経験するわれわれの経験仕方のおかげでわれわれに現象してきたかぎりでの物にすぎない、ということなのだ。「われわれがわれわれの直観を最高度の明晰さへともたらすことができるとしても」、物自体は認識することができない。物自体は、われわれが直観するところのものの感覚しえない原因なのである。カントは物自体を「超越論的［先験的］対象」とか「可想体［本体］」とか称している。「超越論的」ということで彼が意味しているのは「すべての経験の基盤にある」ということであり、そのため彼の哲学はときとして「超越論的**観念論**」と呼ばれている。

超越論的対象は認識しえないのだから、それについて言われうることには厳密な限界がある。超越論的対象は、現象がそれの現象であるところのものであるのだから、この対象はいっさいの可能な知覚経験の源であるとわれわれは言うことができる。けれども、カントが主張するところによると、われわれはこの対象を、感覚的認識とは異なったある特殊な種類の認識によって認識されうるような何ものかと考えることはできない。われわれはそれをただ消極的に、現象的なものとしてよりはむしろ可想的なものとして、したがってまた感覚も直観もしえないものとして、考えることができるにすぎない。

感覚的直観のわれわれの受動的な受容に関する説明は、三つの主要な段階のうちの第一段階を記述したものであり、実はこの三つの段階が一緒になって認識を生み出すのである。カントはその三つの段階を次のように要約している。

> すべての対象のア・プリオリな認識のためにまず与えられなければならないものは、純粋直観の多様である。第二に必要とされるものは、構想力によるこの多様の総合である。しかしこれだけではまだ認識はもたらされない。この純粋総合に統一を与える概念……が、ある対象の認識のための第三の必要条件をなしており、この概念は悟性に基づくものである。★4

「多様の総合」という認識を獲得する際の第二段階は、第一段階の直観の受動的な受容とは対照的に、能動性を伴っている。総合はある表象のさまざまな要素を統一する。

その結果、たとえばひとが何かを一個のテーブルと認めるときのように、さまざまな要素は、ある概念のもとにもたらされることができるのである。この総合において適用される諸概念は、経験から由来する概念である。とはいえ、カントが言うには、それらの概念の適用だけでは、「まだ認識はもたらされない」。認識のためには、われわれには純粋悟性概念が、すなわち、経験に由来するのではなく精神の中にア・プリオリに備わっている形式的な原理が必要なのだ。彼は悟性のことを「判断の能力」と呼んでいる。純粋悟性概念とは、経験に由来する概念に関して為されうるような判断の諸形式なのである。われわれの経験に発する諸概念が認識になるためには、純粋悟性概念によって生み出される判断形式のいずれかに適合するかたちで、判断が為されなければならない。このことによって、主観的な経験が客観的な認識へと変化させられることができるのである。

そうした判断形式もしくは原理のひとつが、「すべての出来事には原因がある」というものなのだ。こうして、何かが問題になっているようないかなる判断も、それが認識と見なされるべきだとすれば、当の判断を下される出来事にはある原因がなければならぬ、ということを認めなければならない。因果律［因果性の原理］を適用することによって、単に主観的な印象のかたまりという地位をもっていたにすぎないものが、他者にとっても可能な経験と見なされ、その意味で印象をもつ当人にとっても客観的な経験と見なされることができるようになる。因果性の原理は、原因というものが、自分の生み出す出来事に必然的に先立つものであるところから、ある出来事が時間における諸々の出来事の継起の内に「位置づけ」られることを可能にするが、かかる原理はまさにそのことによって、客観性を付与するのである。出来事は他者たちにとっても可能な経験である。なぜなら出来事は、ある必然的で普遍的な法則のもとに包摂されるからである。カントは、因果性の概念をそのひとつとする諸々の純粋悟性概念が、経験において実際に例証されるまでは役に立たない点を力説している。したがって、因果律はすべての人間精神の構造の一部をなすものであり、感覚的な手段によって獲得された何かではなく、かえってカントが「経験における適用」と評していることを要求するものであると見なされねばならない。われわれが因果律を用いるのはもっともなことなのだ。というのも、因果律は現象の世界［現象界］の客観的な経験を可能にしてくれる普遍的な条件のひとつだからであり、それは、空間と時間がわれわれにとって単一で共通の世界のいまひとつの条件であるのと同様のことだからである。

カントは、それぞれ個々のやり方で世界を経験するようにあらかじめ仕向けられている人間にとってのひとつの問題を提起することによって、それまで多くの**合理論**者や**経験論**者たちによってそれぞれのやり方で信頼されてきた学説にある重要な変化を引き起こすことになる。それは、因果律に対するヒュームの分析との関連ですでに言及した学説である。その学説によれば、いかなる真の命題［判断］も理性の真理であるか事実の真理であるかのどちらかであり、一方の理性の真理はそれの否定が矛盾を引き起こすという点で**必然的**に真ではあるが、世界については何も語ってくれないという点では空虚でもあるのであり、他方、事実の真理の方は観察によって確証されるが、ただ**偶然的**に真であるにすぎない。すでにヒュームは、因果律を不覚にも事実問題（matters-of-fact）命題の部類に割り当て、いずれの部類にも入らない形而上学的命題を「詭弁や錯覚」として切り捨ててしまっていた。ところがカントは、こうしたヒュームの戦略を不十分なものと見なした。というのも、この戦略は因果律を、いかなる根拠づけも為されないままにしてしまったからである。そこでカント自身の説明は、命題の第三の部類を確立する。その部類に属する命題は、事実問題を言明する命題と同様に、われわれに世界について何ごとかを語り、**分析的**というよりはむしろ**綜合的**なのだが、しかし同時にあるア・プリオリな要素、つまりは感覚的知覚に由来するのではない要素をもっているという点では、必然的でもあるのだ。カントはそうした命題を「綜合的でア・プリオリな命題［＝先天的総合判断］」と呼んでいる。「すべての出来事には原因がある」はそうした命題のひとつなのだ。この命題は綜合的である。なぜなら、この命題の真理はそれに含まれる名辞の分析によって確証されるのではないからだ。またそれはア・プリオリで必然的でもある。なぜなら、因果性という概念はわれわれの知的構造の一部をなす純粋悟性概念であり、現にそうしているようにわれわれが世界を経験するための最重要かつ必然的な条件であるのだから。カントは次のように主張する。すなわち、われわれは現象の世界において因果性の認識を得ることができる。というのも、因果性という純粋概念は、現象の世界の観察可能な現象の内でわれわれにとって実際に例証されるからであり、かかる概念に適合するかたちで為されるわれわれの判断は、普遍的に妥当するからである、と。われわれがそれについて認識を得ることができないものは、物自体、つまりは現象の可想的な相である。「神は現実に存在する」とか「人間は不死の魂をもつ」とかいった形而上学的命題の真理もまた、われわれは認識することができない。なぜなら、「神」とか「魂」とかいった諸概念は感覚的経験の内で実際に例証されることがないからである。カントはこれらの概念を〈理性の理念〉と呼ぶ。彼が言うには、そのような概念は思考されることはできる。それらは有益でひとを鼓舞するものであり、おおいに重要なものでもある。だがそれらは、認識の対象にはなりえない。というのもわれわれが認識できるのは、ただ、可能な経験の対象になりうるものだけだからである。以上のような結論を描き出すことで、カントは一方で、自然界の認識に対するヒュームの**懐疑論**を克服すると同時に、しかし他方では、**形而上学**的命題に対するヒュームの懐疑論を裏書きしてもいるのである。

形而上学的認識の否定は、道徳や宗教の面で「信仰のために余地を残す」という重要な利点をもっている。カントが『人倫の形而上学の基礎づけ』や『実践理性批判』のなかで道徳哲学を論じるとき、彼が拠り所としているのは、ある種の思弁的形而上学というよりはむしろ道徳的確信なのである。彼は自由が道徳性を可能にする条件であると見なす。だが彼は、それにもかかわらず、彼がすでに明らかにした自然における因果性が、現象の世界にあっては普遍的であるようなある物理的決定論を含意している点を考慮せざるをえない。それゆえ、以下の点が議論されねばならない。すなわち、われわれの行動が自然的な出来事と見なされるとしたら、つまり自然のそれ以外のすべての部分と同様に因果性に十分従属しているものと見なされるとしたら、そのとき人間は、自由でありそのため自らのふるまいに対して道徳的に責任がある、と見なすことがほとんど不可能になってしまうのである。カントはこの難問を〈理性〉という概念に拠り所を求めることによって、つまりは「ひとがその能力のゆえに自分自身をその他すべてのものから、対象に触発されるかぎりでの自分自身からさえも区別するところの能力」に拠り所を求めることによって、そしてふたたび可想的なもの、もしくは物自体に準拠することによって、解決しようとする。彼は次のように論じている。すなわち、われわれが自分の意志を方向づける際に理性を行使するとき、われわれは自分自身を、単に自然の一部としてばかりでなく、理性によって定式化されるようなまったく別の法則に服するものとしても考えることができるのだ、と。自由とは〈理性の理念〉なのであり、そのようなものとして、悟性概念が認識されうるような仕方では認識されえない。だが、カントによれば、ひとは意志を単に現象的な自己と見なされる自分自身の因果性としてばかりでなく、自分の可想的な自己のある種の因果性としても考えることができる。この可想的な自己は、ただ消極的なかたちでのみ、つまりは空間や時間の内では直観しえないもの・認識できないもの・因果的必然性には従属していないものとしてのみ、思い浮かべることができる。とはいえこのことは、現象的存在としてのかぎりでのわれわれが因果的必然性を免れている、という意味ではない。自然の継起は自然的な因果性に従って進行しているし、また進行していなければならない。けれども、同じ一連の出来事が、別の観点から見ると、可想的な自己の因果性の結果として考えることもできるのである。それにしてもわれわれは、ある行動を引き起こしているのが自然的因果性であるよりもむしろ理性であるのかどうか、あるいはいったいいつそうであるのかを、決して知ることはできない。

　ところで、カントが自らの道徳理論を裏付ける際に用いている以上のような構造を取り除いてしまえば、われわれは彼の思想が、われわれの日々の道徳的確信や道徳的前提にいかに近しいものであるかを見て取ることができる。われわれが自然的な因果性を認めていること、しかし同時にわれわれは、自由が何らかの仕方で可能であると、認識するのではないにしても考えていること、こうしたことは、われわれの日々の実践によって立証される。わたしが自由に選択したと主張しているいかなる行動に対しても、それを成し遂げる動きについては自然的な因果性に基づいた説明がつねに存在するし、自然的な因果性に基づく説明の可能性を無視するような行動についてのいかなる説明も、客観的には受け入れがたい。しかし同時に、行動それ自身はそれに関する意図を参照することで理解される。いいかえればそれは、諸々の理由を参照することで説明可能なのである。われわれは一方で、行動とはいくつかの理由のゆえに遂行されるものだと考えているが、他方では、行動が必要とする動きは自然的な因果性に適合していることを否定もしないわけである。

　哲学に与えたカントの影響は計り知れないものがある。これまでにもしばしば表明されてきたけれども、彼のすべての著作は、想像しうるかぎり最も仰々しく不器用な散文のすがたを呈している。にもかかわらず彼の著作を見れば、彼の知性の洞察力と彼の思考の壮大さや広範さは誰の目にも明らかである。事実、彼の哲学の才能や魅力の主要部分は、その記念碑的で迷宮じみた構築物の中に、われわれに共通する感性や確信や願望のあらゆる領域が収められているという点にある。それぞれの領域は、全体構造の中で、残りのすべての領域との関連でそれ自身の意義と特質とをみごとに示すような位置を占めている。しかもこのことは、哲学においてと同様、彼の人格の点でもそうなのである。それというのも、ケーニヒスベルクの市民たちが彼の午後の散歩によって自分たちの時計を合わせることができたほどに、厳格な生活時間の几帳面さをもち合わせたこの人物の生活の、たいへんに秩序正しく綿密に規律を保った仕組みは、このうえもなく輝かしい人格性を宿していたように思われるからである。彼の教え子であったヨハン・ヘルダーは、以下のように書いている。

わたしはかつて、ひとりの哲学者と知り合うという幸運に恵まれた。……その人物は壮年期にあっても、若者のような幸せな活発さを持ち合わせていた。わたしが信ずるには、彼は老人になってからもそうした活発さを持ち続けたことだろう。考えるために造られた彼の広い額は、落ち着きのある快活さと喜びの源であった。思想的にこのうえもなく豊かな発言がそのくちびるからは流れ出た。遊び心、機知、ユーモアは彼の思いのままであった。……その人物は、知るに値することなら何にであれ、無関心ではなかった。いかなる派閥、いかなる宗派、いかなる偏見、名声へのいかなる欲望も、彼を誘惑して、真理を広げ照らし出すことからわずかたりとも引き離すことはできなかった。彼は人々を刺激し、自分自身で考えることへとやさしく導いた。つまり、独裁制は彼の精神には無縁だったのだ。わたしが最大限の感謝と尊敬の念をこめてその名をあげるこの人物とは、インマヌエル・カントであった。

★注

1　A.M.Quinton, 'Kant' in John Van Doren, ed., *The great ideas today 1977*（Encyclopaedia Britannica Inc., Chicago,1977）p.228.

2　本書のヒュームの項参照、一八〇頁～。

3　Kant, *Critique of pure reason*, A42, B59.（カント『純粋理性批判』篠田英雄訳、岩波文庫上巻、一九六一年、一〇八頁）

4　Kant, *Critique*, A78-9, B104.（カント同書、一五一頁）

本書の次の項を参照
ショーペンハウアー、ヒューム、ロック

カントの主な著作

・*Critique of pure reason* (1781), trans. N. Kemp Smith (Macmillan, London, 1929; corrected, 1933)(『純粋理性批判』上中下巻、篠田英雄訳、岩波文庫、一九六一～二年、「純粋理性批判」高峯一愚訳『世界の大思想10・カント(上)』河出書房、一九六五年、「純粋理性批判」原佑訳『カント全集4・5・6』理想社、一九六五～七三年、『純粋理性批判』1-3、天野貞祐訳、講談社学術文庫、一九七九年)

・*Prolegomena to any future metaphysics that will be able to present itself as a science* (1783) (Bobbs-Merrill, Indianapolis and New York, 1950)(「プロレゴーメナ」土岐邦夫、観山雪陽訳『世界の名著32・カント』中央公論社、一九七二年、「プロレゴメナ」湯本和男訳『カント全集6』理想社、一九七三年)

・*Groundwork of the metaphysic of morals* (1785), trans. H. J. Paton (Harper and Row, New York, 1964)(『道徳形而上学原論』篠田英雄訳、岩波文庫、一九六〇年、「人倫の形而上学の基礎づけ」野田又夫訳『世界の名著32・カント』中央公論社、一九七二年、「人倫の形而上学の基礎づけ」深作守文訳『カント全集7』理想社、一九六五年、『カント「道徳形而上学の基礎づけ」：訳注』宇都宮芳明訳注、以文社、一九八九年、「人倫の形而上学の基礎づけ」平田俊博訳『カント全集7』岩波書店、二〇〇〇年)

・*Critique of practical reason* (1788), trans. L. Beck (University of Chicago Press, Chicago, 1949)(『実践理性批判』波多野精一、宮本和吉、篠田英雄訳、岩波文庫、一九七九年、「実践理性批判」樫山欽四郎訳『世界の大思想11・カント(下)』河出書房、一九六五年、「実践理性批判」深作守文訳『カント全集7』理想社、一九六〇年、『カント「実践理性批判」：訳注』宇都宮芳明訳注、以文社、一九九〇年、「実践理性批判」坂部恵、伊古田理訳『カント全集7』岩波書店、二〇〇〇年)

・*Critique of Judgement* (1790), trans. J. C. Meredith (Clarendon Press, Oxford, 1952)(『判断力批判』上下巻、篠田英雄訳、岩波文庫、一九六四年、「判断力批判」坂田徳男訳『世界の大思想11・カント(下)』河出書房、一九六五年、「判断力批判」原佑訳『カント全集8』理想社、一九六五年、『判断力批判：訳注』上下巻、宇都宮芳明訳注、以文社、一九九四年、「判断力批判」牧野英二訳『カント全集8・9』岩波書店、一九九九～二〇〇〇年)

カントの著作のドイツ語での標準版は *Sämtliche Werke*, ed. Preussische Akademie der Wissenschaften (22 vols, Berlin, 1902-55) である。

参考文献

- Bennett, J. *Kant's analytic* (Cambridge University Press, Cambridge, 1966)
- Korner, S. *Kant* (Penguin, Harmondsworth, 1955)
- Paton, H.J. *The categorical imperative: a study in Kant's moral philosophy* (Hutchinson, London and New York, 1947)
- Smith, N. Kemp *A commentary to Kant's Critique of pure reason* (Macmillan, London, 1923)
- Strawson, P. *The bounds of sense* (Methuen, London, 1966)
- Walsh, W.H. *Kant's criticism of metaphysics* (University of Edinburgh Press, Edinburgh, 1975)

ジェレミイ・ベンサム

Jeremy Bentham
1748–1832

ジェレミイ・ベンサムは〈功利性の原理〉に基づく道徳学説を提起した。この学説は「最大多数の最大幸福」という文句に由来するが、この文句はベンサムがジョセフ・プリーストリーによって書かれたあるパンフレットの中に見出したものである。この人物について彼は次のように書いている。「〈最大多数の最大幸福〉が道徳や立法の基礎である……というこの聖なる真理を発することをわたしのくちびるに教えてくれたのは、（それがベッカリーアでなかったとすれば）プリーストリーが最初であった」。ベンサムは自らの生涯の大半を、最大多数のために最大幸福を生み出すというこの原理に適合するよう法制度や立法を改革する仕事にささげた。彼の最もよく知られた哲学上の作品は、一七八九年に出された『道徳および立法の諸原理序説』である。彼の著作は膨大であったが、そのほとんどは彼によって手稿や草案のかたちのまま残され、その後、他人の手によって書き直されたり補完されたりすることとなった。そのため、ベンサムについて論じるものたちは、彼自身の手になる真正原稿と有意味な編集上の変更が加えられたものとを区別するという困難を経験することになった。ベンサムは政治問題や社会問題の面で、ジョン・スチュアート・ミルの父親であるジェームズ・ミルと近しい立場で活躍し、ジョン・スチュアート・ミルの教育や発達に強力な影響を及ぼした。彼はまた、自らの功利主義学説の一部として、「幸福計算［快楽計算］」を提起した。それは行動から帰結しうる幸福の量を計算することを意図するものであった。

　ベンサムはロンドンで生まれ、ウェストミンスター・スクールとオックスフォードのクイーンズ・カレッジで教育を受けた。一七六三年、彼が一五歳のとき、［法曹団体のクラブである］リンカーンズ・インに入り、一七六八年には弁護士資格をとった。三年後、彼は匿名で『政府論断片』を出版した。これは［当時名声を誇っていた］ブラックストーンの『英国法注解』を批判的に検討したものだった。その後一七八五年から一七八八年にかけて、自分の弟を訪ねてロシアへ旅行した。そして帰国後、ロシアという遠隔の地で長い時間かけて取り組んだ『道徳および立法の諸原理序説』を出版した。それ以降、彼の関心と活動の範囲は急速に広まっていった。フランスでの革命事件は彼の最大の注目事となり、彼自身も非常に多くの社会活動や政治活動に巻き込まれることとなった。彼は、パノプティコンとして知られるようになる模範的刑務所の計画案を立て、長年それの承認と実現を得ようと働きかけたが、成功にはいたらなかった。そうこうするうちに、彼の法律家としての名声は、彼の多くの草稿を集めて編纂し『民事および刑事立法論』を出したフランス人、デュモンの仕事を通じて、ヨーロッパ大陸では揺るぎないものになっていった。

ミル一家との友好は一八〇八年に始まり、それ以降ふたつの家族は定期的に毎年数ヶ月間は一緒に暮らすようになった。そうした晩年の数十年のあいだ、ベンサムは彼の膨大な著作『憲法法典』の準備をし、法改革を勧め悪しき立法を批判する数多くのパンフレットを書いていた。彼は一八三二年六月六日に亡くなった。彼の死後、彼の親しい友人や支持者たち――そのうちのいく人かは、ウェブ・ストリートで彼の遺言に基づいて行われた遺体解剖の儀式にも立ち会った――は英国下院内にベンサム党を形成するにいたった。たとえば、彼の死の当時ベンサム家に同居していたエドウィン・チャドウィック――その当時、彼らふたりは「法理論やおそらくはそれに関連するあらゆる主題についての七万枚もの草稿に取り囲まれていた」と伝えられている――は、ベンサムの改革案の全領域にわたる活動に身を捧げたのである。こうして多くの友人や支持者たちのおかげで、この偉大で不屈の革新者の仕事は重要なものとなった。わけてもジョン・スチュアート・ミルは、ベンサムがいささか荒削りなかたちで提示してみせた功利主義を、影響力があり広く賛同を得られる倫理学説へと発展させたのである。

一見して、〈功利性の原理〉が実際には幸福に、それも最高の道徳的価値と見なされた幸福に関係があることを知ると、たぶん驚かれるかもしれない。ベンサムはこの功利性という用語をヒュームから採用したのだが、結局、それが選ばれたのは不適当だったと感じるようになったため、次のように述べている。「〝功利性（utility）〟という語は、幸福（happiness）や至福（felicity）という語ほどには快楽（pleasure）や苦痛（pain）という観念をはっきりと指し示してはいない」[★1]と。最初に出版された著作である『政府論断片』のなかで彼は、すべての行動には幸福を生み出すという目的をめざす傾向があり、「あらゆる行動におけるこうした傾向のことを、われわれは当の行動の功利性と称する」と主張していた。ところが彼はその後、一八二〇年代になると、功利主義の原理は「最大幸福の原理」と呼ばれる方が好ましいことを明らかにし、自らの初期の著作の新版では脚注でその旨を付け加えている。いずれにせよ、ベンサムのいう「功利性」ないし有効性とは、幸福を生み出すための有効性であることがひとたび理解されるなら、功利性と幸福というふたつの用語は有意義なかたちで結びつくことになる。

　この原理は、立法改革を論じるベンサムのすべての著作の基礎になるとともに、彼があらゆる社会制度や社会的実践を批判するために用いる道具ともなった。彼にとってそれは、社会における広範な問題を解決するために形作られる力となるべきものであった。その後、この原理はジョン・スチュアート・ミルの手によって、個人的かつ個別的な道徳性の原理として開拓され発展させられたのである。

　ベンサムの功利主義についての完璧な説明は『道徳および立法の諸原理序説』のなかにある。その説明の要点は、まず第一に、人間の行動は苦痛と快楽によって支配されており、各人は彼もしくは彼女自身の利益［善］(good) を確保するために行為する、と断定する心理学説である。第二にそれは、幸福もしくは快楽が人類にとって最高の利益［善］であり、最大多数の最大幸福が正しい行動の目的である、と主張する倫理学説である。ベンサムによれば、各人は心理学的には彼もしくは彼女自身の幸福を追求する傾向があるにもかかわらず、道徳性はひとがすべての者にとって最大の利益［善］を生じさせるために行為することを要求するのであるから、彼の課題は、立法がどのようにして個別的な利益と社会的な利益の一致をもたらしうるのかを明らかにすることである。彼は、「理性と法の手段によって至福の構造を立ち上げることを目的としている」[★2]ようなあるシステムを提示しなければならない。したがって立法者は、ベンサムが〈義務と利益を連結して生み出す原理〉と呼んでいるものに適合するかたちで制裁を科すために、快楽と苦痛の相対的な価値を計量することができるのでなければならない。刑罰は「おおむね有害」であると、彼は主張する。それが功利性をもつのは、苦痛を減少させ快楽を増大させるためにそれが役立つ場合だけである。苦痛と快楽の総計を計算するために、ベンサムは、自らが数量化可能だと考えた七つの特性を区別している。それはすなわち、［快楽や苦痛の］強さ、持続性、確実性、遠近性、多産性、純粋性、そして範囲である。彼はまた、快楽や苦痛のさまざまな種類をも区別し、個々の場合にそれらの量を評価する際には、人々はその個別的な能力や好みの点で千差万別であるという事実を考慮に入れる必要があると指摘している。以上が「幸福計算」の基盤であるが、おそらくこれはベンサムの功利主義の中で最もきびしく批判された要素であろう。この学説はまた、それ以外の理由からもはげしく非難されたが、そのうちの主な理由にこの学説のもつ徹底した世俗性がある。この学説は、自らの幸福原理を形成するにあたって、宗教的な権威や啓示に何の訴えかけもしていなかったし、行動にとっての宗教的な動機を引き合いに出すこともなかった。ベンサムは、彼の原理が理性と調和し、道徳的な誤りは単に計算ちがいから引き起こされるにすぎないと考えていたのだ。さらに彼は、立法的な観点からすると、「快楽の量が同じならば、プッシュ・ピン［という子供のピン遊び］は詩作と同じだけ善である」と見なしてもいた。この見解は、ジョン・スチュアート・ミルが自分流の功利主義をつくりだし、その学説を公的な領域から個人的な領域へと移そうと試みた際に白熱した議論を生み出したものである。[★3]

ベンサムは、トーマス・アーノルド、カーライル、そしてマコーレーといった論敵からは徹底して嫌われた。とはいえ彼の学説の核心は、全人類の利益を図ろうとする切迫した願望であった。そして彼の支持者たち、ベンサム主義者たちもまた同じ信念をもつ正直でまじめな者たちだった。ベンサムは自分の死後、解剖してもらうために自らの遺骸をウェブ・ストリートの解剖学学校に遺贈しようとした。ところが当時、教育の目的で法的に献体できるのは、死刑を執行された殺人者の遺体だけであった。彼の死後すぐ、法改正のキャンペーンが功を奏して、解剖学法規は解剖のための献体を合法化した。それにより、人類が「わたしの疾患によってささやかな利益を得ることができるように」というベンサムの願いは実現されたのである。

★注

1 Bentham, *An Introduction to the principles of morals and legislation*, Ch.1, 1.（ベンサム「道徳および立法の諸原理序説」山下重一訳『世界の名著38・ベンサム、J・S・ミル』中央公論社、一九六七年、八一頁以下）

2 Ibid. Ch.1.（同書同箇所）

3 J. S. Mill の論文 'Bentham', in *Dissertations and discussions*, vol. 1と彼の *Utilitarianism*, Ch.2（J・S・ミル

「功利主義論」伊原吉之助訳『世界の名著38・ベンサム、J・Sミル』中央公論社、一九六七年、四六五頁以下、「功利主義」水田珠枝、永井義雄訳『世界の大思想II-6・ミル』河出書房、一九六七年、一二一頁以下）を参照。両論文とも、M. Warnock (ed.), *Utilitarianism* (*Fontana, London*, 1962) に所収。

本書の次の項を参照
ヒューム、ミル

ベンサムの主な著作

- *Fragment on government* (1776), ed, F. C. Montague (Greenwood Press, London, 1980)
- *Introduction to the principles of morals and legislation* (1789), ed. J. H. Burns and H. L. A. Hart (Methuen, London, 1982)（「道徳および立法の諸原理序説」山下重一訳『世界の名著38・ベンサム、J・S・ミル』中央公論社、一九六七年）
- *Traités de législation civile et pénale* (1802)（E・デュモン編、長谷川正安訳『民事および刑事立法論』勁草書房、一九九八年）
- *The book of fallacies* (1824), ed. H. A. Larrabee (Oxford University Press, Oxford, 1952)

ベンサムの著作は、*The collected works of Jeremy Bentham* (Clarendon Press, Oxford, 1983) に収められている。

参考文献

- Halévy, E. *The growth of philosophic radicalism* (Faber and Faber, London, 1928)
- Harrison, R. *Bentham* (Routledge and Kegan Paul, London, 1985)
- Plamenatz, J. *The English utilitarians* (Blackwell, Oxford, 1949)
- Steintrager, J. *Bentham* (Allen and Unwin, London, 1977)
- Stephen, L. *The English utilitarians*, vol. I (Duckworth, London, 1900)

ゲオルク・ヴィルヘルム・フリードリッヒ・ヘーゲル

Georg Wilhelm Friedrich Hegel

1770–1831

ヘーゲルは哲学的な観念論者だった。つまり彼は、〈心〉もしくは〈精神〉が究極の実在だと考えたのである。彼はまた、すべてのものは彼が〈絶対者〉と呼ぶひとつの広大で複雑なシステムもしくは全体の内部で、相互に関連づけられていると見なした点で、哲学的な一元論者でもあった。彼の特異なかたちの観念論は、物質的な物の実在に対する不信を伴ってはいなかった。それと同時に彼は、ひとり〈絶対者〉のみが完全に実在的であり、その〈絶対者〉の一見すると個々ばらばらな部分は、ただ全体の部分であることによってのみ実在性をもつと見なしていた。彼の哲学の大半は、難解かつきわめて複雑である。彼は自分の哲学のなかで、数多くの哲学的直観に具体的なかたちを与え、それを首尾一貫したものにしようと試みているが、互いに衝突する観点を調停しようとする彼の試みはときとして、不分明さや矛盾を引き起こす結果となっている。そうした難点は、彼について論じる者たちが彼の思想について下す解釈があまりに多種多様である点にもまた、現われてきている。

ヘーゲルは一七七〇年にシュトゥットガルトで生まれた。彼はシュトゥットガルトのギムナジウムとその後はチュービンゲン大学で教育を受けた。それ以降の彼の人生の大半は、哲学の講義ならびにその著作活動に費やされた。大学卒業後、彼はベルン大学とフランクフルト大学で個人指導の講師をしていたが、一八〇一年イエナに赴き、そこで自らの『精神の現象学』を完成させた。時あたかもナポレオンの侵攻によるイエナの戦いの前日であった。彼は晩年、ニュールンベルクとベルリンで教授職に就いた。彼の哲学にはいくつかの重要な影響があったことがはっきりしている。すなわちそれは、初期のギリシア人、スピノザ、カント、『新約聖書』、フィヒテ、そしてシェリングである。彼は〈フランス革命〉を生き抜き、自らの時代の宗教的・社会的・政治的混乱やそれらが引き起こしつつあった社会の崩壊にもたいへん敏感であった。彼が神秘的合一や全体性や精神の自由の学説のうちに実践的で哲学的な購いを見ていたとしても、驚くにはあたらないだろう。

ヘーゲルの『精神の現象学』の一元論的観念論は、まさにひとつの考える**実体**（substance）ないしは心的**実体**が存在するという信念へと彼を委ねている。彼の真理論がこれと結びつく。というのも、彼によれば、現実的なものは理性的［合理的］（rational）であり、「真理は全体である」からである。現実と真理は完璧なシステムをなしているのであり、そのシステム内ではすべての命題が首尾一貫して理性的に関連づけられており、また、もっぱら全体の部分のみに関わる命題のうちに現われている矛盾はこのシステムの内で解消されるのである。全体はたえず変化し続けており、その発展は弁証法の過程をとおして実現される。この「弁証法（dialectic）」という用語は「議論すること」を意味するギリシア語に由来する。ヘーゲルの弁証法において、発展は三つの決定的な段階を介して進行する。第一段階は定立（thesis）であり、これはある個別的な観点ないしは立場を具現している。第二段階は反定立（antithesis）であり、これはある対立する立場ないしは反対の立場をもたらす。第三段階は総合（synthesis）であって、それは先のふたつの立場を調停し、かくして新たな定立の基盤となるのである。弁証法はつねに、理性的でないものを廃棄し理性的であるものを保持することによってはたらく。それは、〈精神〉の自己意識のあらゆる思考対象に、全体のなかでのそれ本来の、しかも理性的に表現される場を付与することによって、この自己意識を高めるはたらきなのである。ヘーゲルは次のように主張している。すなわち、思考において考えられる一見すると独立的に思える対象も、実際には独立しているどころか、かえって、一なる〈精神〉の外化された姿にすぎず、かかる対象は結局のところ全体性へと回収されなければならないのだ、と。理性的な弁証法とは、自己意識が回復し発展する過程のことなのであり、自己意識はついには完全な自己認識から帰結する統一と自由を成就することになる。〈精神〉が、一見すると独立的に思える対象に住み着くことで、自分自身から外化されるという考えは、後にカール・マルクスによって利用された。ただし、マルクスはこの考えを、「疎外」と訳される語を用いる物質的な観点へと移し換えて、人間はある条件下では自分自身の生の重要な要素から閉め出され外化されるようになるのだという自らの学説を解説したのである。★1

ヘーゲルは自らの『歴史哲学』のなかで、〈国家〉とは〈理性〉との合一をめざす〈精神〉の進展が採る現実なのだ、という観点に基づく理論を展開した。彼は〈国家〉を、客観的な自由と主体的な情念の統一が具象化されたものと見なしている。つまり、自由は個人の気ままに委ねられれば単なる気まぐれや恣意にすぎなくなってしまうが、〈国家〉とは客観的な自由の理性的な組織化なのだ。彼は〈国家〉の構成員を四つに類別している。その一つめの市民は、国家の法の下でまったく受動的であり、個人的もしくは市民的自由には何の気づかいもしない。二つめの個人は、個人的自由を気づかっており、この自由の点で積極的である。三つめの英雄がもつ個人的自由への意志は、その時代のより広範な歴史的動きと共鳴しており、英雄は、政治的舞台でどのように行為すべきかについての分別をもち合わせている。そして最後は犠牲者であるが、犠牲者のもつ欲望や関心はあまりに内面的かつ個人的であるため、それらのものはより広範な生の動きにはほとんどまったく関わることがなく、そのゆえに犠牲者は、たまたま自分の個人的関心に反して進行する多くの出来事の流れに際して、何かの犠牲になってしまう。〈精神〉は、断固として究極の全体性と自由をめざして運動するのだから、自らの目的の成就に向けてそれらすべての種類の個人を必要とするのだとヘーゲルは主張する。すべての個別的な情念はある究極の全面的自己意識を成就するために〈理性〉によって展開されるという点で、すべての個人はある意味で犠牲者なのである。

歴史とは、ある完璧に理性的な状態をめざす運動のなかで世界史の諸々の大きな時代とともに繰り広げられる、〈精神〉の弁証法の具体化なのであり、各時代はその運動のなかで反定立や総合の役目を果たすのだ。ヘーゲルは次のように論じている。

> 〈理性〉が〈世界〉の〈支配者〉である。……したがって、世界史はわれわれにひとつの理性的な過程を提示する。この確信と洞察は、歴史そのものの領域においては一個の**仮説**であるが、哲学の領域にあっては何ら仮説ではない。というのも哲学においては、〈理性〉——ここではこの〈理性〉という用語だけで十分であり、それが〈神的存在〉に対してもつ関係、〈万有〉によって支えられているその関係に立ち入って論ずることはしない——が〈実体〉であるとともに〈無限の力〉であることは、いいかえるならば、理性が己れの生み出すすべての自然的生命と精神的生命の根拠をなすそれ自身の無限の素材であるとともにその〈素材〉を動かす〈無限の形相〉でもあることは、思弁的認識によって証明されるからである。〈理性〉は万有の実体である。★2

ヘーゲルは、哲学と宗教と芸術は〈絶対者〉を理解するときのそれぞれに異なるやり方であると主張した。主として『美学講義』のなかに含まれる彼の芸術論は、シラーの『人間の美的教育に関する書簡』のなかの考えから展開されている。ヘーゲルが『美学講義』で論じたところによれば、美とは感覚されうる形で具象化された合理性［理性］(rationality) にほかならず、この具象化は象徴芸術、古典芸術、ロマン派芸術のうちに見出される。［オリエントやエジプトの］象徴芸術の場合、展べ開かれている形は、形そのものを超えたところにある理性的な境位へとひとを差し向ける、もしくはかかる境位を指し示すことによって、象徴となっている。それはちょうど、鳩が平和という理性的な観念を象徴しているようなぐあいである。［ギリシアの］古典芸術の場合、表示されている形は形そのものを超えたものへと差し向けるのではなく、かえってむしろその形そのものが、それによって具象化される理性的概念を完璧に例証する十全な実現なのである。こうして、古典的な彫像は、理想的な人間の形を完璧に例証している。ヘーゲルが最高と見なしているロマン派芸術の場合、主観的な自由が芸術作品のなかで明白となり、古典主義の有限な完璧さは乗り越えられる。ロマン派芸術は先の二者よりも優れている。なぜならそれは、自己意識の拡張であり、その意味で、〈精神〉の自己意識がある全体として回復されることをめざす有意義な運動をなしているからである。

ヘーゲルの注釈者たちは、彼の宗教的なスタンスに関する論述において、意見が分かれている。彼は無神論的、汎神論的、有神論的、万有内在神論的などとさまざまに論じられている。ちなみに万有内在神論とは、宇宙のありとあらゆるものは〈神〉の部分であるが、〈神〉は宇宙のあらゆる部分の総和よりさらに大きい全体であるのだから、まさに宇宙の総体より以上の何ものかである、とする見方である。『精神の現象学』においてヘーゲルは、自らが「不幸な意識」と呼ぶ精神状態について論じている。それは個人が、一方では生の物理的・物質的側面から独立し、真の精神性を実現したいと欲しつつも、他方では物理的・物質的なものを認め、それを受け入れようと欲することで、内面的に引き裂かれている状態である。ヘーゲルは、人間の魂にこの種の分裂を引き起こすようないかなる宗教説にも反対した。彼によると、彼方にあって到達することのできない〈神〉に人々が付与する人間より優れた精神的性質は、通常人間より卑しいものと見なされている性質と同様、実際にはまさに人間自身の性質にほかならない。人間がそうした優れた性質を自分自身から切り離して置くとき、彼らは自分たち自身の本性の一部からばかりか、〈絶対者〉もしくは全体からも疎外されているのであり、それは人間の外化のいまひとつの姿をあらわにしている。このことはたしかに、ヘーゲルがある種の汎神論者であったことを示唆しているように思える。というのも彼の思想は、〈神〉の属性が実際にはわれわれ自身の属性であることを含意しているからである。だがそれにしても、しばしば指摘されてきたように、ヘーゲルはルター派教会の一員でもあったし、〈受肉〉や〈三位一体〉の教義をあらゆるものの究極の全体性の宗教的現われと見なしてもいたし、自らキリスト教の忠実な擁護者だと自認してもいたのである。ピーター・シンガーが示唆したところによれば、ヘーゲルは〈神〉のことを、世界という姿をとって自分を顕かにしたあと、次いで世界を完成させることにより自分を完成させねばならないようなある**本質**として考えていたのだという。[★3] この見解は、〈神〉が世界の存在と同一と見なされるべきか否かという難問を解決してはくれないが、概してヘーゲル思想の多くのテーマと合致している。

ヘーゲルは哲学を、芸術や宗教よりもいっそう高度な理解形式だと見なしていた。それがいっそう高度なのは、絶対者に関する哲学の理解が概念的な理解だからであり、このことは、哲学が自分自身の方法をはじめ芸術や宗教の方法について意識的であることを意味している。こうして哲学は、彼の主張によると、全体の自己意識の発展にすぐれて積極的に貢献するのであり、そのことによって、部分的な知の葛藤や外見上の矛盾から自由になることに貢献するのである。

一八三一年のヘーゲルの死後、彼の弟子や支持者たちは異なる二派に分裂した。旧ヘーゲル派として知られるようになった者たちは、宗教に関するヘーゲルの考えを正統派プロテスタント・キリスト教と両立しうるものと見なしていた。彼らはヘーゲルの後期哲学にもっぱら注目し、彼の『法の哲学』で出された政治的観念や社会的観念を喧伝し、プロシア国家の発展をヘーゲル弁証法の例証として、またプロシア国家の現状をかかる弁証法の絶頂として解釈した。旧ヘーゲル派の影響力は一時期とりわけベルリンにおいて優勢であったが、一九世紀の半ばまでには衰退していった。

青年ヘーゲル派の場合はそれとはまったく異なっている。彼らはヘーゲルの体系を、よりよい人間世界を実践的かつ不可避的に実現するための青写真だと考えていた。だが彼らは、〈精神〉が究極の実在だとする考えを受け入れることができなかった。若きふたりのヘーゲル派、ダビッド・フリードリッヒ・シュトラウスとルートヴィッヒ・フォイエルバッハは、ヘーゲル哲学のまさに核心部に革命的な変更を加えた。その際、彼らは次のように論じたのであった。すなわち、人間の物理的かつ物質的生こそが意識と思考を規定するのであって、ヘーゲルが主張していたように、精神があらゆるものの源であり実在であるわけではない、と。ヘーゲルの主要テーゼのこうした逆転こそが、その後カール・マルクスによって採用されたのであり、マルクスはそこから自らの疎外論を展開したのである。

ヘーゲル哲学についてのいかなる簡略な説明も、彼の考えの広闊さやその細部、またその偉大さを十分に伝えることはできない。彼が書いたすべての文書は、精神が自分自身についていだくたえず発展しつつある意識という彼自身のテーゼを論じているばかりでなく、例証してもいる。彼の思考パターンはつねにトリアーデ的［三項的］であり弁証法的である。ただしそれは、彼の論ずるカテゴリーや類別やそれらの下位区分などの静的な配置という点においてばかりでなく、動的な意味においても、つまりは彼が歴史の広範な運動を全面的自己意識へと向かうその進展において弁証法的だと考えているという意味でも、そうなのである。彼の体系の煩瑣で互いに絡まりあった形式的諸構造は、その柔軟性のなさのゆえに、しばしば、歴史の互いに異質な要素を不適切でいかがわしいカテゴリーに押し込めて、不整合や矛盾を引き起こしている。だがそれにもかかわらず、ヘーゲルの力強い独創性と、彼の高尚な諸概念や際限ない細部を巧みに扱う手腕は、いつでも人目を引くし示唆的でもある。自由と理性と認識を通して成就されるある究極の全体性という彼のビジョンは、多くの人々が経験はしていてもほとんどの人がわかりやすいやり方ではっきり言い当てたり表現したりできないでいる直観や願望に、深く訴えかけるものをもっているのである。

★注

1　本書のマルクスの項参照、二四六頁〜。
2　Hegel, *Philosophy of history*, Introduction.（ヘーゲル『歴史哲学』上巻、武市健人訳、岩波ヘーゲル全集10ａ、一九五四年、三一〜三二頁）
3　Peter Singer, *Hegel* (Oxford University Press, Oxford, 1983) p.83.（ピーター・シンガー『ヘーゲル入門：精神の冒険』島崎隆訳、青木書店、一九九五年、一五七頁）

本書の次の項を参照
カント、スピノザ、パルメニデス、マルクス

ヘーゲルの主な著作
- *Lectures on the philosophy of history* (published posthumously), trans. J. Sibree (Dover, New York, 1956)（『歴史哲学』上下巻、武市健人訳、岩波ヘーゲル全集10a-b、一九五四年、『歴史哲学講義』上下巻、長谷川宏訳、岩波文庫、一九九七年）
- *The phenomenology of mind* (1807), trans. A. V. Miller as *Hegel's phenomenology of spirit* (Oxford University Press, Oxford, 1977)（『精神の現象学』上下巻、金子武蔵訳、岩波ヘーゲル全集4-5、一九七一〜七九年、『精神現象学』上下巻、樫山欽四郎訳、平凡社ライブラリー、一九九七年、『精神現象学』長谷川宏訳、作品社、一九九八年）
- *The science of logic* (3 vols, 1812, 1813, 1816), trans. W. H. Johnson and L. G. Struthers (2 vols, Allen and Unwin, London, 1929)（『大論理学』上一-二、中、下巻、武市健人訳、岩波ヘーゲル全集6a-b、7、8、一九五六〜六六年、『大論理学』1-3、寺沢恒信訳、以文社、一九七七〜九九年）
- *Philosophy of right* (1821), trans. T. M. Knox as *Hegel's philosophy of right* (Oxford University Press, Oxford, 1967)（『法の哲学』上下巻、上妻精、佐藤康邦、山田忠彰訳、岩波ヘーゲル全集9a-b、二〇〇〇〜〇一年、「法の哲学」藤野渉、赤沢正敏訳『世界の名著44・ヘーゲル』中央公論社、一九七八年、『法の哲学：自然法と国家学』高峯一愚訳、論創社、一九八三年、『法哲学講義』長谷川宏訳、作品社、二〇〇〇年）
- *Lectures on aesthetics* (published posthumously), trans. T. M. Knox as *Hegel's aesthetics*, (2 vols, Clarendon Press, Oxford, 1975)（『美学』第一巻上中下、第二巻上中下、第三巻上中下、竹内敏雄訳、岩波ヘーゲル全集18ab c、19abc、20abc、一九五六〜八一年、『ヘーゲル美学講義』長谷川宏訳、作品社、一九九五〜九六年）

ドイツ語でのヘーゲル全集の標準版は、*Werke: Vollständige Ausgabe*, ed. H. Glockner (26 vols, Jubilee Edition, Stuttgart, 1927-40) である。

参考文献

- Brazill, W.J. *The young Hegelians* (Yale University Press, New Haven and London, 1970)
- Kaufmann, W. *Hegel: reinterpretation, texts and commentaries* (Weidenfeld and Nicolson, London, 1965)
- Norman, R. *Hegel's phenomenology: a philosophical introduction* (Sussex University Press, Brighton, 1976)

- Singer, P. *Hegel* (Oxford University Press, Oxford, 1983)
- Taylor, C. *Hegel* (Cambridge University Press, Cambridge, 1975)

アルトゥール・ショーペンハウアー

Arthur Schopenhauer
1788–1860

ショーペンハウアーは「意志にとりつかれた哲学者」と呼ばれてきた。彼の哲学はその原動力をカントから引き出している。「驚くべきカント」、彼はそう呼んでいた。彼が主張したところによれば、全現象界は意志の現われにほかならない。意志があらゆるものの根拠づけられない根拠であり、もし意志が根絶されてしまうなら、世界もまた根絶されてしまうことになる。これが、彼のすべての主要著作の支配的テーマである。

ショーペンハウアーは一七八八年二月二二日、ダンツィヒで生まれた。一家は一七九三年ハンブルクに引っ越し、彼は成功していた父親の志を継いで、商人の世界に入ることを目的に教育された。彼はヨーロッパを広く旅行し、「物事の悲惨さについてくよくよ考え込む」性癖を発達させ、しぶしぶながらも商人生活を始めた。父親が一八〇五年に突然亡くなると、ショーペンハウアーはさらに二年商売を続けた後、自らの仕事に見切りをつけ、ギリシア語とラテン語を学び始めた。そこで彼は医学生としてゲッチンゲン大学に入学したが、すぐに哲学に興味を惹かれるようになった。彼の博士論文『充足理由律の四つの根』は一八一三年に完成された。彼の主著『意志と表象としての世界』は一八一八年に刊行された。彼はつねに、自分の哲学は「世界の謎の真の解決」であると主張していた。彼はナポレオン戦争の騒然とした背景にもかかわらず、不安定で変わりやすい個人的領域の内部で、自らの哲学者としての活動を押し進めた。彼は異彩を放ち熱意に溢れ聡明で機知に富んでもいたが、その一方で孤独に塞ぎがちでしばしば辛辣でもあった。とはいえ、彼は晩年になってようやく、自分の本が認められもてはやされるのを目にするという真の喜びを体験したのだった。

ショーペンハウアーは、彼の思想を理解することを望む者にはだれにでも、まず彼の博士論文『充足理由律の四つの根』を注意深く読むように勧めた。そのなかで彼が論じているところによれば、すべてのものには理由［根拠］や説明づけがあるのであって、それらの理由は四種類に分けられる。表題の「四つの根」とはここに由来している。四種類の理由をすべて挙げれば、われわれが通常世界を認識できるときのそのやり方の全体が網羅される。こうしてわれわれは、因果性に準拠することで物理的変化を認識し、推理規則や論理に準拠することで諸概念の結びつきを認識し、ショーペンハウアーが「空間と時間という純粋な感性的直観」と言い表しているものに準拠することによって数学的な真理を認識し、動機づけの法則に準拠することによって意志する主体としてのわれわれ自身を認識するわけである。

このうち、ショーペンハウアーの哲学の展開にとってとりわけ重要な意味をもつのは、意志に関わりのある第四の根である。彼の主張はこうである。すなわち、ひとは認識する主体としてのかぎりで、自分自身を意志する主体としても認識することができるのであり、ひとは認識する者としてのかぎりで直接的に、意志する者としての自分自身と一体化するのである、と。ひとが意志するところのものは動機によって説明される。ショーペンハウアーは次のように述べている。「そのような動機なしには、われわれにとって行動は考えられないものである。それはちょうど、生命のない物体の運動が押したり引いたりすることなしには考えられないのと同じことである」。[★1]

四つの形式の根のそれぞれのパターンは、精神の能力を源とし精神に現前するものに働きかける原理のパターンである。かくして、悟性能力は経験的な表象を説明するために因果律もしくは因果法則をもたらすのであり、理性は諸概念の結合のための規則をもたらし、空間と時間という感性的直観は数学のための規則をもたらし、内的自己もしくは自己意識は、ひとが意志するところのものを説明する動機づけの法則をもたらすのである。すべての仕組みは、それぞれの精神能力とそれに適した対象とのあいだに主体-客体関係を前提している。以上の点すべては、あきらかにおおよそのところカントに似ている。[★2]ショーペンハウアーの四つの説明原理とカントの純粋悟性原理とのあいだには形式的な類似があり、両哲学者はいずれも、われわれが外的世界を考えるときの考え方は人間悟性の諸構造によって規定されている、と主張している。このふたりはまた、「表象」として、つまり観念や心的イメージとして精神に現前するものを論じている点でもよく似ている。ちなみに両者ともVorstellung［表象］というドイツ語を使っているが、ショーペンハウアーの英訳著作ではこの語はときによって「観念（idea）」や「表象（representation）」と訳し分けられている。

自己が自分自身を意志する主体として認識する際の、四つの根の第四原理は、特別な特徴を引き起こす。自分自身を意志する者として認識することはその意志する自己と直接的に一体化することなのだから、通常の主体-客体関係は、ショーペンハウアーの言い方によれば、哲学的真理への鍵であり「世界の結節点」であるような何か神秘的で説明しがたいものへと変形されてしまう。[★3] そればかりではない。根の第四部分はその第一部分と特殊な仕方で関連してもいる。というのも、内感に与えられる意志の表象は、外的世界における諸々の出来事の裏面［対になる部分］でもあり、それらの外的出来事は、第一の根の因果律に適合するかたちで悟性能力に現前するものだからである。かくして、ショーペンハウアーが言うところによれば、「動機づけとは内部から見られた因果性のことである」のであり、意欲とはわれわれの行動の内側のことなのである。

> 意志行為と身体の行動とは、客観的に認識され因果性の絆によって結びつけられたふたつの別々の状態なのではない。それらは原因と結果の関係にあるのではない。そうではなくて、それらはふたつのまったく異なるやり方で、つまり一方はきわめて直接的に、また他方は悟性による知覚において与えられるにしても、ただひとつの同じものなのである。身体の行動とは、客体化された意志行為、すなわち知覚の中へと移し置かれた意志行為以外の何ものでもない。[★4]

自分の意志の内的認識とこの意志の現われである行動の客観的認識とによって成し遂げられる二重の認識は、ショーペンハウアーにとって、完璧な哲学的理解へと至るための端緒なのである。自分自身の意志の直接的で内的な認識は、自らに意志の、まさに外的な姿での現われではなく、物自体としての意志の個別的で時間的な現われをもたらしてくれる。そして彼が主張するところによれば、自分の身体が自分自身の意志の客体化であるのと同じように、他のすべての現象は意志一般の客体化である点が理解されなければならない。経験的な表象としての世界は単に意志としての世界の外的な姿にすぎないのだ。とはいえ、この場合の意志は、その意欲することに対する知覚可能な根拠をもつような意志ではなく、全体として盲目で非合理的な生成の流れであるような意志のことである。ショーペンハウアーは次のように論じている。すなわち、個物の内なる意志の役割を理解した者ならだれでも、

> その同じ意志を、人間や動物における自分自身とまったく類似した諸現象のなかに認めるだけには終わらないだろう。さらに反省を続けていくなら彼は、植物の内に働き成長していく力も……水晶が形成されるときの力も……磁石を北極に向ける力も……これらすべては現象においてのみ異なっているが、それらの内的本性によれば同じものと認めるであろう。★5

意志はこうして、あらゆるものの「原因」であり、それぞれのものをしてそれ自身の本性をあらわならしめるように努力するものなのである。そして、包括的にいえば、ものはこのようにして存在すると理解する点にこそ、哲学的理解が存するのである。

物自体としての意志と、それが外的な姿をとってわれわれに現われてくるかぎりでの意志との区別は、カント哲学の場合と同様に、ショーペンハウアーの哲学においても一般的に適用される区別である。それはときとして可想体[本体]と現象体の区別として語られている。カント同様にショーペンハウアーもまた、可想体ないし物自体は認識されることができないが、現象体、つまりは通常の経験をつくりあげているものの現われないし表象は、認識可能であると主張した。彼がカントと異なるのは、彼が次のように主張した点である。すなわち、われわれのすべての個別的行動は必然的に意志の現われであり、それぞれの行動は動機によって説明できる、と。とはいえ、全体性としての意志それ自体に関しては、いかなる動機も存在しない。意志それ自体は、ショーペンハウアーにとって、絶対的に根源的なものであり、すべてを生み出すものなのである。彼は述べている。

> いずれの人間も自分があるところのものであるのは、自分の意志を通じてなのであって、その性格は根源的である。というのも意志することが人間の内的存在の基盤だからである。これに認識が付け加えられるにつれて、人間は経験を重ねていくあいだに、自分が何であるかを認識するようになる。いいかえれば、自分の性格をよく知るようになる。それゆえ、人間は自分の意志の本性の結果として、またかかる本性に適合するかたちで自分自身を認識するのであって、古くからの意見にあるように、認識することとの結果として、また認識することに応じて意志するわけではないのである。★6

こうした主張にかんがみるなら、カントによっては否定されたことだが、ショーペンハウアーには、ひとがそれによって可想的な自己を認識することができるような感覚を展開することが、できるわけである。なるほど彼は、知覚がわれわれに与えることができるのは現象の認識にすぎないとカントが述べたとき、彼は正しかったと認めてはいる。しかしそれにはひとつの例外がある。それは「すべての者が自分自身の意志することについてもつ認識というただひとつの例外[★7]」である。彼は、意志のすべての作用のうちには、現象界の中への意志それ自体の直接的な移行が存在すると考えていた。われわれはわれわれの意志なのであり、われわれがそれであるところのものを生き抜き、かくしてわれわれは、自分が為すことを通してわれわれが何であるのかを認識するにいたる。われわれが為すことは**必然的**に為される。というのも、われわれはすでにわれわれが意志するところのものであるからである。同じことは、さまざまな意識レベルにおいて世界内のすべての物についても真である。つまり、それぞれの物は、それ自身の本性に適合するかたちでそれが現にあるところのものであるのであり、それ以外ではありえないのである。

こうした見解から引き出される帰結は、ショーペンハウアーが意志のいかなる個人的な自由をも信じなかったということである。彼は、四つの根の第一部分のもとで諸々の現象と見なされるわれわれの行動を規定しているのは因果法則であり、その一方、われわれの行動の内的な姿であるわれわれの意欲を規定しているのは動機であると考えていた。とはいえ、意志それ自体は何ものによっても規定されないし、規定されることもできない。それというのも、意志それ自体はわれわれの行動や生じるすべての物事を生み出す源であり、それゆえわれわれはそこから先は詮索することができないからである。われわれが認識できるすべては、われわれはわれわれが現にあるところのものの結果として自分の個々の行為を意志する、ということである。けれども、われわれがいかにして自分が現にあるところのものであるにいたったかについては、何も知ることができない。ショーペンハウアーは、それぞれの人格や世界内のそれぞれの存在物を、意志それ自体の断片的な現われと見なし、それ自身の本性に駆り立てられてそれ自身のやり方で実在しようと努力しているものと見なしている。ただし、こうしたたえざる努力から解放されるひとつのやり方があると、彼は主張する。それはプラトンのイデアによるものであり、このイデアを通して、個別的な意志はたえざる努力の循環から解放され鎮静化されることができるのである。

プラトンのイデアは、ショーペンハウアーの描く世界像のうちでは、四つの根のいずれかの形式を通して認識されるのではないにしても認識できるものであるという点で、物自体とは異なっている。イデアの認識は一種の純粋な客観性であり、すべての認識することとの理想である。そこではひとはもはや個々の事物を認識するのではなく、ショーペンハウアーが「永遠の形相」と呼ぶある普遍性を認識するのである。そしてイデアの認識は個々の事物の認識ではないのだから、かかる認識は認識する者が個人ではなく「純粋な認識主観」であることを要求する。純粋な認識主観になるためには、意志は消滅しなければならない。なぜなら、イデアとして認識されるべきものはいずれも、ひとがそれについて意志するような何ものかへと差し向けることなしに、観照されなければならないからである。このようにして、認識する者は認識されるものとひとつになる。認識する者と認識されるものとのこうした同一化は、人格が観照される対象の中にいわば住み込むような美的観照に際してか、あるいはまた、ひとが自分自身の意志の認識から万物における意志の悟りへと移行する場合に、成し遂げられる。

この種の認識は個別的な意志の鎮静化を引き起こす。鎮静化が生じるのは、ある種の認識状態が達成される場合である。鎮静化は意志することによってはもたらされることができないし、ひとの個別的な性格や性癖は鎮静化によって変化することもない。鎮静化されるものとは、生きようとする意志なのであり、その結果「意志はいまや生から身を背ける。意志は、そのうちに生の肯定が認められる諸々の快楽を前にして、ぞっと身震いする。人間は自発的な断念、放棄、真の平静そして完璧な無意志といった状態に達するのである」[★8]。

自殺は生きようとする意志が失われたことの論理的帰結ではない。というのも、自殺は意志行為であって、無意志の行為ではないのだから。ショーペンハウアーが論じているところによれば、意志からの真の解放の帰結とは、これまで現実と見られてきたもの——現象的な経験の世界のさまざまな欲望や快楽や苦痛の寄せ集め——が無になることである。なぜ無になるのかといえば、経験される表象の世界が意志の客体化だからであり、意志が消え去るとき世界もまた消え去るからである。それに代わって存在するのが、「世界を超克した者たち、つまりその意志において、完璧な自己認識に到達し、万有の内に意志自身を再発見したような者たち[★9]」の存在状態であると、ショーペンハウアーは言う。彼はそうした状態を「忘我、有頂天、開悟、〈神〉との合一」の状態になぞらえている。と同時に、彼はそれを無であると認めてもいる。なぜならそれは、われわれが通常経験しているような現実の全体を無にするからである。意志で満たされた者たちにとって、彼が記述しているような見通しは無である。そしてまた、その意志が鎮静化された者たちにとって、日々の世界は無なのである。

ショーペンハウアーの哲学には刺激的な考えと鋭い考察が詰め込まれているが、そうした考察は、彼の形而上学的体系の内部でそれらに与えられた位置から、その意義と重要性を得ている。彼の哲学は、ウィトゲンシュタインが意志に関する問題に取り組むために経験した初期の苦闘を準備したように思われる点で、また、ウィトゲンシュタインが最終的に生み出す解決策の萌芽を彼にもたらしたように思われる点で、ウィトゲンシュタインの思想に深い影響を与えた。[★10] というのは、以下のような事情があるからである。すなわち、ウィトゲンシュタインは自らの『草稿一九一四―一九一六』や『論理哲学論考』において、意志を、当の意志がともかくも生み出すように思われる行動とは区別される別のものと見なしている。つまり彼はある時期、身体の運動を惹起するために作用する一種の原因としての意志というイメージに、彼自身の言い方をかりれば「囚われていた」のである。ところがその一方で彼は、意志と身体との不可分性についてのショーペンハウアーの数多くの断定から刺激を受けることで、自発的［意志的］な行動という概念を後期の著作では展開しているのである。この新たなアプローチが認めているのは、「この意志をわたしはわたしの身体なしで実際に思い描くことはできない」というショーペンハウアーの指摘の訂正不可能性なのである。

★注

1 Schopenhauer, *The fourfold root of the principle of sufficient reason*, trans. E. F. J. Payne (Open Court, La Salle, Illinois, 1974) §43.（「根拠律の四つの根について」生松敬三、金森誠也訳『ショーペンハウアー全集1』白水社、一九九六年、一九〇頁）

2 本書のカントの項参照、一九七頁〜。

3 Schopenhauer, *The fourfold root* , §42.（同書、一八九頁）

4 Schopenhauer, *The world as will and representation*, trans. E. F. J. Payne (2 vols, Dover Publications, New York, 1966), vol. I, p. 100.（「意志と表象としての世界」西尾幹二訳『世界の名著45・ショーペンハウアー』中央公論社、一九八〇年、二四八頁）

5 Ibid., pp.109-10.（同書、二六二頁）

6 Ibid., pp.292-3.（同書、五三二頁）
7 Ibid., vol.II, p.196.
8 Ibid., vol. I , p.379.（同書、六六〇〜六一頁）
9 Ibid., p.411.（同書、七〇九〜一〇頁）
10 本書のウィトゲンシュタインの項参照、三二四頁〜。

本書の次の項を参照
ウィトゲンシュタイン、カント、ニーチェ、バークリ、ブラッドリー、ヘーゲル

ショーペンハウアーの主な著作

- *The fourfold root of the principle of sufficient reason* (1813), trans. E. F. J. Payne (Open Court, La Salle, Illinois, 1974)（「根拠律の四つの根について」生松敬三、金森誠也訳『ショーペンハウアー全集1』白水社、一九九六年）
- *The world as will and representation* (1818), trans. E. F. J. Payne (2 vols, Dover Publications, New York, 1966)（「意志と表象としての世界」西尾幹二訳『世界の名著45・ショーペンハウアー』中央公論社、一九八〇年、「意志と表象としての世界」正編1-3、斎藤忍随、笹谷満、山崎庸佑、加藤尚武、茅野良男訳『ショーペンハウアー全集2-4』、「意志と表象としての世界」続編1-3、塩屋竹男、岩波哲男、有田潤、飯島宗享訳『ショーペンハウアー全集5-7』白水社、一九七二〜七四年）
- *On the freedom of the will* (1841)(Bobbs-Nerrill, New York, 1960)
- *Parerga and paralipomena*, trans. K. Kolenda (2 vols, Bobbs-Nerrill, New York, 1960)（部分訳として『自殺について：他四篇』斎藤信治訳、岩波文庫、一九七六年、『知性について：他四篇』細谷貞雄訳、岩波文庫、一九六一年、『幸福について：人生論』橋本文夫訳、新潮文庫、一九七三年、『読書について：他二篇』斎藤忍随訳、岩波文庫、一九八三年など）

ドイツ語でのショーペンハウアーの著作は、*Sämtliche Werke*, ed. A. Hubscher (7 vols, Brockhause Wiesbaden, 1946-50) に収められている。英語版での選集としては、*The will to live: selected writings of Arthur Schopenhauer*, ed. R. Taylor (Ungar, New York, 1962) を参照。

参考文献

・Gardiner, P. *Schopenhauer* (Penguin, Harmondsworth, 1963)
・Hamlyn, D.W. *Schopenhauer* (Routledge and Kegan Paul, London, 1980)
・Magee, B. *The philosophy of Schopenhauer* (Clarendon Press, Oxford, 1983)
・Phillips-Griffiths, A. 'Wittgenstein, Schopenhauer and Ethics' in *Understanding Wittgenstein*, ed. G.N.A. Vesey (Macmillan, London 1974), pp.96–116

ジョン・スチュアート・ミル

John Stuart Mill
1806–1873

ジョン・スチュアート・ミルは、功利主義説を提示し展開した一九世紀英国の哲学者集団のなかでは最も傑出した人物である。彼は社会改革者であり個人の自由や政治的自由の擁護者であるとともに、著しい重要性をもつ哲学者にして論理学者でもあった。一八五九年に出版された彼の論文『自由論』は、政府や法体系について論じている。その序論において、彼は次のように述べている。「その名に値する唯一の自由は、われわれが他人から彼らの利益［善］(good) を奪おうとしたり、それを得ようとする彼らの努力の邪魔をしたりしないかぎりにおいて、われわれ自身の利益［善］をわれわれ自身のやり方で追求するという自由である」。彼の哲学の出発点は、「最大多数の最大幸福」という観念を道徳の原理として最初に広めた徹底した改革者、ジェレミイ・ベンサムの仕事であった。[★1] この観念は功利性の原理として知られるようになった。ベンサムと、ジョン・スチュアートの父であるジェームズ・ミルは一緒に、この原理の実現のための実践的・法的・政治的手段を確立することにつとめた運動を指導した。かつてベンサムの改革観念の全領域を指示するために使われていた「功利主義」という用語は、今日ではもっぱら、一八六一年に刊行された『功利主義』のなかでジョン・スチュアート・ミルによって手直しされ洗練させられたベンサムの倫理学説を指すのに用いられている。彼の論理学上の主著である『論理学体系』は、一八四三年にはじめて公刊された。また彼は晩年に『女性の隷属』を書いたが、これは両性の平等への力強い請願の書である。

ミルはロンドンのペントンヴィルの郊外で生まれた。『イギリス領インド史』の著者であり東インド商会の副審査官であった彼の父は、彼に厳格な教育を施した。彼は一〇歳のとき論理学を始めたが、それ以前からギリシア語とラテン語に堪能であった。そして一一歳のときには父の書いた『イギリス領インド史』の校正刷を読んだ。また彼は、幼少期からジェレミイ・ベンサムや経済学者のデイヴィッド・リカードと知り合い、一〇代の半ばになる頃までには、父がこれらの人物とともに進めていた政治活動や改革活動のすべてに完全に巻き込まれていた。一八二三年、彼は東インド会社の従業員として父親と同じ職場に加わった。二〇歳になる前から、彼はいくつも論文を発表し続け高水準の議論や論争に加わっていた。彼の『自伝』は、こうした若き日々についての豊富で魅力溢れる記述を提供している。

二〇歳のとき、ミルは深刻な抑鬱状態を経験したが、彼はそれを自分の感情の一種の欠乏のせいにしている。読んでいた本に感動して涙している自分に気づき、自分が深く感じる能力を完全には失っていなかったことを理解したとき、彼は回復し始めた。よみがえった生活への熱意とともに、彼はふたたび熱狂的に仕事ができるようになった。その後彼は、ベンサムの最も口うるさい批判者であったトーマス・カーライルに、そしてフランスの実証主義哲学者であるオーギュスト・コントに関心をもつようになった。一八三〇年、彼はハリエット・テイラー夫人と出会い、彼女の最初の夫の死後二年経って、一八五〇年に彼女と結婚した。彼女はミルとともに仕事をして彼の多くの計画を手伝い、ふたりは共同で『自由論』を完成させたが、それは彼女の健康が急激に衰えていく時期でもあった。ハリエットは一八五八年アヴィニョンで結核のために亡くなり、ミルはその後の余生の大半をこの地で過ごすことになるが、ふたりで分かちあった目的を達成するためになお仕事を続けた。彼は一八七三年にアヴィニョンで亡くなった。

ミルは『功利主義』のなかで功利性の原理を、いかにして有徳に生きるべきかについての手引きをもたらす道徳学説へと発展させている。功利性の信条は、彼の言うところによれば、「行動は幸福を増す程度に比例して正しく、幸福の逆を生む程度に比例して誤っている、と考える」[★2]。彼は次のように指摘している。すなわち、この原理は推論による証明を受け入れることができないが、「知性を規定することができるような考察なら提示可能であり……これは証明と同じことである」[★3]と。幸福は望ましいものであり、このことの証明は、人々が現にそれを望んでいることだ、と彼は言う。つまり、各人の利益［善］はその当人にとっての幸福であり、それゆえ一般的な幸福とは、すべてのひとの総計にとっての利益［善］である、というわけである。いくつかの心理学的**前提**に基づいたこの**議論**はその後、多くの詳細な批判の、よく知られた標的となった。

ミルは、ベンサム流の倫理的功利主義に対してなされた反論を克服しなければならなかった。すべての者は必然的に彼もしくは彼女自身の快楽を追い求めるのであり、快楽は最大の利益［善］である、とベンサム主義者たちは主張していた。その結果彼らは、人間を利己的で下劣なものとして描いていると非難された。この批判に対抗するためミルは次のように指摘している。すなわち、われわれはすべて、その語のある意味での快楽を得るために行為しているにしても、このことの結果として、われわれがつねに利己的に行為しているということにはならない。というのも多くの人々が、あきらかに利己的とは判断できないようなふるまいをすすんでなしているからだ、と。彼はまたベンサムの快楽という概念に手直しを加えてもいる。つまり彼は、低級な快楽と高級な快楽とを区別することで「プッシュ・ピン［という子供のピン遊び］は詩作と同じだけ善である」というベンサムの見解を退け、両方の快楽を経験したものならだれもが、低級な快楽より高級な快楽の方を好むだろうと主張した。もし両方とも経験したのに、いまでは低級な方ばかり追い求める者たちがいるとすれば、彼らがそうするのは単に、彼らが高級な方を求めることができなくなってしまったからにすぎない、とミルは述べている。

『功利主義』の最終章でミルは、幸福を最高の道徳的価値と見なす考えに対してなされている強力な反論に対処しようとしている。その反論とは簡単にまとめれば、幸福が最高の価値ではありえない、なぜならわれわれはあまりにも多くの場合に、実際には幸福よりも正義を上に置いているからだ、というものである。それに再反論するに際してミルは、並々ならぬ議論の列を並べ立てているが、それらすべてが示そうとしているのは次のことである。すなわち、人間的な価値のヒエラルキーにおいて正義がきわめて重要であるにしても、それにもかかわらず正義は、規則にというよりむしろ幸福原理に役立つひとつの価値にすぎないのだ、と。けれども彼は結局のところ、先の反論を完全に却下するのには成功していない。

功利主義はヴィクトリア朝の英国で、キリスト教に不満をもつようになり自分自身の独立した思考によって自分たち自身のための明白な道徳を打ち立てることを望んでいた多くの人々によって、熱心に採用された。その信条は百年以上経ってもなお、生き生きとした関心事である。この学説はミルが確立した以降も大いに展開され論じられ洗練させられてきた。そしてそれは今日、多くの個別的制度や政治制度や社会制度が真摯に同意する道徳学説をもたらしてくれている。功利主義の今日よく論じられるふたつのヴァージョンは、〈行為-功利主義〉と〈規則-功利主義〉である。行為-功利主義者は、何がなすべき正しいことかを決定する際、個別的な状況にあって最大の幸福を生み出すことになるのはどの行為なのかを熟考しようとする。一方、規則-功利主義者は、提起された行為が類似の状況に身をおくすべての人たちの行動規則となっていくのだという帰結を考慮することによって、その問題を解決しようとする。

　ところで、ミルの『論理学体系』はたいへん影響力の大きい著作であった。その第一巻で彼は、自らが「〈断定〉の本質」と呼ぶものを検討している。彼は全称名と単称名、具体的名辞と**抽象**的名辞、内包項と非内包項を区別する。そこでの彼の主な主張は、名辞が指示しているのは個体のみであって、「人類」といった一般的名辞でさえ、一緒になって人類をつくりあげている各個体と区別されるような存在物を指示しているわけではない、ということである。★4『論理学体系』の第二巻は三段論法的推理を扱っている。**三段論法**の本質はこれまで正しく理解されてこなかったのであり、三段論法の結論を一般的命題から個別的命題を推論する論証だと想定するのはまちがっている、とミルは主張する。彼が論じるところによれば、三段論法が実際に行っているのは、帰納的な結論を帰納的な一般化に関係づけることなのだ。彼はまた、数学の諸命題は**分析的**に真であるような言語上の規約なのではなく、かえって**綜合的**で**経験的**なものなのだと主張してもいる。つまり、数学の諸命題が、きわめて一般的な真理として、例外なしに成り立つものと見なされ必然的に真であると考えられているのも、ただ心理学的強制がそうさせているからにすぎないのである。

　ミルの主要な論理学的関心は帰納的推論にあるのであって、彼はそれを「経験からの一般化」と称している。彼が指摘しようと苦心しているのは、われわれは帰納に際して過去の出来事から将来の出来事へと推論するというよりむしろ知られているものから知られていないものへと推論する、という点である。それゆえ彼は次のように述べている。

　火は今日も昨日も燃えたのだから、明日もまた燃えるだろう、とわれわれは考える。しかしまたわれわれは、まさに同じ根拠に基づいて、火はわれわれが生まれる前にも燃えていたし、ほかならぬ今日コーチ・チャイナでも燃えていると考える。われわれが推論するのは、過去そのものから未来そのものに向かってなのではない。そうではなく、知られているものから知られていないものに向かって、観察された事実から未観察の事実に向かって、なのである。★5

　ミルはまた、すべての帰納は、自然における変化が不変の因果法則によって支配されているのだという信念に基づいているのであって、この根本的な信念もまた、明白な種類の一般化では決してないにしても、やはりそれ自体、帰納的な一般化なのだ、と主張する。それは「先立つ一般化に基づいた……大いなる一般化」なのである。彼は因果性を細部にわたって検証し、原因を次のようなものとして分析している。すなわち原因とは「積極的なものも消極的なものも一緒にした諸々の条件の総和なのであり、それが実現されると不可避的に結果が引き続いて起こるようなあらゆる種類の可能的条件の全体なのである」[★6]。また、『論理学体系』の第四巻では、彼が「意志の自由に関する有名な論争」と評しているものに対する彼自身の分析の意味が考察されている。この論争が起こるのは、普遍的因果性という概念には、人間の意志が自然の他のいずれの部分とも同様に原因をもちそのため必然的に引き起こされるものであり、それゆえ自由とは見なされえない、ということが含意されているからである。そうした思考から目をそらそうとする者たちの多くは、人間の意志が因果的決定からは免れており、それゆえ自由である、と論じようとしてきた。ところがミルは、彼以前のホッブズやヒュームのように、普遍的因果性と意志の自由の両方を認めようとする。彼は、「必然性」という用語については重大な思い違いがなされてきたと論じている。彼が言うには、その用語はまた別の語義としては「否応のなさ」をも含意しているのだが、その一方で意志の因果性という場合には、それは他のすべての因果性と同様、「与えられた原因には結果が継起するが、その結果には他のさまざまな原因から反対作用をうける可能性がひしめいている、ということを意味するにすぎない」[★7]。人間の行動に適用される場合、必然性が意味しているのは、ある行動が不可避であるとか抑制できないとかいったことではなく、仮にある人の性格や気質が十分に認識できたら、その人が特定の状況下で何をするかは予想がきくようになる、ということにすぎない。ミルは次のように述べている。

人間の行動はすべて必然的に起こると言うときにわれわれが言わんとしているのは、単に、それらの行動は何も邪魔するものがなければ確実に生じるだろう、ということにすぎない。食べ物が得られない人たちには、窮乏で死ぬのは必然だと言うとき、われわれが意図しているのは、死を阻止するどんな試みが為されようと、「窮乏が続くかぎり」死は確実に起こるだろう、ということなのである。[★8]

さて、ミルがハリエット・テイラーと共同で書き上げた論文『自由論』の中心テーマによれば、われわれが個人の行動に干渉することが正当化されるのは、個人の行動が他者に危害を加えるものである場合に限られる。この論文は、オープンな議論と民主主義的な個人主義を提唱する、すぐれて明快な著作である。ミルは、このうえもなく独創的な意見でさえ、「遠く広い範囲にわたって燃えあがるどころか、それらを生んだ思索的で研究熱心な人たちのあいだでわずかにくすぶりつづけるだけで、真実の光によってであれ、虚偽の光によってであれ、それらが人類の一般的問題を照らし出すことは決してない」★9ことを嘆いている。一八六〇年から六一年にかけての冬にアヴィニョンで執筆されたが一八六九年になるまで刊行されなかった『女性の隷属』のなかでミルが雄弁に論じているところによれば、女性たちがある種のふるまい方を発達させたのは、彼女たちが男性支配に従属させられてきたからであって、彼女たちが生まれつきそのようにふるまう傾向を身につけていたからではない。男性と女性のどちらか一方だけが選択の自由を享受するような関係に男女が関与するのは、それ自体道徳的に悪なのだ。この論文の末尾で彼は、男女のあいだで可能となる次のような結婚については、あえて論じることはすまいと述べている。

それは、洗練された能力をもち意見や目的を同じくするふたりの男女の場合である。彼らのあいだには、くだんの最良の種類の平等やそれぞれ互いに卓越した力や能力の類似性が存している。――そのため彼らは、それぞれに相手を尊敬するという贅沢を享受し、交互に発展の道へと導き導かれるという喜びをもつことができるのである……★10。

彼はまたこうも続けている。すなわち、「それを思い描くことのできる者たちにとっては足りないものは何もない。が、それができない者たちにとって、それは狂信家の夢のように思われるかもしれない」と。すべてこうしたことは、彼とハリエットとの関係を思わせる。とはいえ、この論文は激しい感情を託されているにしても、彼の書いた他のすべての著作と同様に、いぜんとして明晰で秩序正しい作品となっている。それがあらわにしている、物事のあらゆる側面を考慮しようとする公正さと熱心さは、彼のほとんどすべての著作を特徴づけているのである。

★注

1 本書のベンサムの項参照、二〇九頁〜。

2 J. S. Mill, *Utilitarianism*, Ch.2.（J・S・ミル「功利主義論」伊原吉之助訳『世界の名著38・ベンサム、J・S・ミル』中央公論社、一九六七年、四六七頁、「功利主義」水田珠枝、永井義雄訳『世界の大思想II-6・ミル』河出書房、一九六七年、一一二頁）

3 Ibid.,Ch.4.（同書、第四章）

4 三段論法についてさらにくわしくは、本書の五九頁参照。

5 J. S. Mill, *A system of logic*, Book III, Ch. 3, § 1.（ミル『論理学体系：論証と帰納』3巻、大関将一、小林篤郎訳、春秋社、一九五八年、四六頁）

6 Ibid., Book III, Ch. 5, § 3.（同書、八七頁）

7 Ibid., Book VI, Ch. 2, § 3.（『論理学体系：論証と帰納』6巻、大関将一、小林篤郎訳、春秋社、一九五九年、一五頁）

8 Ibid.（同書、一五頁）

9 J. S. Mill, *On liberty*, Ch.2.（J・S・ミル「自由論」早坂忠訳『世界の名著38・ベンサム、J・S・ミル』中央公論社、一九六七年、二五一〜二頁、「自由について」水田洋訳『世界の大思想II-6・ミル』河出書房、一九六七年、三六頁）

10 J. S. Mill, *The subjection of women*, Ch.4.（ミル『女性の解放』大内兵衛、大内節子訳、岩波文庫、一九五七年、一八三頁）

本書の次の項を参照

ヒューム、ベンサム、ホッブズ

ミルの主な著作

・*A system of logic*（1843; 8th edn, 1872）（『論理学体系：論証と帰納』1-6巻、大関将一、小林篤郎訳、春秋社、一九四九〜五九年）

・*Principles of political economy*（1848; 7th ed, 1871）（『経済学原理』1-5巻、末永茂喜訳、岩波文庫、一九五九〜六三年）

- *On liberty*（1859), Everyman Library, no.482（J. M. Dent, London, 1929）（「自由論」早坂忠訳『世界の名著38・ベンサム、J・S・ミル』中央公論社、一九六七年、「自由について」水田洋訳『世界の大思想II-6・ミル』河出書房、一九六七年、『自由論』塩尻公明、木村健康訳、岩波文庫、一九七一年）
- *Utilitarianism*（1861), Everyman Library, no.482（J. M. Dent, London, 1929）（「功利主義論」伊原吉之助訳『世界の名著38・ベンサム、J・S・ミル』中央公論社、一九六七年、「功利主義」水田珠枝、永井義雄訳『世界の大思想II-6・ミル』河出書房、一九六七年）
- *Considerations on representative government*（1861; 3rd edn, 1865）（「代議政治論」山下重一訳『世界の名著38・ベンサム、J・S・ミル』中央公論社、一九六七年、「代議制統治論」水田洋、田中浩訳『世界の大思想II-6・ミル』河出書房、一九六七年、『代議制統治論』水田洋訳、岩波文庫、一九九七年）
- *The subjection of women*（1869), Everyman Library, no.825（J. M. Dent, London, 1929）（『女性の解放』大内兵衛、大内節子訳、岩波文庫、一九五七年）
- *Autobiography*（1873), ed. J. J. Coss（Columbia University Press, New York, 1924 and 1944）（『ミル自伝初期草稿』山下重一訳、御茶ノ水書房、一九八二年、『ミル自伝』朱牟田夏雄訳、岩波文庫、一九六〇年）

ミルの著作は、*The collected works of John Stuart Mill*, ed. J. M. Robson（21vols, University of Toronto Press, Toronto and London, 1963-86）に収められている。

参考文献

- Annas, J. 'Mill and the subjection of women', *Philosophy,* vol.52(1977), pp.179-94.
- Day, J.P. 'John Stuart Mill' in D.J.O'Conner（ed.）, *A critical history of Western philosophy*（The Free Press, New York, 1964; Macmillan, London, 1985）
- Gray, J. *Mill on liberty: a defence*（Routledge and Kegan Paul, London 1983）
- Robson, M. *The improvement of mankind: the social and polotical thought of J.S.Mill*（University of Toronto Press, Toronto and London, 1968）
- Ryan, A. *J.S. Mill*（Author Guides Series, Routledge and Kegan Paul, London, 1974）
- St J. Packe, M. *The life of John Stuart Mill*（Secker and Warburg, Loncon, 1954）
- Schneewind, J.B.(ed.) *Mill: a collection of critical essays*（Macmillan, London, 1968）

ゼーレン・キルケゴール

Soren Kierkegaard
1813–1855

哲学の歴史においてキルケゴールの思想は、ヘーゲルの広大な抽象性に対する個人主義的な反動という立場に立っている。彼はニーチェとならんで実存主義の主要な創始者ならびに代表者と見なされている。彼は自分自身のことを、「利己的に外界から自らを切り離し、ひとり孤独に天をめざして立っている松の木のような」存在だと書いている。そして彼が自分自身を指し示す呼び名は「かの個人」であった。彼は言う、「個人とは、宗教的な観点からすると、われわれの時代が、われわれの人種が、そしてその歴史が通過しなければならないカテゴリーなのである」[1]と。彼は情熱的なまでにキリスト者であったが、ひとの個人的な実存の意識を鈍らせてしまうような組織化された宗教や教説は、どんなものも徹底して軽蔑していた。彼はたとえばこう述べている。「何を考えるにせよ、自分がひとりの実存する個人だと考えるのを忘れてしまうことがあるような思想家は、決して人生を解明することなどないだろう。彼はただ、ひとりの人間であることをやめようとしているにすぎないのだ」[2]。彼の哲学が身をもって示しているのは、彼の時代の合理的［理性的］人間主義への持続した攻撃と、「信仰の飛躍」というひとつの新しい関与への願いである。そうした飛躍にあっては、情念や感情が理性や知性と同様の重要性をもち、人間の内面的で個人的な生が意味や価値の源として認められることになる。

キルケゴールの著作はふたつの主要部分に区別される。一八四一年から一八四六年のあいだ、彼は多くの異なった偽名を使って一連の作品を書いた。この時期に含まれるのは、『あれかこれか』（一八四三年）『反復』（一八四三年）『不安の概念』（一八四四年）『哲学的断片』（一八四四年）『人生行路の諸段階』（一八四五年）そして『結びとしての非学問的あとがき』（一八四六年）である。一八四八年からキルケゴールの没年までの時期に書かれた第二の著作グループは、社会に根本的な変化をもたらそうという突然芽生えた使命感が生み出したものである。このグループには、『キリスト教講話』（一八四八年）『あれかこれか』の第二版（一八四九年）『死にいたる病』（一八四九年）『キリスト教の修練』（一八五〇年）『教化的講話』（一八五〇年）『みずからを裁け』（一八五一〜二年）そしてジーランド島の司教であったマルテンセンへの反論として書かれた一連の論文が含まれる。

キルケゴールはコペンハーゲンに生まれた。コペンハーゲンはデンマーク政府の拠点であり学問の中心地でもあるが、その当時はまだ緊密な共同体を支える小さな田舎町にすぎなかった。彼は活発な子どもだった。たいへん知性的で元気もよく、しばしば早熟でもあった。彼の父は三度結婚したが、その二番目の妻との子どもである七人兄弟の末っ子であった。彼の教育は彼の父、ミカエルに任された。彼はこの父にたいへんな親近感を抱いていたのであり、彼から多くのことを学んだ。けれどもそうした見かけの背後で、この一家は悪性の抑鬱症によって冒されていたように思われる。ミカエルはひそかに、出産時に亡くなった最初の妻に対する自分の不貞が「絶対に過つことのない法」の施行によって罰せられるはずだと信じていた。この不安が実現したと彼に思われたのは、一〇年ほど経って、彼の二番目の妻と子どもたちのうちの五人が相次いで亡くなり、一八三五年までには彼自身とゼーレンと、抑鬱症が進んでいたその兄だけが取り残されたときであった。ゼーレンはこうしたことすべてに反撥して、放蕩生活に身を任せるようになった。そうした時期は、彼が父の死の直前に、父と和解した一八三八年まで続いた。一八四〇年、キルケゴールはレギーネ・オルセンと婚約することになった。ところが彼は、自分の気持ちをたびたび反省し自分の家庭事情についてもくよくよと思い悩んだあげく、自分は彼女と結婚することはできないと決意するにいたった。こうして彼の婚約は、それが為されたときと同じようにコペンハーゲン市民たちの注視のなかで、破棄されたのである。

それ以降、彼はますます著述活動に専念し、その都市での知的生活にのめり込み、著名人になっていった。彼は外見的に目立つ方だった。きゃしゃな体格で曲がった背骨をもち、そのため彼は後ろに傾いたぎこちない歩き方をした。その頭は大きく、金髪はぼさぼさで、うすいブルーの瞳とよく人目につく鼻と口をしていた。彼を知る者たちは彼の際限のない魅力と快活さ、そして人に好かれる愛想の良さを証言している。コペンハーゲン大学の哲学教授は次のように書いている。

彼の微笑み、そして彼のまなざしは筆舌に尽くしがたいほどに表情豊かだった。彼はちょっと離れていても単にまなざしだけでひとに挨拶する独特のやり方を身につけていた。それはまさにほんのちょっとした目の動きにすぎなかった。しかしそれでも、それは十分に多くのものを伝えていたのである。彼は何かかぎりなく優しく愛らしいものを自分の視線に込めることができた。だが彼には同じようにして、人々をからかい激しい興奮へとかりたてることもできたのだ。[★3]

とはいえ、こうした物腰の内面にあるのは、キルケゴールの日記が明らかにしているように、憂鬱でありときとして絶望であった。一八三六年三月に彼はこう書いている。

> わたしはあるパーティーから戻ったところだ。わたしはそのパーティーの主役だった。わたしの唇からは機知あることばが溢れ出て、みんなは笑い、わたしに感心した。——だが、わたしは逃げ出した。——この棒線は地球の軌道ほども長くなければならない。
> ——————そしてわたしは自分を撃ち殺したかった。[★4]

キルケゴールがヘーゲルの哲学に異議を唱えたのは、その哲学が、現実的で個別的であるものよりも概念や抽象的なものの方を重要だと見なしていたからである。ヘーゲル的な観点からすれば、個人が彼もしくは彼女の本質を実現するのは、もっぱらそれが、大いなる弁証法的過程のたどる諸々の出来事の、現段階での姿のひとつの表現ないしは現われであるからにすぎない。[★5] これに反対して、キルケゴールは次のように主張した。すなわち、個人としての人間の意志や選択の事実は最高の重要性をもっているのであり、それらを無視して人間をある不可避の過程の単なる要素と見なすことは、哲学的に誤りであるばかりか道徳的にもまちがっているのだ、と。つまりそれは責任の放棄なのである。彼の実存主義は、サルトルやマルセルといったもっと後のまったく異なった実存主義者のそれと同じ核をもっている。すなわちそれは、何ものにも規定されない選択という概念である。[★6] 彼の考えによれば、生粋の選択は基準に訴えるようなものではない。というのも、もしそうなら、ひとの選択はそうした基準によって規定されてしまうからである。そうではなくて、それはまさに疑念や不確実さのただなかから選択することなのだ。この選択こそが、〈神〉の受肉を主張すると同時に、それはまた知的・客観的には一種のばかげたこと［不条理］なのだとも認めるような、信仰の飛躍なのである。こうした主張もしくは信仰の飛躍は、経験や他人の忠告に準拠することなしに為されなくてはならない。つまりそれは、自分の個人としての完全な分離・独立と自分自身への責任を必ず伴う。それは、「ある個人にとって、〝天と地とそのなかにあるすべてのもの〟よりも、また六千年にも及ぶ人間の歴史よりもはるかに重大な意味をもつはずの倫理的現実[★7]」を成就する唯一のやり方である。この飛躍を行うことこそ、人間であることの意味なのである。しかもそれは、「一度行えば」永遠に行われてしまうような何かなのではない。というのも、倫理的現実は継続性を要求するものとして、たえず更新されねばならないからである。「一人の実存する個人にとって運動の目標は、ある決心に到達してそれを更新することである[★8]」。『結びとしての非学問的あとがき』のなかでキルケゴールは次のように書いている。

> このようなやり方で意志したことをとおして、つまり、最強度の主観的情念のなかで自分の永遠の責任を十分意識しながら決定的な一歩を踏み出す危険を冒したことをとおして（このことはすべての人間に可能なことなのだ）、ひとは人生について何か別のことを学ぶのであり、人生とは、年から年中あるシステムのために何かをつなぎ合わせて作り出す作業に拘束されているようなこととはまったく別のことであると学ぶのである[★9]。

キルケゴール自身の人生の展開は、彼が人間にとって可能だと見なしている三つの発展段階において考察されている。『あれかこれか』のなかで彼は、美的なものを倫理的なものと対照させている。美的段階においてひとは、あらゆる領域の快楽をロマン主義的に追求することによって倦怠や人生の苦痛から逃れようとするが、望まれている生き生きとした個人的経験を成就するにはいたらない。その結果が絶望である。だが絶望は結局のところ、倫理的な価値への関与へとひとを動機づけることができる。そうなると、義務への献身や客観的道徳性の命令への服従によって、さらに高い段階への達成が求められることになる。けれども経験はここでふたたび個人としての意味を欠いてしまい、自分の個別的実存を確証するのに失敗する。ある変化が起こるのは、ひとが宗教的な段階に前進する場合だけである。この前進は、自分が死すべき定めにあり罪深い者であること、客観的な倫理は自分自身に意味を与えるには不十分であること、そしてわれわれの美的探求や倫理的探求すべての根底をなしているまったき空虚に対する不安、これらを認めることを選択することによって行われる。信仰の飛躍を行うこと、しかもその際何度も繰り返しそれを行うこと、これが宗教的段階の活動である。「ひとは信仰においてのみ実存し始める」のであり、本物の人生にとって決着済みのシステムとか公式とかは決してありえない。あるのはただ、根拠のない選択によって自分の状況のなかにたえず能動的に住み続けることだけなのだ。というのも、「人生は前向きに生きられねばならないが、人生の理解は後ろ向きに為されなければならない」からである。『日記』の見出しにキルケゴールはこう書き付けていた。「大切なのは、わたしにとって真であるような真理を見出すこと、わたしがそれのために生きかつ死ぬことができるような観念を見出すことである★10」と。

キルケゴールはめざましい著述家であったし、彼の明敏さと情熱は、彼の書いたほとんどすべての著作のなかで誰の目にもあきらかである。彼の哲学は彼自身の人生と個人的な経験に結びついており、また実際、そこから発してもいるのだが、それにもかかわらずその哲学は、われわれに共通の人間体験を構成するようなさまざまな観点や直観を身をもって示してくれている。主体性に対する彼の関心は、人間の個人の価値についてのひとつの新しい種類の哲学的感受性とひとつの新しい考察への道を拓いてくれた。しかしながら、主体性に対する同じ関心はまた、真に興味深くはあるにしてもいささか心もとない結果をも生み出してしまった。それというのも、キルケゴールが信じたところでは、真理というのはある主体にとっての真理のことであって、そうでなければ空しいものだからである。この考えは、物事はどのように見えるのかという［主観的］問題と、実際のところ物事はどうなっているのかという［客観的］問題の区別を、すっかりなくしてしまうように思われる。

★注

1 Kierkegaard, *The journals of Kierkegaard 1834-1854*, trans. A. Dru (Fontana/Collins, London, 1958), p. 133.

2 Kierkegaard, *Concluding unscientific postscript* (Princeton University Press, Princeton, 1941) p.85.（キルケゴール「哲学的断片への結びとしての非学問的あとがき」杉山好、小川圭治訳『キルケゴール著作集7』白水社、一九九五年、一六七頁）

3 *The journals*, Introducion, p.9 からの引用。

4 Kierkegaard, *Journals*, pp.50-1.（キルケゴール「日記」大谷長訳『キェルケゴオル選集13』人文書院、一九四九年、一三二頁）

5 本書のヘーゲルの項参照、二一四頁〜。

6 本書のサルトルの項参照、三五二頁〜。

7 Kierkegaard, *Concluding unscientific postscript*, p.305.（キルケゴール「哲学的断片への結びとしての非学問的あとがき」杉山好、小川圭治訳『キルケゴール著作集8』白水社、一九九五年、二七九頁）

8 Ibid., p.277.（同書、二三三頁）

9 Ibid., p.270.（同書、二二一頁）

10 Kierkegaard, *Journals*, pp.44.

本書の次の項を参照
サルトル、ニーチェ、ハイデガー、ヘーゲル

キルケゴールの主な著作

- *Either-or*, vols. I and II（1843）（「あれかこれか」浅井真男、志波一富、新井靖一、棗田光行訳『キルケゴール著作集1-4』白水社、一九九五年）
- *Fear and trembling*（1843）（「おそれとおののき」桝田啓三郎訳『世界の大思想24・キルケゴール』河出書房、一九六六年、同訳『キルケゴール著作集5』白水社、一九九五年）
- *Philosophical fragments*（1844）（「哲学的断片」矢内原伊作訳『世界の大思想24・キルケゴール』河出書房、一九六六年、「哲学的断片」杉山好訳『世界の名著51・キルケゴール』中央公論社、一九七九年、「哲学的断片」大谷愛人訳『キルケゴール著作集6』白水社、一九九五年）
- *The concept of dread*（1844）（『不安の概念』斎藤信治訳、岩波文庫、一九七九年、「不安の概念」原佑、飯島宗享訳『世界の大思想24・キルケゴール』河出書房、一九六六年、「不安の概念」田淵義三郎訳『世界の名著51・キルケゴール』中央公論社、一九七九年、「不安の概念」氷上英廣訳『キルケゴール著作集10』白水社、一九九五年）
- *Concluding unscientific postscript*（1846）（「哲学的断片への結びとしての非学問的あとがき」杉山好、小川圭治訳『キルケゴール著作集7-9』白水社、一九九五年）
- *Christian discourses*（1848）

・*The sickness unto death*（1849）（『死に至る病』斎藤信治訳、岩波文庫、一九五七年、「死にいたる病」桝田啓三郎訳『世界の名著51・キルケゴール』中央公論社、一九七九年、「死にいたる病」松浪信三郎訳『世界の大思想24・キルケゴール』河出書房、一九六六年、同訳『キルケゴール著作集11』白水社、一九九五年）

・*An edifying discourse*（1850）

以上すべての著作は、Princeton University Pressより出版されており、ペーパーバック版もある。また、*A Kierkegaard anthology*, ed. R. Bretall（Princeton University Press, Princeton, 1946）も参照。

参考文献

・Blackham, H.J. *Six existentialist thinkers*（Routledge and Kegan Paul London, 1961）, Ch.1
・Hannay, A. *Kierkegaard*（Routledge and Kegan Paul, London, 1982）
・Lowrie, W. *A short life of Kierkegaard*（Princeton University Press, Princeton, 1942）

カール・マルクス

Karl Marx
1818–1883

マルクスは二〇世紀の生活に深く広くいきわたる影響を与えている。彼の思想は数百万人の人生に影響を及ぼしているし、近代社会の多くの局面に、とりわけ歴史、社会学、経済学、哲学、そして芸術に衝撃を与えた。彼の観念の多くは、フロイトのそれと同様に、今日ではわれわれの文化的遺産の一部となっている。

彼はドイツのライン地方のトリーアに一八一八年、ユダヤ人の家系として生まれた。彼は一七歳のときボン大学の法学生になったが、むしろ広範囲に活動し、父親の進言もあってその後ベルリン大学に転学した。ベルリンで彼は哲学に転向したが、本気で博士論文の仕事に取りかかったのは、彼の父の死によって自分の金銭的事情や生涯の見通しについて考慮せざるをえなくなった後であった。この論文は一八四一年に受理されたが、彼の期待していた大学の講師職は得られなかった。そこで彼はジャーナリズムに転向し、政治問題や社会問題についての執筆で大いに活躍し、一八四二年には『ライン新聞』の主筆になった。だがその職は長くは続かなかった。プロシア政府がその新聞に圧力をかけたため、一八四三年、結婚したてのマルクスは若妻イェニーを連れてパリにわたり、そこで『独仏年誌』のために執筆を始める。ところがこの企てもまた失敗に終わる。この『独仏年誌』の革命的考えのゆえに、プロシア政府はその編集者たちの逮捕状を発効させたのだ。これは、マルクスがプロシアには帰れなくなったことを意味していた。彼はフランスにとどまって自らの政治的考えや哲学的考えを発展させ、フリードリッヒ・エンゲルスとの友好協力関係を始めた。一八四七年、彼はロンドンに行って共産主義者同盟の新たな結成会議に参加し、エンゲルスと共同でこの同盟の教説の簡単な宣言文を起草する任務を託された。この宣言文、つまり『共産党宣言』は一八四八年に出版された。

それまでマルクスは、祖国やフランスやベルギーでは政治的不評をかっていた。そこで一八四九年、彼は家族をロンドンに住まわせて、その地で余生を送ることになる。それ以降数年のあいだ、彼にはすべてが酷しく困難であった。一家は生活費にも困窮していたうえ、子どものうちふたりが幼くして亡くなり、おまけに八歳になったばかりの長男エドガーまで次いで病死したからだ。それでもマルクスは精力的に仕事をこなした。多くの新聞記事や自らの著『資本論』の草稿を書き、あらゆる種類の政治的議論や論争にも加わったのだ。

彼が五〇代になるころまでには、彼の考えは確立されたものになりつつあった。『資本論』は一八七二年にロシア語に翻訳されて広く読まれるようになったし、そのころまでにはよく知られるようになっていたマルクスは、ヨーロッパ中の志を同じくする理論家たちとの定期的な接触も楽しんだ。だが彼の晩年はまたしても家族の死によってつらく不幸なものとなった。孫が幾人か幼いまま亡くなり、一八八一年には彼の妻がみじめにも長い闘病の末に亡くなった。さらにこの喪失には一年後、彼の娘のひとりの死が追い打ちをかけた。マルクス本人はその翌年、一八八三年三月一四日に亡くなった。

マルクスが一八三〇年代のおわりにはじめて自分の考えをまとめ始めたころ、ベルリン大学で支配的だったのはG・W・F・ヘーゲルの哲学であった。[★1] ヘーゲルは〈精神〉の実在をひとつの普遍的な霊魂として立てていた。彼は次のように主張した。すなわち、個々の個人的精神は普遍的〈精神〉の一部なのに、この究極の統一を意識していないため、〈精神〉はそれ自身から外化ないしは疎外されているのだ。だがそれでも個人の精神は、精神自身の統一を徐々に認知することによって、いっそう大きな自由の状態に向かって発展し、また必然的に発展しなければならない。この自己認識は弁証法的過程によってもたらされる。ヘーゲルの弁証法とは、動的に進展する一種の対立である。そこではまず定立という最初の概念が、反定立というそれとは反対の概念によって反駁される。この対立は綜合の内で極まり、この綜合が最初のふたつの立場の内にある理性的[合理的]なものを保存・結合して、新たな定立の基盤を形づくるのである。弁証法は以上のようにして進行する。

ヘーゲルの後を継ぐ者たち、特に青年ヘーゲル派は、〈精神〉が究極の実在だとするこの思想に満足していなかった。しかしその一方で彼らは、自分たちが自己疎外と見なしていたものを歴史的かつ弁証法的な自己認識過程をとおして廃棄して、人間性を解放することを望んでいた。しかも彼らは、宗教を**疎外**の一形態と見なしていた。つまりその疎外によって、人間は、自分たちの資質である善や英知の一切を、本質的に人間的な資質として認める代わりに、ひとつの隔絶した〈神〉に帰属させてしまったというのである。以上がマルクスの思想を生み出した地盤であった。フォイエルバッハのこうした考えを受けて、マルクスは真の実在としての〈絶対者〉や〈精神〉というヘーゲルの概念を退け、その代わりに、自らの哲学の中心に人間や人間の意識をおいたのである。彼は徐々に、労働や生産や売買や貨幣と結びついて発展する社会的関係こそが、人間の歴史を規定する力なのだと考えるようになった。彼によれば、ある特定の時代に成り立っている社会的関係は、物質的な生産力のある発展段階に対応しているのであり、この関連した力すべての複合体が、社会の経済構造をつくりあげているのだ。彼は次のように書いている。

物質的な生活における生産様式が、社会的・政治的そして精神的な生活過程の一般的性格を規定している。人間たちの意識が彼らの実在を規定しているのではなく、むしろ反対に、彼らの社会的な実在こそが彼らの意識を規定しているのだ。[★2]

マルクスの主張によれば、発展が進行するにつれて、物質的な生産力が現実に存在する生産関係と葛藤をきたすような時点が到来する。その結果、かつては発展であったものが人々にとっての桎梏に変わる。つまり社会革命の時機が到来するのだ。とはいえ、「いかなる社会秩序も、まだ存在する余地のある生産力がすっかり発展させられるまでは、決して消失することはないし、新たなより高度の生産関係も、古い社会のふところで物質的な存在条件が成熟してくるまでは、決して現われることはない[★3]」。彼がここで示唆しているのは、手仕事、道具、機械、原料といった生産力が、生産システムの内部で、使用する者たちと使用される者たちのあいだに「生産関係」を生じさせるのだということである。生産関係とは、地主と小作人、工場所有者と工場労働者などのあいだに成り立っているような関係である。そうした関係は、社会の経済構造をつくりあげると同時に、社会の政治的・道徳的・精神的な上部構造の支えにもなる。こうしてマルクスの主張は、ついに、経済的な力こそが生活のあらゆる局面を規定していると述べるにいたるのであるが、これはおそらく彼の全学説のなかでも最も議論の多い主張であろう。ヘーゲルがいっそう大きな自己意識に向かっての〈精神〉の必然的進展を信じたように、マルクスは人間の物質的な生活と人間の本性が、それらを支配する力を通して、統一と調和に向けて必然的に発展すると信じたのである。

彼の注意が精神的現実よりも物質的で物理的な現実に焦点を合わせられると、ただちにマルクスは、労働者階級ないしプロレタリアを、彼らが真の困窮をかかえてどこにでも存在している点で、わけてもまた彼らが徹底した自己疎外にさらされている点で、最高度に重要な力として選び出した。物質的な弁証法の過程では、プロレタリアはあきらかに財産の私的所有という定立に対する強力な反定立の役割を負わされたのであり、かくしてプロレタリアは、人類の自己救済の弁証法的前進において必須の役目を果たすのである。人間の労働とそれに伴う経済的意味こそが、マルクス弁証法の形式的構造の実質的内容となるべきものだった。彼が信じたところによれば、人間の本質は能動的にものをつくりだす点にこそあるのだが、そのことは、人間に制御できなかったり人間の働く能力を搾取して人間を互いに競わせたりするような生産システムの内部では、成り立たない。マルクスは、ほとんどあらゆるところに広がっていると自らの見なすそうした「非人間的な」状況は、人々の労働を搾取してきた私有財産と賃金と労働システムを廃棄することによってしか変えられない、と力説する。こうした方策は、すべてのものを市場価値の観点から見なければならない状態から人々を解放するであろう。つまりそれは人々に、ものを売買の道具と見なすかわりに、ものの本来の姿と存在を享受することを可能にしてくれるだろう。さらに彼は、こうしたことすべてが起こらなければならないし、また実際に起こるだろうと信じていた。というのも、唯物弁証法はヘーゲルの唯物論的ならざる弁証法と同様に、歴史的必然という筋道にそって不可避的に進行するものだからである。ただしこの弁証法は、それに関与する者たちによって意識的に思い描かれるものではない。『聖家族』のなかでマルクスは次のように記している。

> あれこれのプロレタリア運動が、はたまた全プロレタリア運動でさえもが、そのときどきに何を目標として思い描いているのかが問題なのではない。プロレタリアが現在何であるのか、したがってまたプロレタリアが何をなすよう歴史的に強制されているのかが問題なのだ。プロレタリアの目標と歴史的行動は、それ自身の生活状況においても、今日の市民社会の全態勢においても、取り消しようもないかたちではっきりと定められるのである。★4

マルクスは自らの経済理論を『資本論』のなかで展開した。彼がそこで示そうとしているのは、資本主義がそれ自身の内部にそれ自身の解体を引き起こすようなものをかかえている、ということである。彼は以下のように論じている。資本家は自分の雇う労働者たちから剰余を要求することによって自らの利益を得ている。しかし資本はつねに増大していくものなのだから、資本に対する労働の割合は徐々に減少していく。これが意味しているのは、結局のところ利益率は減少しなければならないということ、それゆえ資本主義は終末を迎えるだろうということである。経済学者たちはこの理論をきびしく批判してきた。その大きな理由は、この理論がマルクスの主張に反して、科学的検証によって裏付けされていないこと、具体的な出来事によって立証されていないことである。とどのつまりこの理論は、精神についてのヘーゲルの学説がそうであったように、**形而上学**的な学説なのだと言うのである。しかしこのことは、マルクスの仕事が価値や重要性をもたないという意味ではない。それは資本主義に関する詳細で独創的な批判と、社会の社会的・政治的・経済的次元に対する新たな展望をもたらしてくれたばかりか、人間の本性や人間の自由についての深遠な問いをもたらすことによって人間が自分自身についてもつ考え方や願望にも根底的な影響を与えてくれたからだ。数多くの「哲学」がそれを起点として展開されてきた。ただしマルクス自身は、自分の思想が哲学と見なされることを望んでいたわけでは決してなかったようだ。彼はほとんどの哲学を、彼が克服しようと望んでいた疎外の現われと見なし、彼が予言した社会革命の結果として消え去ってしまうようなものと見なしていたからだ。要するに、正義とか理性といった哲学の幻の概念は雲散霧消して物質的現実と化してしまうだろうと信じていたのである。ところが、マルクスの後継者たちの多くは、彼のさまざまな観念を建て直し、それらの観念すべてから自分たちに可能なあらゆるものを展開させ、マルクス自身が十分に論じていた政治的・社会的・経済的関心事に関してばかりでなく、倫理・美学・神学・形而上学そして**認識論**に関してもマルクス的な観点を練り上げ、彼の仕事から出発してあらゆる領域に及ぶシステムをつくりあげてしまった。そうしたシステムの多くは、互いに両立しえないものであることを示しているとはいえ、それにもかかわらずそれらは、人間の社会に対するマルクスの批判のもつ生産性を立証してもいるのである。

マルクスが書き残した文書は膨大であった。今日旧東ドイツで準備されている彼の著作集のある版は、ほとんど百巻に達するほどである。彼の作品の注釈書、批判書、解説書もそれに比例して数多く出されており、数千冊に達するほどである。そのうちマルクスに関する膨大な量の文書が、彼の考えがもたらした深甚な態度変更について示唆している。それは、一人の個人的行為者の視点から生活を経験するというスタンスから、その経験にじっと注意を凝らす一人の観察者というスタンスへの態度変更である。マルクスがハムステッドのハイゲイト墓地に葬られたとき、フリードリッヒ・エンゲルスが送った告別の辞のなかに次のようなことばが含まれていた。

> 彼の生涯の使命は、あれこれの仕方で資本主義社会の転覆に貢献すること……今日のプロレタリアの解放に貢献することであった。彼はプロレタリアに自分たち自身の立場と欲求を意識させ、そして自らの自由を勝ち取ることができるための条件を意識させてくれた最初の人物であった。闘争が彼の活動の場であった。そして彼は、ほとんどのひとが対抗できなかった情念や頑迷さや成功と戦った。……その結果、彼はこの時代の、ひとから最も憎まれ中傷された人物となった。……彼は死んだ。シベリアの鉱山からカリフォルニアの海岸にまでおよぶ数百万人の革命的同志の労働者たちに愛され、尊敬され、悼まれながら。……彼の名前と彼の仕事は世代を超えて生き続けるであろう。★5

★注

1 本書のヘーゲルの項参照、二一四頁〜。
2 K.Marx, *A contridution to the critique of political economy*, Preface.（マルクス『経済学批判』武田隆夫ほか訳、岩波文庫、一九五六年、一三頁）
3 Ibid.（同書、一四頁）
4 K.Marx, *The holy family* in D. McLellan (ed.), *Karl Marx: selected writings* (Oxford University Press, Oxford, 1977), pp.134-5.（マルクス、エンゲルス『聖家族』石堂清倫訳、岩波文庫、一九五三年、六四頁）
5 F.Engels, quoted in I. Berlin, *Karl Marx: his life and environment* (Oxford University Press, Oxford, 1978), p.206.

本書の次の項を参照
ニーチェ、ヘーゲル、ミル

マルクスの主な著作

- *The poverty of philosophy*（1847）, trans. H. Quelch（Twentieth-Century Press, London, 1900）（「哲学の貧困」岡崎三郎訳『世界の大思想II-4・マルクス』河出書房、一九六七年）
- *The Communist manifesto*（1848）, ed. A. J. P. Taylor（Penguin, Harmondsworth, 1967）（『共産党宣言』大内兵衛、向坂逸郎訳、岩波文庫、一九七一年、「共産党宣言」都留大治郎訳『世界の大思想II-4・マルクス』河出書房、一九六七年）
- *Grundrisse*（1857-8）The Introduction to the next item（Penguin, Harmondsworth, 1967）（『経済学批判要綱』五分冊、高木幸二郎監訳、大月書店、一九五九〜六五年）
- *A contridution to the critique of political economy*（1859）, trans. N. I. Stone（University of Chicago Press, Chicago, 1904）（『経済学批判』武田隆夫ほか訳、岩波文庫、一九五六年）
- *Capital*（1867 onwards）,（3 vols. vol. I , Penguin, Harmondsworth, 1967）（「資本論」長谷部文雄訳『世界の大思想18-21・マルクス』河出書房、一九六四〜六五年、『資本論』1-9巻、向坂逸郎訳、岩波文庫、一九五二年、「資本論」岡崎次郎訳『マルクス、エンゲルス全集23-25』大月書店、一九六五〜六七年）

英語での著作集は刊行中（Lawrence and Wishart, London, 1875- ）である。彼の著作のすぐれた選集としては、*Karl Marx: selected writings*, ed. D. McLellan（Oxford University Press, Oxford, 1977）があり、また、an 8-volume Marx Library が Penguin から出版されている。

参考文献

- Adams, H.P. *Karl Marx in his earlier writings*（Allen and Unwin, London, 1940）
- McLellan, D. *The Young Hegelians and Karl Marx*（Macmillan, London, 1969）
- —— *Karl Marx: his life and thought*（Macmillan, London, 1973）
- Ollman, B. *Alienation: Marx's conception of man in capitalist society*, 2nd edn.（Cambridge Univeristy Press, Cambridge, 1977）
- Singer, P. *Marx*（Oxford University Prress, Oxford, 1980）.
- Tucker, R. *Philosophy and myth in Karl Marx*（Cambridge University Press, Cambridge, 1961）

チャールズ・サンダース・パース

Charles Sanders Peirce
1839–1914

パースはプラグマティズムの創始者であった。彼はプラグマティズムを「難しい語や抽象的な概念〈conception〉の意味を規定する方法」と評していた。プラグマティズムの主流は、表現はあいまいだがよく知られている格率、つまりパースが一八七八年につくりだした次のような格率から発展してきた。「われわれの概念の対象が、実践的に結実するかもしれないと考えうるものとしてはどのような効果を及ぼすと考えられるか、その点をよく考察してみたまえ。そうすれば、それらの効果についてのわれわれの概念が、その対象についてのわれわれの概念のすべてとなる[★1]」。彼はいくつもの哲学的分野、すなわち記号論理学、倫理学、美学、宗教、さらには**認識論**や**形而上学**においても、きわめて独創的な思想家であった。彼はいくつかの〈論理的代数学〉を考案した。それらは変形規則によって支配されたいくつかのシンボル群であって、その変形規則が適用されると、論理学のいくつかの原理のあいだにあてはまる関係性を表すために使うことのできるさらなるシンボル群が生み出され、かくしてそれらの関係性を明晰に提示してくれるのである。こうした代数学の仕事からパースが生み出してくる一般的な考えは、いかなる記号もそれが意味をもつためには、他の記号との関連で展開可能でなければならない、というものである。この考えはあれこれのかたちで、彼の数学的な仕事や論理学的な仕事ばかりでなく、彼のいっそう広範な哲学的思索そのものをも根底で支えているのである。

パースは一八三九年にマサチューセッツ州ケンブリッジで生まれた。彼の父、ベンジャミン・パースは、ハーバード大学の数学と天文学の教授だった。この父は彼の息子に数学を教育し実験のやり方を教え、そうすることで科学に対するその少年の早熟な才能を伸ばしていった。パースは一六歳のときハーバードに入学し、四年後に卒業した。その後、三〇年にわたって彼は合衆国沿岸測量部に勤めていたが、そのかたわらハーバードで断続的に論理学や科学史の講義もしていた。一八九一年、彼は測量部の仕事を辞し、自らの全関心を論理学と哲学に向けるようになった。数十年に及ぶ哲学的考察の帰結をまとめて書き上げようと思ったのである。けれども金銭上の理由から彼は、生活費を稼ぐために通俗的な論文を書かざるをえなくなり、彼が書こうと意図していた本は実現しなかった。彼は年老いるにしたがって何か世捨て人のようになっていった。性格は奇妙で孤独がちであり、無一文でなおかつ怒りっぽかった。しかしアカデミックな世界ではたいへんな尊敬を集めていた。ウィリアム・ジェームズは彼についてこう書いている。「わたしは彼の天才的資質を賞賛する点ではだれにも負けないが、彼は逆説的で知識人とは交際べたであり、いっしょに居合わせた誰ともつきあうことを嫌った」[★2]。パースが生涯の最後の年に病気になると、ジェームズは好意的に彼の療養を援助した。パースは自分の計画した著作はどれひとつ完成することなく亡くなったが、彼はすでに一〇〇篇以上の論文と、科学書や哲学書についての一五〇篇を超える論評とを書き終えていた。彼の死後、彼の未刊の草稿類はハーバード大学哲学科によって買い取られ、一九三一年から一九五八年のあいだに『著作集』として知られることになる数巻本として出版された。

プラグマティズムの主要な考えは、〈形而上学的クラブ〉と自称していたハーバードのグループの集まりで定式化されたようである。幾人かの科学者も含まれるこのクラブのメンバーたちは、諸々の形而上学理論を批判的に吟味して信念の本性について議論していた。パースの最もよく知られるようになったプラグマティズム論は、一八七八年に書かれた「いかにしてわれわれの観念を明晰にするか」という論文のなかに含まれている。彼がそこで提示しているのは、哲学的問題を解決するためのある方法もしくはテクニックである。彼は次のように言う。「ある概念の肯定や否定が含意しうるような、考えられるすべての経験的現象を正確に定義できたら、ひとはそのなかに当の概念の完璧な定義をもつことになるだろう」。ある概念や信念や観念のこうした「プラグマティックな意味」こそが、それらの意味をなしている。パースは彼の方法の一例を示すために「これは堅い」という定言命題を使っている。この命題のプラグマティックな意味は、それを「もしひとがこれにひっかき傷を付けようとするなら、成功しないだろう」というった仮言命題に翻訳することによって得られる。そのようないかなる翻訳も為されえない場合には、最初の定言命題「これは堅い」には何の意味もない。かくして彼は言う。「何かについてのわれわれの観念は、その何ものかがもつ感知可能な効果についてのわれわれの観念なのだ。そしてわれわれがそれ以外の何らかの観念をもっていると思い描くなら、われわれは都合よく誤解しているのである。……思考がそれの唯一の機能とは何か無関係な意味をもつなどと言うことは、ばかげている」[★3]と。彼は思考を、われわれが懐疑から信念へと移行するために関与する何ものかだと見なしている。彼によれば、生粋の懐疑とは、何か単に生ずるのみで知的に引き起こしえないものである。それはある不安な状態であり、それが引き金となって信念の探求が引き起こされると、信念は思考を手段として追求される。思考による懐疑の緩和は信念へと帰結する。その信念は行動習慣や行動の規則を生み出す。そして行動の規則は、それが派生してきた元の信念の意味を明らかにする。すると今度は規則や習慣が、そこから生まれる行動によって見分けられるようになる。彼は次のように述べている。

こうしてわれわれは、その区別がいかに微妙なものであろうとも、思考のすべての真の区別の根として、五感に触れることができ実践的だと考えられうるものにあえて注目する。意味の区別で、考えうる実践的区別のうちにはないほど微妙な区別など、何もないのである。[★4]

プラグマティズムについてのパースのどこか不器用な記述は、ときとして誤解にさらされてきた。彼の方法が要求しているのは、ある概念はどんな「実践的実り」をもっていると考えられるかをよく考慮すること、そしてそのようにして考えられた効果は、先に引用した「堅い」という概念をめぐる議論の際のような条件付きの命題をとおして表現しなさい、ということである。ある対象についてのわれわれの概念とはそれのもつ感知可能な実践的効果についてのわれわれの概念のことだと主張することによって彼が言おうとしているのは、ときおり誤解されてきたように、われわれが個々のケースにおいてある概念の実践的効果を観察したならば、われわれはその概念の意味を確保したことになる、ということではない。彼が言うには、プラグマティズムとは「意味を確定する方法であるが、その意味はすべての観念の意味ではなくむしろ……〝知的概念（intellectual concepts)〟の意味、すなわち、客観的事実をめぐる議論がそれの構造に基づいて左右されるような、そうした［知的］概念の意味」[★5]なのである。プラグマティズムは、用いられている言葉のいったいどこが不完全であったりあいまいであったりするのかを示すことによって、「前提されている問題が真の問題ではない」ことを明らかにすることができる。つまりプラグマティズムは、われわれの信念を明晰にするための方法であり、それらの信念に差し伸べることの可能な正当化を示すための方法なのだ。

「いかにしてわれわれの観念を明晰にするか」は、それが最初一八七八年に出版された際には、特に顕著な影響はもたらさなかった。しかし二〇年後、プラグマティズムはウィリアム・ジェームズによって採りあげられ翻案され広められることになった。パースによって詳述されたプラグマティズムは、いかにして**経験的**な意味を確証するかについての学説である。ところがウィリアム・ジェームズの手のなかでそれは、意味と真理両方の理論となってしまった。結局パースは一九〇五年、自分自身の理論を「プラグマティシズム」と改名することで、ジェームズの理論から自らのそれを切り離そうとした。このプラグマティシズムという彼の決定した語は「子どもさらいから身を守るためには十分なほど不器量」だった。とはいえ彼はジェームズに対してこのうえない敬意と感服の念を抱いてもいた。パースはこう書いている。「彼はかくも具体的でかくも生き生きしている。一方わたしはかくも抽象的な単なる目次、まさに紛糾の種にすぎない」★6と。

パースは、論理的関係に関するその仕事によって、自らが連続主義［シネキズム］(synechism)と称する進化論的な**宇宙論**を提示するにいたった。連続主義とは簡単にいえば、宇宙にはある永遠に発展する連続性と均一性へと向かう包括的な傾向が存在するとする見解のことである。パースがこの傾向の一例として挙げているのは、記憶の条件である過去と現在の連続的結びつきである。同様に、われわれの行動の習慣が獲得されるのは、思考が感情や行動と結びつくことによってである。宇宙的なレベルでみれば、自然法則は人間の習慣と等価なのだ。パースは次のように述べている。「現在において、出来事の流れは近似的に法則によって規定されている。過去において、そうした近似性はもっと完璧さが劣るものであった。未来において、それはもっと完璧なものとなるだろう。法則に従う傾向はこれまでもつねに増大してきたし、これからもつねに増大し続けるであろう」★7。このことは、遠い過去のある時点において万物は多かれ少なかれ未規定であったことを意味している。しかしそのときでさえ、パースによれば、ある種の規則性と均一性へと向けて移行しようとする傾向が現存していたのだ。というのも、「考えうるすべての現実的対象のうちには、以前の類似の機会におけるのと同様の、とはいえそれ以外の機会におけるより以上に大きな、蓋然性の活動が存在する」★8からである。とはいっても、原初のカオス状態にあって、法則に似た活動性が発展し増加するにつれて、当初は優勢であるがやがて減少していくのが偶然性である。カオスから秩序に向けてのゆっくりとだが包括的な運動は懐疑から信念への人間的進展の宇宙的等価物だ、という考えが浮かんでこよう。たしかにパースは、無限に遠い未来においては、万物は「具体的な合理性」に、すなわち、人間が諸々の法則や宇宙の内部におけるそれらの法則の相互関連のすべてに気づくことであらゆるものとの合理的で物理的な調和状態に達するような状況に、帰着するのだと語っていた。物理-心理的宇宙の観照や研究が「ある偉大な人物の作品や会話の影響力にも似た行動原理を人間に植え付けることができる」としたら、そのとき「神」とは何を意味するのかについて何かが理解されることになるはずだ、と彼は考えていたのである。

★注

1 C.S. Peirce, 'How to make our ideas clear'in *Popular Science Monthly*, vol. 12 (January 1878), pp.286-302. Also in *Collected papers of Charles Sanders Peirce*.（パース「観念を明晰にする方法」浅輪幸夫訳『偶然・愛・論理』三一書房、一九八二年、八三～八四頁）

2 W. B. Gallie, *Peirce and pragmatism* (Penguin, Harmondsworth, 1952), p.38の引用より。

3 Peirce, 'How to make our ideas clear'.（前掲訳書、八三頁）

4 Ibid.（同書、八二頁）

5 Gallie, *Peirce and pragmatism*, p.11 参照。

6 J. Passmore, *A hundred years of philosophy* (Penguin, Harmondsworth, 1968), p.102 の引用より。

7 Gallie, *Peirce and pragmatism*, p.218 に引用された一八九〇年の日付のある断片より。

8 Ibid.

本書の次の項を参照

ジェームズ、フレーゲ、ベルクソン

パースの主な著作

・*Collected papers of Charles Sanders Peirce* (8 vols., 1931-58), vols. 1-6 ed. C. Hartshorne and P. Weiss; vols.

7,8 ed. A. Burks, (Harvard University Press, Cambridge, Mass., 1958)（部分訳として「パース論文集」上山春平、山下正男訳『世界の名著48・パース、ジェイムズ、デューイ』中央公論社、一九六八年、『偶然・愛・論理』浅輪幸夫訳、三一書房、一九八二年、『パース著作集1、現象学』米盛裕二編訳、勁草書房、一九八五年、『パース著作集2、記号学』内田種臣編訳、勁草書房、一九八六年、『パース著作集3、形而上学』遠藤弘編訳、勁草書房、一九八六年、がある）

パースの著作のすぐれた選集としてはまた、J. Buchler (ed.), *The philosophy of Peirce* (Routledge and Kegan Paul, London, 1940) がある。

参考文献

- Ayer, A.J. *The origins of pragmatism: studies in the philosophy of Charles Sanders Peirce and William James* (Blackwell, Oxford, 1968)
- Gallie, W.B. *Peirce and pragmatism* (Penguin, Harmondsworth, 1952)
- Thayer, H.S. 'Pragmatism' in D.J. O'Connor (ed.), *A critical history of Western philosophy* (The Free Press, New York, 1964; Macmillan, London, 1985)
- White, M. *Pragmatism and the American mind* (Oxford University Press, Oxford, 1973)

ウィリアム・ジェームズ

William James
1842–1910

ウィリアム・ジェームズは彼の時代における主要なアメリカ人哲学者であった。彼は同僚のアメリカ人、チャールズ・サンダース・パースによってはじめて提起されたプラグマティズムの哲学を採りあげて発展させた。彼の思想の核心にあるのは、万物の多様性や流動性や未決定性の承認と、通常の人間的経験のあらゆる局面に対する率直で常識的な態度である。ただしこのことは、彼の哲学を決して退屈でありきたりなものにしてはいない。事実、この哲学はその生き生きとして鋭敏な性格、またしばしばインスピレーションを促してもくれる性格が特筆に値する。彼はこう主張した。すなわち、ある観念は、それが「働く」とすれば真の観念なのであり、生活にある変化をもたらすかぎりにおいて、その観念は有意義なのである、と。真理とは彼にとって、人間によるそれの認知とは独立してあるような固定的で変化することのない絶対的なものなどではない。そうではなくて真理は、人間の活動によって発明されたり造り出されたりするものなのだ。そればかりか、真理と善(goodness)は密接に結びついてもいる。つまり真であるものが善であるものになるのである。ジェームズの究極の関心事は道徳のそれであった。彼は、われわれがあきらかにいまあるような存在としてよく生きるための、哲学的方法を公けにしようと考えていたのである。

ジェームズは、母メアリー・ロバートソン・ウォルシュ・ジェームズとスウェーデンボリ派の神学者であった父ヘンリー・ジェームズのあいだの息子としてニューヨークの街に生まれた。彼は五人兄弟の長男でありひとりの妹と三人の弟がいたが、そのうちのひとりヘンリー・ジェームズは後に傑出した小説家として名声を博した。この一家は才能に恵まれ因習に囚われず、快活な一家であった。ジェームズに対する正規の教育は型破りであった。というのも彼の真の授業は彼の家庭内で始まったからであり、そこには知的で博学な友人たちがしばしば広範囲な話題に関する議論に加わりにやって来たからである。彼はスイス・ドイツ・フランス・イングランドの各学校に通い、とりわけ自然科学と絵を描くことに興味をもつようになった。一八六〇年、彼は正式に画家としての訓練を開始したが、この企ては彼に、それが自分の天職ではないことを確信させる結果となった。一年後彼はハーバード大学のローレンス科学学校に入学し、一八六四年にはそこで医学校へと転学した。一八六五年のブラジル探検で彼は天然痘に罹り、それ以降人生の大半を通してその再発に苦しめられることとなる。一八六九年には医学の学位を取得し、一時は病に伏したものの回復した後にはハーバード大学で教え始めた。最初は解剖学と生理学、次いで心理学、そして結局一八七九年には哲学を教えた。彼はハーバード大学とは一九〇七年まで関係をもち続けた。一八七八年の結婚後、彼の健康と体質はどちらもかつてより安定していたように思われる。彼は精力的に講義や授業や旅行をこなし、すぐれた学者仲間や同僚たちのあいだで多くの知的刺激を与え合いながら、広くその名を知られるようになった。彼の生き生きしたスタイルの語り口や文章は彼をあらゆるレベルにおいてたいへんな人気者にした。一八九九年、彼がニューハンプシャーの自宅近くの山に登っているあいだに迷子になる事件があった。この過酷な災難は、すでに疾病があると診断されていた彼の心臓に悪影響を及ぼし、その後二年間にわたって彼は実質的に廃人同様となった。ところが、彼自身も驚いたことに、彼は回復しハーバードでのかつての慌ただしい講義生活に復帰できたのである。彼は結局一九〇七年に大学を辞し、一九〇九年には『多元的宇宙』を出版した。そのなかで彼はみごとにヘーゲル、フェヒナー、そしてベルクソンの作品を論じている。数ヶ月後、彼の心臓はふたたび不調を兆し始め、彼は一九一〇年八月二六日、ニューハンプシャーの自宅で亡くなった。

個人のもつ個人的な観点や態度は哲学においてきわめて重要なものだとジェームズは見なしていた。彼自身の文章は、彼が内的経験の緻密な「感情」を明晰かつ優雅に表現する際にどれほどみごとな才能に恵まれていたかをはっきりと示している。また、一八九〇年に刊行された彼の広闊で著名な作品『心理学原理』は、われわれ自身や世界を実践的に理解する際に鍵となるのは理論や抽象的思考や伝統的哲学であるよりもむしろ経験である、という彼の確信を十分に示している。この『心理学原理』のなかで彼は諸々の精神状態を説明しているが、その際彼が主張しているのは、精神状態が身体状態によって生み出されはするが、精神状態もまた身体的変化を引き起こす、という点である。彼は、身体的［物理的］なものと精神的なものの伝統的二元論に同意することを拒否したが、それと同時に、精神的なものが身体的なものに還元されうると認めようともしなかった。彼が主張したのは、すなわち、精神は目的を実現するための道具と見なされなければならないということである。『心理学原理』のいたるところで彼がめざしているのは、内省的観察によって精神状態や精神活動の完全な記述をもたらすことである。「思考の流れ」というよく知られた一章は、「ある種の意識は経過する」ということを、「誰もが認めるまっ先の具体的事実」として確証している。ジェームズによれば、思考や意識の分析が示しているのは、いずれの精神状態も個人の意識と関係があること、ひとが眠ったり意識を失ったりしたときでさえ、ひとの覚醒後の意識は入眠以前の意識とつながっているという意味で、思考は連続的であること、同一的で循環的な状態は何も存在しないという意味で、思考はたえず変化していること、そして、意識は自らの対象を選択できることである。以上の主張は驚くほどに明瞭で的確かつ詳細な記述によって裏付けられている。たとえば、次の例を見ていただきたい。

われわれが忘れた名前を思い出そうとしているとしよう。われわれの意識状態はいっぷう変わっている。そこにはある空白がある。だがそれは単なる空白ではない。それは激しく活動する空白なのだ。そのなかにはその名前の一種の亡霊がいて、ある一定の方向に来るようにわれわれに合図し、目標に近づいたという感じでときおりわれわれをぞくぞくさせるが、結局、待ち望んだ終局には達しないままわれわれをふたたび落ち込ませる。いくつかのまちがった名前がわれわれに提示される場合、この並外れて限定的な空白は、ただちにそれらを否認するべく働く。それらの名前は当の空白の型にはぴったりしないからである。それに、ある語の空白は他の語の空白とはまったく似ていない。……わたしがスポールディングという名前を空しく思い出そうとしているときのわたしの意識は、わたしが空しくボウルズという名前を思いだそうとしているときの意識とは、まったくかけ離れているのである。★1

ジェームズは同様の洞察力と直観力をもって「自己」についても記述している。ただし『心理学原理』において彼が記述しているのは心理学なのだから、そのため彼はただちに、自己という概念に対する哲学的な根拠を明らかにすることが大事だとは考えていない。とはいえ彼は第六章と第一〇章において自己にとっての哲学的基盤に関する問題を議論しているし、『心理学原理』の要約版である『心理学――摘要講義』（『心理学原理』の方が「ジェームズ版」と呼ばれていたために、こちらは学生たちには「ジミー版」として知られていた）のなかでは自らの見解をまとめて次のように述べている。「諸々の意識状態こそは、心理学が自らの仕事を処理するために必要とするすべてである。**形而上学**や神学なら魂が実在することを証明するかもしれない。しかし心理学にとって、そのような実体的な統一原理の**仮説**はよけいなのである」[★2]。『心理学原理』において彼は、I［アイ・わたしが］とMe［ミー・わたしを］を区別し、こう述べている。すなわち、Iは「いずれの任意の時点でも意識的であるものであるが、一方Meの方は、このIがそれについて意識的であるようなもののひとつにすぎない」[★3]と。彼はMeを構成するものを、物質的なme、社会的なme、精神的なmeという三つの表題のもとに分類する。そして、これら異なるmeのあいだには張り合いや葛藤が存在すること、またわれわれのほとんどは、そうした相互作用を通じてわれわれが自分をどんなものに仕立てていくのかを自ら判断する、ある種の「理想的な観察者という感覚」に憑かれていることを指摘している。

一九〇七年に刊行された『プラグマティズム』は八つの試論から成っており、ジェームズはそれらにおいて自らの哲学的立場を順次明らかにしている。巻頭の試論は、それ以来よく知られるようになった用語上の対照を説明している。それは哲学における硬い心の気質と軟らかい心の気質との対照、いいかえれば、「悲観論的」で「非宗教的」で「懐疑的」で「多元論的」な**経験論**者たちと、「観念論的」で「楽観論的」で「**一元論**的」で「独断的」な**合理論**者たちとの対照である。ジェームズは、これらの伝統的な態度はさまざまな事実や、科学と宗教に対する通常人の哲学的欲求をほとんど満たすものではないと主張する。けれどもプラグマティズムなら、すべての気質に訴えかける方法を提供し、宗教も事実も拒否することなしに、主体性を哲学における重要な要素として考慮する点で、それらに対する欲求を満たすことができるのである。彼のプラグマティズムがC・S・パースのそれと異なるのは、彼の場合プラグマティズムは意味と真理両方の理論と見なされているのに対して、パースのそれはもっぱら意味にだけ関わっていた点である[★4]。自らの心理学的研究から彼が結論づけているところによれば、思考の第一の機能は、われわれをして世界やわれわれの周りの人々に関わることを可能にしてくれる点にある。つまり思考の目的は、「われわれをわれわれの経験のある部分から他の部分へとつごうよく運んでいく」ことなのだ。思考に伴う観念や信念や理論の意味は、それらがわれわれの生活にどんな重要な変化をもたらすかをたずねることによって見分けられる。そして、それらによって生きることが「われわれの経験の他の部分との満ち足りた関係」を生み出す場合、それらは真なのである。プラグマティストは「経験的な観点からみて、要するに、真理の現金価値とはいかなるものなのか」と問わねばならない。彼もしくは彼女はこう結論づける。すなわち、真の観念とはわれわれがわがものとし有効だと認め裏付けし立証できるような観念のことであり、偽の観念とはわれわれがそうできないような観念のことである、と。したがってジェームズは、真理についてのプラグマティックな理論を説くことによって、ある観念が真であるのはただ、それがある個人に気まぐれに訴えかけることのおかげにすぎない、と主張しているわけではない。彼が主張しているのは、プラグマティックな方法が形而上学的な問いに適用されるなら、それは相当多くの哲学的思弁の貧しさをあばきだすことになる、ということである。たとえば、知覚された世界を背後から支える根底的実在として考えられてきた実体といった思弁的概念についてのわれわれの説明は、われわれが現に世界について知っていることに何も付け加えはしないし、その意味で、われわれの生活にはいかなる実践的な重要さももたない。形而上学的な問題とは、根本的にはむしろ道徳や宗教の問題なのであって、プラグマティズムはそれらの問題を明らかにし、かくしてそれらが理解され解決されるのを可能にする、と彼は考えていたのである。

ウィリアム・ジェームズにとって、経験とはあらゆる種類の、そしてあらゆるものの経験を意味していた。経験は、そのあらゆる局面において、人間の生活の条件であり素材なのであった。プラグマティズムの方法を説く際、ジェームズが信じていたのは、われわれすべてがそのさまざまな能力をもって世界内で生きる活動へと関与する際の、そのやり方を自分は単に表現しているにすぎない、ということである。彼が思い描いていた宇宙とは、広大な自然のシステムであり、その内では多くのものが共存し、人間存在は自分たちが出会うすべてのものとの関係において、たえず自分たちの活動と戦略をつくりなおしていくのである。進化論的な変化や発展は決してやむことがない。そこには発見されるのをただ待っているような固定され変化することのないものなど何も存在しない。むしろ存在するのは、考慮されるべき限りない可能性と、喜んで直面すべきたえざるチャレンジなのである。

★注

1　W. James, 'The stream of thought' in *The principles of psychology*, vol. I.

2　W. James, *Psychology: the briefer course*, Ch. 12.（ジェイムズ『心理学』上巻、今田寛訳、岩波文庫、一九九二年、二八三頁）

3　W. James, 'The consciousness of self' in the *Principles*, vol. I.

4　本書のパースの項参照、二五三頁〜。

本書の次の項を参照

パース、ベルクソン、ミル

ジェームズの主な著作

- *The principles of psychology*（1890）(2 vols, Macmillan, London, 1890; Dover Publication, New York, 1950)
- *Psychology: the briefer course*（1892）(Holt, New York, 1920)（『心理学』上下巻、今田寛訳、岩波文庫、一九九二〜九三年）
- *The will to believe and other essays in popular philosophy*（1897）(Longman, New York, 1897; 2nd edn., Dover Publication, New York, 1956)（「信ずる意志」福鎌達夫訳『ウィリアム・ジェイムズ著作集2』日本教文社、一九六一年）
- *The varieties of religious experience: a study in human nature*（1902）(Longman, New York, 1902)（『宗教的経験の諸相』桝田啓三郎訳、岩波文庫、一九六九〜七〇年）
- *Pragmatism: a new name for some old ways of thinking*（1907）(Longman, New York, 1907; Meridian Books, New York, 1955)（『プラグマティズム』桝田啓三郎訳、岩波文庫、一九五七年、「プラグマティズム」桝田啓三郎訳『ウィリアム・ジェイムズ著作集5』日本教文社、一九六〇年）
- *A pluralistic universe*（1909）(Longman, New York, 1909)（「多元的宇宙」吉田夏彦訳『ウィリアム・ジェイムズ著作集6』日本教文社、一九六一年）

ジェームズの著作は、*The works of William James*, general ed. F. H. Burkhardt (13 vols, Harvard University press, Cambridge, Mass., 1975-) に収められている。

参考文献

・Ayer, A.J. *The origins of pragmatism* (Macmillan, London, 1968)
・Knight, M. *William James* (Penguin, Harmondsworth, 1950)
・Mellor, D.H.(ed.) *Prospects for pragmatism* (Cambridge University Press, Cambridge, 1980)
・Moore, G.E. 'William James's "Pragmatism"' in *Philosophical studies* (Routledge and Kegan Paul, London, 1960)
・Perry, R.B. *The thought and character of William James* (2 vols., Oxford University Press, Oxford, 1935)

フリードリッヒ・ニーチェ

Friedrich Nietzsche
1844–1900

ニーチェは急進的できわめて独創的な思想家だった。彼は予言者的でもあれば詩人的でもあり、自らが考える哲学像そのままに、真に批判的でもあった。彼自身の哲学の大半は、いかなる人間的把握からも独立しているような客観的世界構造が存在するという信念への一貫した攻撃である。彼の著作の人目を引く文体や激しさは、通俗的でときには皮相なやり方で彼の考えを魅力的なものにしているが、その結果、彼の思想の知的な性質は往々にして見過ごされてもきた。

彼は一八四四年一〇月一五日、ライプツィヒ近郊のレッケンでルター派の両親のもとに生まれた。彼は早期教育をプフォルタ校で受けたが、この学校は宗教改革時に旧シトー派修道院内に建てられたもので、その教育の質では評判であった。ニーチェはそこで模範的な生徒であり、一八六四年にはボン大学へ、その後はライプツィヒ大学へと進んだ。一八六九年、二五歳のとき彼はバーゼル大学の教授職に任命され、一八七二年にはスイスの市民権をとった。ライプツィヒ時代に彼は、ショーペンハウアーの『意志と表象としての世界』を読んでそれから深い影響を受け、また作曲家のリヒャルト・ワーグナーならびにその妻コジマの親しい友人にもなっていた。その後数年間にわたって彼は、その楽劇を通じてドイツ文化を初期ギリシア悲劇が成し遂げたのに匹敵しうるような栄光へと導くことになるワーグナーを、想像力溢れる天才と見なしていた。ところが、彼は徐々にワーグナーに幻滅するようになり、この作曲家の民族主義をはじめ、その反ユダヤ主義や思い上がった尊大さに対するニーチェの反感は、ついに一八八八年に出版された『ニーチェ対ワーグナー』に結実することになった。

ニーチェはつねに健康を害しており、一八七八年には病気を理由にバーゼルでの職を辞している。その後一〇年のあいだ彼は、慢性の持病や多くの不運と戦いながらも、多産な執筆活動をつづけた。一八八九年彼はついに狂気に陥り、それ以降は彼の妹エリーザベトの世話を受けることになる。この妹は彼のすべての遺稿の管理を引き受けたが、あきらかにそれらの一部を削除し書き換え、好き勝手なかたちで公表し、しばしばそれらの強調点や意味を歪めてしまった。とはいえ、一九〇〇年にニーチェが亡くなるときまでには、彼の名声はすでに確立していた。彼の通俗的なイメージは、無慈悲で過激な権力追求の擁護者ということになっているが、実際の私生活では穏やかで礼儀正しく思いやりに溢れていた。彼はまた、その思想の通俗的な理解でもしばしばナチズムやヒットラー主義と結びつけられて考えられている。彼の考えの多くは、たしかに、そうした運動の宣伝に利用されるのにまったくふさわしいものではあった。彼の妹は晩年ヒットラーを、ニーチェの称揚した〈超人〉が具現したものであると見なしていたのである。

　客観的で変化することのない基底的な実在があるのだという見解へのニーチェの反駁は、哲学的な問題を引き起こす。深遠な実在への信念の代わりに、彼は世界を理解する最も有効な手段としての感覚や常識への信頼を力説する。ただしそれは、常識の見解が物事のあり方について正確な見方をもたらしてくれるからではない、と彼は主張する。それというのも、もともと正確な見解など、どこにも存在しないからだ。むしろ常識は、われわれがそれによって生きているところのパースペクティヴをもたらしてくれるのであって、根底に横たわる真なる実在を隠してしまうただの上部構造などではない。彼はこう述べている。「仮象の世界が唯一の世界である。〝真の世界〟など単なる虚言にすぎない[★1]」。われわれによる「解釈」を差し引くことができれば、われわれの前には真の世界がむきだしの手つかずのすがたで現われるのに、などとはゆめゆめ考えるな、と彼は主張する。したがって常識が弁護されるべきなのは、それが真だからではなく、むしろそれが、われわれが実際に世界と関わる際のその関わり方だからである。彼は次のように言う。

> われわれは、自分たちの生きてゆける世界を独力で按配した——物体、線、面、原因と結果、運動と静止、形式と内容といったものを受け入れることによって。これらの信仰箇条がなかったら、いまでは誰ひとりとして生きてはゆけないだろう。けれども、だからといってこれが証明になるわけではない。生はいかなる論証でもないからだ。誤謬が生の諸条件のひとつであるかもしれないのだ[★2]。

次のような問いをよく考えてみるならば、問題ははっきりしてくる。すなわち、確固としたいかなる基底的実在も存在しないのだとすれば、また、常識的な見解は有益ではあるにせよつねに誤っているのだとすれば、ニーチェは世界についてのいかなる可知的な語り方を自らにとっておくのだろうか。というのも彼は一方で、経験のいっさいの概念化や言語による構成を非難しておきながら、他方では、まさにその言語を使って自らのそうした非難を表現しているのだし、同様にまた、既知のあらゆる認識仕方から解放されたあかつきにはきっと識別できるようになるはずの真の事態が、たしかに存在するのだと、当の言語を使って示唆してもいるからである。A・C・ダントーはニーチェについて次のように問いかけている。

> ある理論によって、われわれの悟性それ自身の構造に異議が申し立てられているときに、われわれはその理論をいかにして理解すべきなのだろうか。しかも、われわれがわれわれ自身のことばでそれを首尾よく理解し終えたとしても、それはおのずから、われわれがそれを誤解したという結果になるだろう。それというのも、われわれ自身のことばがまちがったことばであるのだから。★3

ニーチェはまた、存在もしくは**実体**としての自己という観念に対しても激しい批判をしている。彼によれば、われわれは因果性や行動の一般的概念を通してまちがった推論をし、行動が生み出されるためにはそれを意志する行為主体が存在しているはずだと考える。ところがこれは「誤った因果性」だと彼は言う。「ある思考は〝それ〟が意志するときに生じるのであって、〝わたし〟が意志するときに生じるのではない★4」し、意志という概念は、哲学者たちがしばしば信じ込んでいるように、明晰かつ単純な概念であるわけでもない。彼はいまいちど次のように主張している。すなわち、因果性や必然性といった法則に対するわれわれの信念は、単に、世界についての大まかで荒削りな説明をもたらすために有益な仕掛けにすぎない。それはたしかに、われわれが相互に意志の疎通を図り理解し合うことを可能にしてはくれるが、物事が実際にどのように存立しているかについては、何も教えてくれないのだ。

　ところで、ニーチェのいくつかの観念と実存主義のあいだにはひとつの密接な類縁性がある。実存主義者同様、彼もまた、われわれは価値や意味を発見するというよりむしろ創出するのであって、この創出は行動によって実現されるが、結局のところ、個人の本来性の表現であるその行動が根拠を通して正当化されたり根拠づけられたりすることは、現実的にも可能的にもないのだ、と主張する。★5 われわれは事物の無意味な流れから自分たちを切り離さなければならないし、現存する因習やすでに受け入れられた「真理」を退け「力への意志」を行使することによって、新たな理想や価値を創造していくことを自分に要求しなければならない。この力への意志は、より豊かな経験への手段として苦悩さえも進んで引き受け、理性の命令よりはむしろ心の願望をかなえてくれるものである。とはいえ、ニーチェには理性への敬意が欠けているわけではない。事実、彼は理性を高く評価してもいる。しかし彼は理性の仕事を、科学的認識の獲得と同様に、諸々の価値を抱いて新たなパースペクティヴを創造するという最重要事にいたるための手段だと見なしている。彼は読者たちを促して以下の点を理解させようとしている。受け入れられた価値はいかにして揺るぎないものとして確立されるにいたるのか。たとえば、キリスト教において断食と禁欲の実践がかくも重要なものとなったのはどうしてなのか。そして、「かくあるべし」ということばでただ変化を命ずることができるだけの、力への意志をもった者たちの行動によって、そうした価値の転換が起こりうるのは、いったいどうしてなのか。そのような者たちは、自分たちの時代を超えているがゆえに、その強さにもかかわらず孤独で、多くの人たちから罵られ誤解されることだろう。彼らはいかなる神も存在しないことを理解するだろうが、それでも生存を肯定し、生存がもたらす喜びと同様にそのあらゆる苦痛をも進んで引き受けようとするだろう。

生存の肯定との関連で、ニーチェは永遠回帰説を提起した。それは、いま起こっていることはすべて、いま現に起こっているのとまさに同じかたちで、すでに数限りなく何度も起こってきたし、これからも限りなく起こり続けるであろう、という説である。この説が引き起こした問題は多面にわたっている。たとえば、ニーチェは現実についての法則めいた説明はいっさい退けている点からすれば、永遠回帰の法則という観念についてわれわれは何を考えるべきなのだろうか。また、いま起こることはこれまでにも数限りなく起こってきたことの厳密な反復にすぎないのだとしたら、超人的な意志の行使を唱道することの意図は何なのか。このような問いにどうすれば効果的な答えが与えられうるのか、という点ははっきりしない。ただ明らかなのは、永遠回帰説がニーチェの思想にとってはきわめて重要であったということである。彼にとってそれが意味していたのは、ひとがいまもっている生はそのひとがもったただひとつの生ではない、ひとはその生を永遠にもちつづけるのだ、ということであった。彼は言う。「わたしは、最大のことにおいても最小のことにおいても、同一のこの生へと永遠に回帰してくるのだ。そしてわたしはふたたび、いっさいの事物の永遠回帰を教えるのだ」[★6]。

ニーチェの最初の著『悲劇の誕生』はギリシア悲劇についてのまったく独創的な分析であった。そこでは彼のよく知られた〈アポロン的なもの〉と〈ディオニュソス的なもの〉との区別が語られている。彼は過剰と熱狂と野蛮な自己陶酔というディオニュソス的精神を、アポロン的な抑制と秩序と調和に対照させたうえで、ギリシア悲劇においては、強力なディオニュソス的カオスがアポロン的な諸性質によってみごとなまでに秩序づけられ展開されていると指摘している。一八七三年から一八七六年までのあいだ、ニーチェは四編の『反時代的考察』を発表し、一八七八年から一八八六年までのあいだには主としてアフォリズムの文体で書かれた五つの著作を刊行した。そのうち最後の著作が『ツァラトゥストラはこう語った』であった。この著は一貫した議論がわずかしか含まれていないにもかかわらず、今日では広く彼の最高傑作と見なされている。『善悪の彼岸』は一八八六年に発表された。それはその末尾の後歌を別にすればアフォリズムの文体で書かれており、ニーチェの哲学的関心の全領域に言及している。これに続いて一八八七年には『道徳の系譜学』が、そして一八八八年には五編の小論が出された。ニーチェはまた『この人を見よ』という自らの作品についてのみごとなまでにシニカルな回顧録も書き上げたが、これは彼の妹によって一九〇八年まで出版が控えられた。彼が完成させた最後の著は『ニーチェ対ワーグナー』であった。この小品のなかで彼は最終的にリヒャルト・ワーグナーとの関係を絶っている。その他の文書は彼の妹の手によって集められ編纂されたが、彼女が施した変更の範囲は判断するのが難しい。

ニーチェの〈超人〉という概念は、彼の作品の多くに浸透している。彼の考えた超人とは、男であれ女であれ、ある意味で教養や才能が秀でた者というよりもむしろ、人生の考えうるいっさいの恐怖や悲惨に直面してもなお喜びをもって人生を肯定するような人物である。ニーチェは、彼がほとんどの人々の人生の特徴と見なしていたある種の従順な凡庸さにも打ち勝てるような力への意志を行使するために、厳格な自己鍛錬と苦悩に自発的に身を曝すことを説き勧めた。彼は力への意志こそが、人間の生存のまさに本質をなしており、われわれのすべての努力の源であるとともに、すべての生の、賞賛すべきではないにしても必然的な構成要素たる残酷さの、源でもあると見なしていた。そのうえさらに、〈超人〉によって行使されるような力への意志とは、単に自己保存のために人生の苦痛や辛酸に対抗することであるばかりでなく、さらには、すべての逆境を支配してたえず新たにより高い運命を自ら造り出そうとする努力でもあるのだ。ニーチェの世界では神は死んでいるし、人間がひとりで成し遂げようとすることにいかなる限界もない。彼の忠告とは、自分の最高の理想を追い求めよ、そして自分がいま為すことは全永遠を通じて繰り返し回帰することとなのだから、それぞれの瞬間に最高の理想にしたがって行為せよ、ということである。

　ニーチェの名声を生み出した最大要因はおそらく、彼のみごとな力強い散文の文体であろう。彼の簡潔な文章は、それについて熟考することをひとに強いる詩のような緊張感と、頁上のほとんど物理的存在と化すような活力とをそなえている。彼は哲学者の中の哲学者とも、また哲学者ならざる哲学者とも称されてきた。散文と韻文いずれの面でも彼がヨーロッパ文学に及ぼした影響は深甚なものがあったし、おびただしい数の哲学者たちが彼について書物を著しているのである。

★注

1 Nietzsche, *Twilight of the idols*, Ch. 3 aph. 2.（ニーチェ「偶像の黄昏」原佑訳『ニーチェ全集13』理想社、一九六五年、三七頁）

2 *The gay science*, aph. 121.（「悦ばしき知識」信太正三訳『ニーチェ全集8』理想社、一九六二年、一八四頁）

3 A. C. Danto, 'Nietzsche' in D. J. O'Connor (ed.), *A critical history of Western philosophy* (The Free Press, New York, 1964; Macmillan, London, 1985).

4 Nietzsche, *Beyond good and evil*, aph. 17.（ニーチェ「善悪の彼岸」信太正三訳『ニーチェ全集10』理想社、一九六七年、三七頁、『善悪の彼岸』木場深定訳、岩波文庫、一九七〇年、三四頁）

5 本書のサルトルの項参照、三五二頁〜。

6 Nietzsche, *Thus spake Zarathustra*, III, 'The recurrence'.（ニーチェ「ツァラトゥストラ」吉沢伝三郎訳『ニーチェ全集9』理想社、一九六九年、三四八頁、『ツァラトゥストラ』手塚富雄訳、中公文庫、一九七三年、三五七頁）

本書の次の項を参照

サルトル、ショーペンハウアー、ハイデガー、ヘーゲル、マルクス

ニーチェの主な著作

- *The birth of tragedy out of the spirit of music* (1872), trans. W. Kaufmann (Vintage Books, New York, 1967)（「悲劇の誕生」塩屋竹男訳『ニーチェ全集2』理想社、一九六三年、「悲劇の誕生」浅井真男訳『ニーチェ全集第I期1』白水社、一九七九年、『悲劇の誕生』秋山英夫訳、岩波文庫、一九六六年、『悲劇の誕生』西尾幹二訳、中公文庫、一九七四年、「悲劇の誕生」塩屋竹男訳『ニーチェ全集2』ちくま学芸文庫、一九九三年）
- *Untimely meditations* (1873-6)（「反時代的考察」小倉志祥訳『ニーチェ全集4』理想社、一九六四年、「反時代的考察」大河内了義、三光長治訳『ニーチェ全集第I期2、5』白水社、一九八〇年、「反時代的考察」小倉志祥訳『ニーチェ全集4』ちくま学芸文庫、一九九三年）
- *Human, all too-human* (1878), trans. J. E. Hollingdale (Cambridge University Press, Cambridge, 1986)（「人間的、あまりに人間的」池尾健一、中島義生訳『ニーチェ全集5、6』理想社、一九六四〜六五年、「人間的な、あまりに人間的な」浅井真男、手塚耕哉訳『ニーチェ全集第I期6、7』白水社、一九八〇年、「人間的、あまりに人間的」池尾健一、中島義生訳『ニーチェ全集5、6』ちくま学芸文庫、一九九四年）
- *The gay science* (1882), trans. W. Kaufmann (Randam House, New York, 1974)（「悦ばしき知識」信太正三訳『ニーチェ全集8』理想社、一九六二年、「華やぐ知慧」氷上英廣訳『ニーチェ全集第I期10』白水社、一九八〇年、「悦ばしき知識」信太正三訳『ニーチェ全集8』ちくま学芸文庫、一九九三年）
- *Thus spake Zarathustra* (1883-5), trans. W. Kaufmann in *The portable Nietzsche* (The Viking Press, New York, 1954)（「ツァラトゥストラ」吉沢伝三郎訳『ニーチェ全集9』理想社、一九六九年、「ツァラトゥストラはこう語った」薗田宗人訳『ニーチェ全集第II期1』白水社、一九八八年、「こうツァラトゥストラは語った」高橋健二、秋山英夫訳『世界の大思想25・ニーチェ』河出書房、一九六五年、『ツァラトゥストラ』手塚富雄訳、中公文庫、一九七三年、「ツァラトゥストラ」吉沢伝三郎訳『ニーチェ全集9、10』ちくま学芸文庫、一九九三年）
- *Beyond good and evil* (1886), trans. W. Kaufmann (Vintage Books, New York, 1967)（「善悪の彼岸」信太正三訳『ニーチェ全集10』理想社、一九六七年、「善悪の彼岸」吉村博次訳『ニーチェ全集第II期2』白水社、一九八三年、『善悪の彼岸』木場深定訳、岩波文庫、一九七〇年、「善悪の彼岸」信太正三訳『ニーチェ全集11』ちくま学芸文庫、一九九三年）
- *Toward a genealogy of morals* (1888), trans. W. Kaufmann (Vintage Books, New York, 1967)（「道徳の系譜」信太正三訳『ニーチェ全集10』理想社、一九六七年、「道徳の系譜」秋山英夫訳『ニーチェ全集第II期3』白水社、一九八八年、『道徳の系譜』木場深定訳、岩波文庫、一九六五年、「道徳の系譜」信太正三訳『ニーチェ全集11』ちくま

学芸文庫、一九九三年）

- *Nietzsche contra Wagner* (1895), trans. W. Kaufmann in *The portable Nietzsche* (The Viking Press, New York, 1954)（「ニーチェ対ヴァーグナー」原佑訳『ニーチェ全集13』理想社、一九六五年、「ニーチェ対ヴァーグナー」浅井真男訳『ニーチェ全集第II期3』白水社、一九八七年、「ニーチェ対ヴァーグナー」原佑訳『ニーチェ全集14』ちくま学芸文庫、一九九三年）

ニーチェのドイツ語版の著作集は、*Nietzsche: Werke in drei Bänden*, ed. K. Schlechta (Carl Hanser, Munich, 1954-6) である。これの英訳版は、*The complete works of Friedrich Nietzsche*, ed. Oscar Levy (18 vols, T.N. Foulis, Edinburgh and London, 1909-13) である。彼の著作の広範囲な選集として便利なのが、*The portable Nietzsche* (The Viking Press, New York, 1954) である。もっと最近のドイツ語版は、Werke: *Kritische Gesamtausgabe*, ed. Giorgio Colli and Mazzino Montnari (de Gruyter, Berlin, 1967-78) である。

参考文献

- Crane, B. *Nietzsche* (Harvard University Press, Cambridge, Mass., 1941)
- Danto, *Nietzsche as Philosopher* (Macmillan, London and New York, 1965)
- Hollingdale, R.J. *Nietzsche* (Author Guides, Routledge and Kegan Paul, London, 1973)
- Schact, R. *Nietzsche* (Routledge and Kegan Paul, London, 1983)

フランシス・ハーバート・ブラッドリー

Francis Herbert Bradley
1846–1924

ブラッドリーは、英国観念論者として知られる哲学者集団の最も有能な代表者である。この集団は、現実に存在するすべてのものは一なる〈精神〉のあらわれ（aspect）であるというおおむねヘーゲル的な見解に固執していた。ブラッドリーは〈絶対者〉や〈全体（the Whole）〉といった一なる〈精神〉の分割されない全体性を指し示す用語を用いることで、独特のかたちの観念論を展開した。彼によれば、〈絶対者〉は思考されることはできないが、それにもかかわらず、「そこでは現象的な区別が解消されてしまうといった絶対経験」についてなら何らかの観念をもつことができるという点で、それは認識可能なのである。彼は経験論哲学に、とりわけジョン・スチュアート・ミルの**経験論**と功利主義的倫理にしばしば痛烈な一貫した攻撃をしかけた。彼の文章は人好きのするものではないが、批判的で雄弁である。T・S・エリオットは彼の文体を英語の散文の模範と見なしている。

ブラッドリーはロンドンのクラファムに、チャールズ・ブラッドリー牧師の息子として生まれた。福音主義の説教師であった父は二度の結婚で二〇人の子どもをつくった。チェルトナムとマールバラで通学生活を送った後、ブラッドリーはオックスフォードのユニヴァーシティ・カレッジに進み、古典語クラスではファーストを、その後人文学クラスではセカンドを得た。一八七〇年、彼はマートン・カレッジの特別［有給］研究員の職を与えられたが、この地位は彼が独身でいるあいだは保証されるものだった。慢性的な虚弱体質のため一時期外国で過ごしたことはあったが、残りの生涯はずっとマートン校にとどまった。彼は印象的な外見と仕草を身につけており、社交的で口数が多く、自説に固執しがちではあったが、身近な者たちからはたいそう好まれた。彼の著書はすべて「E. R.」というひとりのアメリカ人女性に捧げられている。彼が外国で出会ったこの女性に、彼はいくつも手紙を書き送っているが、そのなかで彼は**形而上学**に関する自らの考えを明らかにしている。彼は主として倫理学と論理学と形而上学について執筆した。バートランド・ラッセルもG・E・ムーアも、彼らがはじめ観念論に傾倒したのはブラッドリーの影響のせいだとしているが、二人が世紀の変わり目にラッセル言うところの「解放感」[★1]とともに反逆したのが、まさにブラッドリーの見解に対してであった。

一八八三年に出版されたブラッドリーの『論理学原理』の重要さの大半は、論理学への経験論的アプローチに対するこの書の批判に由来している。経験論的アプローチとは、一般にはさまざまな仕方で結びついた諸観念のことだと考えられてきた人間の精神内容についての研究と、そうした諸観念のあいだに保持されうるさまざまなタイプの関係の解明とに基礎をおくものであった。ブラッドリーは、論理学に対するこうした見方に強く反対する。彼によれば、判断とは、観念と観念を心理学的に結びつける点にあるのではなく、ある観念ないし観念内容が実在を指し示す点にある。彼はまた、ある観念の意味とは、当の観念の内容や構成要素に何らかの仕方で組み込まれたものだとする経験論的な見方をも退ける。そのかわりに、彼は次のように主張する。すなわち、意味とはある観念やイメージのもつ特性などではなく、その用法を通して観念に与えられるものなのだ。つまり記号体系は、性格上、生まれつきのものというより因習的なものだというのである。彼は、ミルが**特殊**から**普遍**[★2]へと議論を進める**帰納**法に執着した点を徹底して批判する。というのも、彼によれば、いくつかの特殊が正当なかたちで一つに分類できるのは、もっぱらある理論やある種の普遍化を行う原理のおかげにすぎないからである。それゆえ、そのようないかなる分類も自らの土台として、ある種の普遍や理念を前提している。したがって認識は、自らの基礎を特殊によりもむしろ普遍においているわけである。

古くからの伝統的論理学に注意を向けてブラッドリーが行った批判は、その後ほぼ完璧なかたちで急速に受け入れられることになった。彼が指摘しているのは以下の点である。全称肯定判断は仮言判断であって定言判断ではない。ある言明の文法上の主語はかならずしもその論理的な主語と同一ではない。三段論法が前提しているのとはちがって、すべての命題が主語-述語という形式をもつわけではない。三段論法は関係性の議論を考慮に入れることができない。ブラッドリーがこのように、心理学的に基礎づけられた論理学を退け伝統的論理学のいくつかの重要な局面を却下したのと時を同じくして、既成の論理学的方法に対するいまひとつの同様に根底的な却下が、イエナ大学のゴットロープ・フレーゲによって為されつつあったが、こちらはやがてブラッドリー以上の影響を及ぼすことになる。[3]

ブラッドリーが論理学を批判したのは、論理学それ自身を前進させるためというよりもむしろ、自らの主要な形而上学的主張を支持するためであった。その主張は、一八九三年に出版された彼の主著『現象と実在』のなかで詳論されている。そこでのブラッドリーの論点は次のようなものである。主に科学や宗教に由来するわれわれの通常の形而上学的見解は、はたしてそれは人間的経験に関する理論の第一原理になりうるのかどうかと問ういかなる吟味にも耐えうるものではない。たとえば、すべてのものは第一性質や第二性質といった観点から説明可能であるとか、実在についての十全な記述は空間と時間内の諸対象という見地から為される記述であるとかいった見解は、諸事物の現象についての容認しうる記述としては役に立つかもしれないが、究極の実在に関する説明としてはわれわれを満足させることができない、と彼は主張する。さらに彼は次のように論じる。そのような見解は子細に検討してみれば、矛盾のうちに崩壊するのであり、それゆえ実在について何ごとかをわれわれに教えることなどできない。なぜなら「究極の実在とはそれ自身と矛盾しないようなもの」なのだから。以上の主張に対するブラッドリーの論証は委曲を尽くしたものであり、たどるのに骨がおれる。とはいえ一言でいえば、その論証は彼が「感じ（feeling）」と呼ぶものについての説明に基づいており、この「感じ」とは、彼にとっての「究極の事実」として彼の形而上学の出発点ともなるような、万物の全体性についての根本的で原初的な感覚のことである。彼は次のように書いている。

始めは、そこにある（presented）もの、現にあって感じられるもの、というよりただ感じられるにすぎないもの以外には、何も存在しない。そこには、いかなる記憶も想像力も、希望も恐れも、思考も意志も存在しないし、差異や類似のいかなる知覚も存在しない。要するに、そこにはいかなる関係もいかなる感情（feelings）もなく、あるのはただ感じ（feeling）だけである。[4]

感じは第一次的ではあるが、思考によって影響され壊されてしまう、と彼は言う。ただし思考は、認識を追求してあらゆる細部を切り離し識別するときでさえ、まさにそのことによって万物をある了解可能な単一の全体のうちに再構成することをめざしている。万物が緊密に関係づけられているその単一の全体が〈絶対者〉である。〈絶対者〉とは、日々の現象から切り離されたまったく別の領域のことではない。〈絶対者〉とはまさしくそれらの現象、ただし全体性として理解された現象なのだ。それは「自らを差異化する単一のシステムとして見られたかぎりでの万物」である。しかしそれは単に、諸々の現象の思考された総計にすぎぬものではない。というのもむしろ、感じが思考に先立っているように、〈絶対者〉の了解は、思考の彼方、思考の向こう側にあり、思考と思考のあらゆる矛盾をともに超越しているからである。思考の本性とは、感じが精通している一体性を断片化せざるをえないようなものである。ところがブラッドリーによれば、システムは一体性を回復することができる。ここにおいて、彼の論理学と形而上学は最高度にお互いを支え合っている。彼の形而上学は万物の相互依存を断言する。一方彼の論理学は「内的関係」の説を提起する。つまりこの関係のうちにあっては、ある対象の置かれている関係のすべてが、本質的な関係として、当の対象の独自性を相寄って保証しているのだ、というのである。内的関係についてのそのような考察から、ひとは、そうした関係の一切を含むと同時にそれらすべてを超越してもいるような、必然的システムとしての〈絶対者〉という概念へと、移行するわけである。

ブラッドリーの最初のよく知られた著作『倫理学研究』は、彼が書いたもののうちで最もヘーゲル的だと見なされている。ここでもまた語り口はするどい批判のそれである。彼はカントならびにジョン・スチュアート・ミルを痛罵し、カント倫理学の形式性とミル倫理学の快楽主義に、そしてまた両者の体系の抽象性に、異論を唱えている。彼自身の出発点はふつうの人々の道徳性であり、彼はそこから「わたしの持ち場とその義務」と称する有名な学説を引き出してくる。それは、万物が相互に依存し万物が内的に関係づけられた一元的多様性としての実在、という彼の説明と首尾一貫した学説である。彼は次のように主張している。すなわち、道徳性の本質は自己実現のうちにあるが、それが成り立つのは共同体の人間生活を通してであって、孤立した個人の観点からではない。いかなる人物も、「自分が現にあるところのものであるのだが……ただしそれは、他人たちが現にあるところのものでもまたある、そのかぎりにおいてである」[★5]。とはいえ彼は、自分の持ち場とその義務の確立を道徳性の全体と見なしていたわけではない。というのも、持ち場も義務もともに乗り越えられることがありうるし、ひとりの人格はそのいずれかに限られる必要もないからである。彼はまた、倫理的ふるまいの規則を定式化することが道徳学者の課題だとも考えてはいなかった。哲学の課題は、諸科学や歴史や宗教や美学や政治学についてもいえるように、倫理学の場合と同様、理解する点にこそあるのだ、と彼は述べたのである。

★注

1 本書のラッセルの項参照、三〇〇頁〜。
2 本書のミルの項参照、二三一頁〜。
3 本書のフレーゲの項参照、二七九頁〜。
4 Bradley, *Collected essays*（Clarendon Press, Oxford, 1935）, p.216.
5 Bradley, *Ethical studies*, 2nd edn.（Oxford University Press, London, 1962）, p.167.

本書の次の項を参照
フレーゲ、ヘーゲル、ミル、ムーア、ラッセル

ブラッドリーの主な著作

- *Ethical studies*（1876）, 2nd edn., 1927（Oxford University Press, London, 1962）
- *Principles of logic*（1883）, 2nd edn., 1922（Clarendon Press, Oxford, 1922）
- *Appearence and reality*（1893）, 2nd edn., 1897（Clarendon Press, Oxford, 1930）
- *Essays on truth and reality*（1914）（Clarendon Press, Oxford, 1914）
- *Collected essays*（1935）（Clarendon Press, Oxford, 1935）

参考文献

- Eliot, T.S. *Knowledge and experience in the philosophy of F.H. Bradley*（Faber and Faber, London, 1964）
- Manser, A. *Bradley's logic*（Blackwell, Oxford, 1983）
- Moore, G.E. *Some main problems of philosophy*（Allen and Unwin, London, 1953）, Chs.11, 12, 16
- Walsh, R. 'F.H. Bradley' in D.J. O'Conner（ed.）, *A critical history of Western philosophy*（The Free Press, New York, 1964; Macmillan, London, 1985）
- Wollheim, R. *F.H. Bradley*（Penguin, Harmondsworth, 1959）

ゴットロープ・フレーゲ

Gottlob Frege
1848–1925

イエナ大学で三〇年間にわたって教えた後、一九二五年にフレーゲが亡くなったとき、彼の名は職業的な数学者や哲学者の狭い範囲の外ではほとんど知られていなかった。二〇世紀の後半になって彼は、現代の言語哲学と現代論理学の基礎を据え、論理学と数学の親近性を明らかにした人物として認められるにいたった。似たような評価はバートランド・ラッセルにも下されるかもしれないが、ラッセルとフレーゲはほとんどお互いに独立に仕事をしたのであり、フレーゲの仕事は今日では一部の人たちから、いっそう厳密で洞察力に富んだものだったと見なされている。彼の及ぼした影響は二〇世紀はじめの論理実証主義やルートヴィヒ・ウィトゲンシュタインの哲学の多くの部分にはっきり見て取れる。彼の著作のある局面に欠陥が見つかった結果、一九二〇年代はじめまでに論理学から数学を派生させようとする自らの試みに自信を喪失していたフレーゲは、幾何学を基礎的な数学理論と見なしはじめたが、その探求の成果を公刊することはなかった。彼の考えを十分に理解するためには数学や論理学の専門用語を押さえておく必要があるのだが、彼の考えの主要な方向のいくつかを明らかにするだけなら、そこまでしなくても十分である。

フレーゲは論理学こそが哲学の基礎だと考えた。そう考えることで彼は、一七世紀前半のデカルトの時代以来、論理よりもむしろ認識の本性にその主要な関心を向けてきた西洋の大半の哲学者たちの姿勢に根本的な変化を引き起こした。フレーゲに続いてウィトゲンシュタインが『論理哲学論考』のなかで哲学に対する同様の態度をとり、それ以降、哲学は急速に新たな時代に向かって動いてゆく。[★1] 一八八四年に出版されたフレーゲの『算術の基礎』は、こうした革新のための出発点であった。この書は、数とは何であるか、算術的真理とは何であるか、というふたつの主要な問いを提起している。これらの問いを論ずるにあたってフレーゲは、彼の先駆者たちのほとんどがそれに与えてきた答えを破棄する。彼はこう論じている。数とは、隔絶した領域に手つかずのまま現存しているようなプラトン的な完璧さでもなければ、J・S・ミルが主張したようにさまざまな存在者集団の経験から**抽象**されたものでもない。彼が提唱するのは、数は概念に「属している」ということ、ある数はただ、ある概念に帰せられることによってのみ規定される、ということである。彼は次のように書いている。

「金星はゼロ個の衛星をもつ」とわたしが言えば、衛星や衛星群は端的にいって何も存在しないのだから、それらについては何も断定しえないことになる。だがここで起こっているのは、「金星の衛星」という概念にはある特性が帰せられるのだということ、つまり、それのもとには何も含まれないという特性が帰せられるのだということなのである。★2

彼の主張によれば、数とは対象なのであり、「アリストテレスは『霊魂論』の著者である」といった断言における「である」が「アリストテレス」と「『霊魂論』の著者」との同一性を断言しているのと同じように、「木星の衛星の数は4である」という場合の「4」は「木星の衛星の数」と同一なものと見なされねばならない。フレーゲは「〜と同じ数をもつ」という概念を算術的な用語よりもむしろ、集合と外延といった論理学的概念を使った論理学的用語によって定義する。そして彼は続いて数列を完全に論理学的な観点から定義し、かくして論理学から算術を派生させるのである。たとえばゼロは、「それ自身と同一ではない」という概念に属する数として定義される。なぜならそうした概念に分類されるものなど何もないからだ、と彼は論じている。フレーゲはひとたび算術的な手続きを論理学の観点から定義づけると、数のあらゆる法則は分析的だという点で算術的真理は分析的なのだということを、自分は明らかにしたのだ、と考えた。彼は言う。算術的真理は「われわれの理性に直接与えられ、理性の最近親者のように理性にはまったく透明な対象」★3なのだ、と。彼は、数学者の推論によって発見されるのを待ち受けている真の抽象的な存在が実在するのだと信じていたのだ。合理性〔理性性〕(rationality)は、われわれをして論理学の諸法則を洞察させてくれるように、数学の諸法則を洞察することをも可能にしてくれる、というわけである。

論理学から算術を派生させようとするフレーゲの試みはみごとに成し遂げられたが、それはやっかいな問題を引き起こした。バートランド・ラッセルが、そうした派生の試みはそれ自体論理学本来の領分に属しているのだとする地位を損なうようなパラドックスを発見したのである。それがもとでフレーゲは最終的にそうした派生の試みに疑念をもつようになる。次いで一九三一年、クルト・ゲーデルが編み出したある定理は次のことを証明してしまった。すなわち、数学のいくつかの重要な体系では、無矛盾性は完全性と両立しえない、なぜならいくつかの体系は、無矛盾的である場合には必然的に不完全だからである、と。このことが明らかにしたのは、数学的真理のなかには原理的に証明不可能なものもあるのだということ、論理学はフレーゲが望んでいたようなやり方では数学を完全に説明することができないということであった。これらの難点にもかかわらず、彼の仕事の影響力とそれをめぐる評判は少しも衰えることがない。事実そこから生まれたのは、彼の仕事をもっと先まで推し進めてこれを応用しようとする、もっと高い関心ともっと熱心な努力だけだったのである。

　フレーゲの言語哲学は、その大部分は彼の数学の哲学から生じたものである。その主要な関心は意味（meaning）に関するものであり、その関心と結びついた多くの問題は、フレーゲが一八九二年に執筆した『意義と指示』と呼ばれる有名な論文のなかで論じられている。この論文において彼は、以下のような考察に基づいて意義（sense, Sinn）と指示（reference, Bedeutung）との区別を導き出している。

「明けの明星」という単称名辞の意味はどのようなものと解されるかという問いには、多くのひとは、その名辞はそれが指示する惑星を意味しているとか、その名辞が意味をもつのはその名辞とその惑星を結びつける連合［連想］のおかげだなどと答えるだろう。それゆえ一般的にいうなら、名辞の意味とはそれが指示するところのもの、つまりはその指示対象（referent）のことだと解される、となるだろう。ところがフレーゲは、こうした見解に異論を唱える。彼は、かつて「明けの明星」として知られていた惑星がその後「宵の明星」と呼ばれる惑星と同じものであることが発見された点にわれわれの注意を喚起する。つまり、ふたつの名称がひとつの惑星を指示していることが理解されたのである。そこで彼は次のように指摘する。ある名称をわれわれが理解することとはそれが何を指示しているのかを知ることだとするなら、そのとき、先のふたつの名辞をあらかじめ理解していた者なら誰でも、それらの名辞が何を表しているのかも知っていたのだろうから、それがひとつのものであることもまた知っていたはずだとなるだろう。したがって、そうした事実を後から発見することなどありえないだろう。そしてこのことが明らかにしているのは、「明けの明星」と「宵の明星」というふたつの名辞は同じ指示対象をもつにもかかわらず意義が異なるということである。意義と指示の区別は、われわれが同じ対象に対して異なった表現を用いることができるのはどうしてなのかを明らかにしてくれる。フレーゲは文の意味を考察する際も次のように判断する。すなわち、われわれはある文の指示を変えることなくその文の「思想」を変えることができるのであり、したがってある文の「思想」がその文の意義であるのにちがいない、と。たとえば「明けの明星とは太陽に照らされた一個の物体である」という文は「宵の明星とは太陽に照らされた一個の物体である」という文とはちがう「思想」をもつが、しかし同じ対象を指示しているのである。以上からフレーゲは以下のように結論づける。指示の役割とは文の意味というよりむしろ文の**真理値**を規定することにあるのであり、一方、ある表現の意義はその表現の指示対象を規定しているのである、と。彼の記述によれば、ある名称の意義はその名称の指示対象へといたるある経路を表すものであり、別の名称の意義は同じ指示対象へといたる別の経路をもたらすものである。ある文の意義ないし「思想」は私的なものとか主観的なものとかではない。というのもそれは、ある文を真ならしめる条件を含んでいるからである。かくしてわれわれが「アリストテレスは賢明である」とか「明けの明星は輝かしい」とか言えば、われわれはそのおかげでこれらの文が真となるようなある種の条件が成り立っていることを前提していることになる。フレーゲの結論によれば、われわれがある文を理解するときにわれわれが理解しているものは、その文を真ならしめている条件であるか、たがいに異なる真理値同士の関係であるかのどちらかだ、ということになる。彼は、すべての名辞は自らの外延を表している、すなわち、当の名辞があてはまる存在ないし存在たちを表しているという原理を用いることで、文と文の関係を取り扱う記号論理学を打ち立てた。この論理学は、述語を指示するために、また述語が結びつけられる対象に応じて真や偽をわりふるために、関数という数学的概念を用いるのである。この数学的なタイプの論理学は古くからのアリストテレス的論理学を駆逐することになった。そのうえ、意義の決定因となる客観的な真理が存在するという前提のもとに、真理が言語にとっては根本的なのだとするフレーゲの見解は、言語哲学や**形而上学**の内部でも多くの論争を引き起こすことになったのである。

　フレーゲは意味を意義と指示の両者のうちにあるものと考えた、と従来は広く見なされてきた。ところが、『フレーゲ、その言語哲学』という著書のなかでマイケル・ダメットはこの見方に反対した。彼は次のように指摘している。すなわち、フレーゲは意義と語調（tone）と力という三つのものを区別しているのであり、文のなかでこれらのものが変化すれば当の文の意味も変化するのである、と。これは何も、指示が意味と何の関係もないといっているのではなく、ただ指示は意味の構成要素ではないといっているにすぎない。あるいはむしろ、指示は意義（sense）によって規定されるという点では意味（meaning）の帰結なのである。ダメットによれば、意味についての理論とは理解することについての理論である。そのような理論は、「ある単語や表現が何を意味しているのかをある人物が知るとき、つまり彼がそれを理解するとき、彼は何を知ることになるのか」[★4]について説明しなければならない。その説明は、理解するとはどのようなことなのかをはっきりと述べる必要がある。そこで彼は言う。「それゆえ、指示が意味の構成要素ではないと主張することは、われわれがある単語や表現を理解することは、ただわれわれがその単語や表現からこの世の何かを連想することではいささかもないのだと主張することなのである」[★5]と。これは「フレーゲの見解と完全に一致」するとダメットは主張している。彼はまた意義という概念にまつわるいくつかの問題についても論じている。ある表現の意義は明確なものではないという点からすると、意義というものは主観的なものなのだから指示とはちがって言語の話し手同士のあいだで共有されることはないのではないか、という疑問が出てくる。これに対する答えとしてダメットは指摘する。すなわち、ある個人が指示を規定する手段は、ひとり彼のみが所有しているような何らかの認識に依拠することはできない、と。彼はこう述べている。

ある表現の指示対象について知られていること、そして個人がその指示対象についての信頼すべき情報だと解するもの、ただこうしたものだけが、その個人がその表現に結びつける意義に含まれるのだ。そして普通は、多少とも共通の認識であるようなものしかその意義の一部とは解されない。[★6]

彼はフレーゲが意義と情報を関連づけている箇所を引用して、以下の点にわれわれの注意を喚起している。すなわち、われわれがある表現の意義として何を受け入れ可能と見なし何を受け入れ不能と見なすかは、情報のたえざる見直しと増補によって左右されるのだが、まさにそうした情報こそが諸々の表現にはっきりした意義を固定化してくれるそれらの表現が為される際の言明の基盤を確立してくれるのだ。そうすることで、われわれは確立された慣習を認知すると同時にそれを洗練されたものにもしていくのである。ただし、ダメットの議論の要点は、あくまでもこうした活動は、われわれの言語的営みを体系化していく活動なのだという点にある。かかる活動は、そうすることで、ある言明の意義を、それに対する客観的な理由づけが求められるようなものにしてくれる、というのである。だがダメットは言う、フレーゲは自然的言語のもつニュアンスや柔軟性を自然的言語のうちなる欠陥と見なし、いかなる論理的に単純な表現も何らかの仕方で定義可能となるような言語を望んでいたという点で、意義に関するフレーゲの議論は考え違いをしているのだ、と。ダメットの見解によれば、意義はそのように人為的に固定化される必要などない。なぜなら、われわれの言語的営みそのものがすでにして、客観性のための条件をもたらしてくれているからである。

自然的言語にはフレーゲの論理学体系では網羅しきれないほど多くの慣用表現が存在するにしても、彼の仕事は、日常言語の論理分析を拡張しようとする多くの企ての出発点ないしは基盤となった。ウィトゲンシュタインの後期哲学では、言語は真理値をもたらす規則という観点から分析できるとするフレーゲの考え方は疑問の余地があると見なされている。というのも、言語的な理解は使用されている言語に関する合意を共有している共同体の構成員によって左右される、というのが後期ウィトゲンシュタインの見解だからである。ウィトゲンシュタインが信じたところによれば、そうした合意は根底においては単に、単語の定義に関する合意であるのではなく、むしろ生活や世界に対するわれわれの反応という点での合意なのである。

★注

1 本書のウィトゲンシュタインの項参照、三二四頁～。

2 Frege, *Foundations of arithmetic*, trans. J. L. Austin (Blackwell, Oxford, 1950), p.69e.（フレーゲ「算術の基礎」三平正明、土屋俊、野本和幸訳『フレーゲ著作集2』勁草書房、二〇〇一年、一〇六頁）

3 Ibid., p.115e.（同書、一七〇頁）

4 Michael Dummett, 'Sense and reference' in T. Honderich (ed.), *Philosophy through its past* (Penguin, Harmondsworth, 1984), p.447.（これはダメットの *Frege: philosophy of language* の第五章である。）

5 Ibid.

6 Ibid., p.458.

本書の次の項を参照
ウィトゲンシュタイン、カルナップ、ブラッドリー、ラッセル

フレーゲの主な著作
- ‘Begriffsschrift’（1879）（「概念記法」藤村竜雄訳『フレーゲ著作集1』勁草書房、一九九九年）
- ‘Function and concept’（1891）（「関数と概念」野本和幸訳『フレーゲ著作集4』勁草書房、一九九九年）
- ‘On concept and object’（1892）（「概念と対象について」野本和幸訳『フレーゲ著作集4』勁草書房、一九九九年）
- ‘On sense and reference’（1892）（「意義と意味について」土屋俊訳『フレーゲ著作集4』勁草書房、一九九九年）
- ‘What is a function’（1904）（「関数とは何か」野本和幸訳『フレーゲ著作集4』勁草書房、一九九九年）

以上の五編は P. Geach and M. Black, *Translations from the philosophical writings of Gottlob Frege*（Blackwell, Oxford, 1952）のなかで入手可能。

- *The foundations of arithmetic*（1844), trans. J. L. Austin（Blackwell, Oxford, 1950）（「算術の基礎」三平正明、土屋俊、野本和幸訳『フレーゲ著作集2』勁草書房、二〇〇一年）
- ‘The thought: a logical inquiry’, trans. A. M. Quinton and M. Quinton, *Mind*, vol. 65（1956), pp.289-311, reprinted in P. F. Strawson（ed.), *Philosophical logic*（Oxford University Press, Oxford, 1967), pp.17-38.（「思想」野本和幸訳『フレーゲ著作集4』勁草書房、一九九九年）

参考文献

- Anscombe, E. and Geach, P. *Three philosophers*（Blackwell, Oxford, 1961）
- Dummett, M. *Frege: philosophy of language*（Duckworth, London, 1981）
- ——*The interpretation of Frege's philosophy*（Duckworth, London, 1981）
- Kneale, W. and Kneale, M. *The development of logic*（Clarendon Press, Oxford, 1962), Chs. 7 and 8
- Passmore, J. *A hundred years of philosophy*（Penguin, Harmondsworth, 1968), Ch. 6
- Walker, J. *A study of Frege*（Blackwell, Oxford, 1965）

エトムント・フッサール

Edmund Husserl
1859 - 1938

フッサールは、自らが「アルキメデスの支点」と呼んでいたものの探求に、すなわち、人間的認識の基礎づけの探求に一生を捧げた。彼はこう主張した。哲学者は何ごとをもすでに保証済みのものと見なすべきではなく、自分がすでに為し終えたことを放棄して、すべてを一から始め直す準備がつねにできていなければならない、と。自分自身のこうした勧告に従うかたちで、彼は、心理学の観点から数学的概念を分析しようとした自らの初期の試みに対してフレーゲからなされた批判に慎重な注意を払った結果、論理学と数学を、経験には依存せず、そのため心理学とははっきりと区別される学として扱うようになった。彼が展開したのは「純粋現象学」であった。それは自分自身の意識内容の精査に基づいた手続きである。彼の方法は、それらの意識内容の外的な原因や帰結に関するいっさいの前提の排除を要求する。それがめざしているのは、心的作用の本質的性格を見極め、そのことによって人間的認識の源泉であるような諸々の真理を見出すことである。

フッサールはモラヴィアのプロスニッツで生まれた。彼はベルリン大学で数学を、次いでウィーン大学でフランツ・ブレンターノについて心理学を研究した。一八八七年にはハレ大学で私講師になった。一九〇〇年、彼はゲッチンゲン大学の哲学教授に任命され、一九一六年にはフライブルク大学の教授職に移った。そこでの彼の授業は、弟子のマルティン・ハイデガーによって記述されているように、現象学的な「看取」の地道な訓練であったが、この看取は同時に、まだ検証されていない哲学的知識の使用を放棄することを要求するものであった。彼は一九二九年までフライブルクで教えその地で余生を送ったが、晩年はユダヤ人の家系であったがゆえに彼に課せられた心労と社会的制約のもとで不幸な境遇にあった。

一九世紀のはじめ、「現象学」という用語は広い範囲で用いられていた。二〇世紀初頭にフッサールが使用して以来その用語は、哲学を行うための現象学的方法を言い表すと同時に、与えられたあるテーマについての何らかの記述的な研究方法を言い表すために用いられるようになった。フッサールの現象学はその多くを、ウィーン大学での彼の師であったフランツ・ブレンターノからの影響に負っている。ブレンターノはすでに次のように論じていた。すなわち、心的現象は「それ自身の内にある対象を志向的に」含んでおり、そのような対象は何らかの物質的実在を指し示す場合とそうでない場合とがあるが、いずれにせよこのことが心的現象を識別する特徴となっている、と。志向的な対象というこの概念には興味深い複雑な論理的考察が結びつけられているが、ブレンターノと彼の弟子たちにとって注目の的となっていたのは、ある志向的対象の心的経験という現実の現象であった。フッサールの現象学的方法は、一九一三年に刊行された彼の『純粋現象学および現象学的哲学へのイデーン［考案］』の第一部のなかで詳論され例示されている。彼の主張によれば、その方法とは記述であるが、しかしそれは心理学的記述とは区別されるものである。その方法は、彼が「自然的態度」と呼んでいるものを一旦停止すること、もしくは「カッコに入れる」ことを要求する。彼が言うには、われわれの最初の見方は自然的観点から為されるものであり、この自然的観点からわれわれは、「空間のなかに果てしなく拡がり、時間のなかでも果てしなく生成しつつありまた生成してきた」世界について意識している。世界のすべてのものは、ひとがそれに関心を払おうと払うまいと、そこにある。それらは、フッサールに言わせれば、「未規定的な現実というあいまいに捉えられた地平によって、一部は浸透され一部は取り囲まれて」[★1]いる。われわれはときとしてそれらのうちのあるものに焦点を当てるが、それらはもっと一般的には「未規定的な周囲」にとどまっている。時間的に見られた世界の場合も同様であって、「［過去と未来という］ふたつの方向に無限な」地平が存在している。フッサールは次のように書いている。

> わたしは空間と時間におけるわたしの立場を移動させてあちこちを見ることができるし……わたしはたえず新しくて多少とも明瞭で有意義な知覚や表象を自らもたらすことができるし……それらのうちでわたしは、空間と時間の確固たる秩序において可能であったり推測できたりするものを、自らに直観可能なものとするのである。[★2]

さらに、私にとってたえず「現前」しているこの世界は、彼によれば、単に諸々の事実の世界であるばかりでなく、世界の事実性と同じように、世界を構成しもすれば直接的に与えられもしているような、諸々の価値の世界でもあるのだ。この自然的世界は、わたしが何か別の領域、たとえば算術や数に注意を集中して「算術的な立場」をとる場合でも、ある意味で「現前」したままである。わたしがそのように数学を熟考するとき、自然的立場は「目下のところわたしの作用としての意識にとって背景となっているのである。しかしそれは、算術的世界が組み入れられるような地平ではない」[★3]。自然的世界と算術的世界の両世界がともに現前している。つまり、両世界ともわたしの自我に関係づけられてるいるのだが、それでもふたつは互いに異なっている。こうした経験構造はすべてのひとにとって同じだと、フッサールは主張する。「誰もが自分に固有な場をもって、現前するものをそこから眺めるのだから、誰もがそれぞれにものの異なった姿を享受していることになる」[★4]という点では、経験内容はひとによってさまざまである。だが同時にわれわれは、自分たちが所属している客観的な空間-時間的世界についてある共通の理解ももっている。以上フッサールが行った性格づけは、彼によれば、「いっさいの理論に先立つ純粋記述の一部」である。つまりそれは、われわれが世界に住まい世界に関わるときのその住まい方・関わり方についての一般的記述なのであり、その個々の内容は自然的立場に立つ諸科学にとっての研究対象なのである。

　フッサールがめざすのは、そうした自然的立場の「現象学的還元」を遂行することである。それが遂行されるのは、自然的立場からわれわれが関わっている諸々の対象や事物に対するわれわれの信念をそっくり「カッコに入れ」一時棚上げにすることによってであり、またそれらの対象や事物をめぐるわれわれの経験そのものに注意を向けることによって、である。そのようにして事物を「カッコに入れる」というのは、それらの事物の実在を疑うことではなく、それらのスイッチを切ることである。それは「一種の判断中止であるが、この判断中止は、〈真理〉についての揺るぎなく、自己明証的であるがゆえに揺るぎようもまたない確信とも、両立しうるものである」[★5]。要するにそれは、当の「カッコ入れ」によって棚上げにされるものが何であるのかははっきり知っているのに、自分が「カッコに入れ」たものはただ使用しない、ということなのだ。以上が還元の第一ステップである。第二ステップは、「カッコ入れ」が行われた後に残っているものの諸構造を記述することである。「心的実在を拘束し」て心的経験の諸条件を構成するのは、ほかならぬこのような意識構造ないしは意識形態だからである。それらの意識構造ないしは意識形態を、それらが意識に対してあらわになってくるとおりの姿で記述することが、必要なのである。

フッサールが信じたところによれば、現象学的還元という手段によって、ひとは自分の他者体験や自分の事物体験をその内容に即してあるがままに考察することで、同時にまた自分の「超越論的自我」を発見することも可能になるのであって、またそうすることで例のアルキメデスの支点に到達することにもなるのである。というのも、現象学の真の課題は、心理学の関心に属するような「心理的自己」とははっきり区別される純粋意識としての、超越論的自我の否定しがたい実在の認知とともに始まるのだから。

超越論的自我に関するフッサールの見解は、他の現象学者たちの心に多くの哲学的懸念を引き起こした。主として彼らが疑念をもったのは、それを記述することでフッサールの主張を支えることができるような心的現象がはたして存在するのかどうか、という点であった。とはいえフッサールは、その後期の著作で、超越論的自我というのは、相対者のただなかに屹立する「絶対者」というより、むしろ世界の相関者なのだという考えを主張したのに、おおむね自らの見解に固執したままであった。一九三八年に彼が亡くなって以降、現象学運動はしだいに分裂したものになっていったが、それでもジャン＝ポール・サルトルとマルティン・ハイデガーという強力な代表者を見出すことになった。彼らふたりが展開したのは、現象学的手続きを含んだきわめて個性的な顔をもつ思想だった。ハイデガーは「現象学への私の道」という論文のなかで、彼が現象学の方法に対して初期に抱いた困惑を記述し、フライブルクでフッサールから教えを受けることでその困惑が徐々に解消されていったさまを詳述している。フッサールが残した影響は根本的かつ持続的なものであった。ハイデガーは以下のように記している。

わたしはフッサールの著書にとても魅惑されていたので、続く数年のあいだは、わたしを魅了しているものが何なのか十分に見抜くこともないまま、それを何度も何度も読んだのだった。その著書から発せられる魅力は本の紙面やとびらといった外見にまで及んでいた……。★6

★注

1 Husserl, *Ideas for a pure phenomenology*, Second Section, First Chapter, §27.（フッサール『イデーンI-I』渡辺二郎訳、みすず書房、一九七九年、一二七頁）
2 Ibid.（同書、一二八頁）
3 Ibid., §28.（同書、一三一頁）
4 Ibid., §29.（同書、一三二頁）
5 Ibid., §31.（同書、一三八頁）
6 Walter Biemel, *Martin Heidegger*（Routledge and Kegan Paul, London, 1977), p. 10.（W・ビーメル『ハイデガー』茅野良男、山本幾生、柴嵜雅子、田辺正彰訳、理想社、一九八六年、二八〜二九頁）

本書の次の項を参照
サルトル、デカルト、ハイデガー、フレーゲ

フッサールの主な著作

- *Logical investigations*（1900-1), trans. J. N. Findlay（2 vols, London, 1970)（『論理学研究』1-4、立松弘孝、松井良和、赤松宏訳、みすず書房、一九六八〜七六年）
- *Ideas: general introduction to pure phenomenology*（1913), trans. W. R. Boyce Gibson（Allen and Unwin, London, 1931; Collier Books, New York, 1962)（『純粋現象学及現象学的哲学考案』上下巻、池上鎌三訳、岩波文庫、一九三九〜四一年、『イデーンI-I、I-II』渡辺二郎訳、みすず書房、一九七九〜八四年）
- *Cartesian meditations*（1929), trans. D. Cairns（The Hague, 1960)（「デカルト的省察」船橋弘訳『世界の名著51・ブレンターノ、フッサール』中央公論社、一九七〇年、『デカルト的省察』浜渦辰二訳、岩波文庫、二〇〇一年）

フッサールのドイツ語の文書は、*Husserliana, Gesammelte Werke*（The Hague, 1950- ）に収録されている。

参考文献

- Farber, M.（ed.) *Philosophical essays in memory of Edmund Husserl*（Harvard University Press, Cambridge, Mass, 1940)
- Kolakowshi, L. *Husserl and the search for certitude*（Yale University Press, New Haven, 1975)

- Passmore, J. *A hundred years of philosophy* (Penguin, Harmondsworth, 1968), Ch. 8
- Piycevic, E. (ed.) *Phenomenology and philosophical understanding* (Cambridge University Press, Cambridge, 1975)

アンリ・ベルクソン

Henri Bergson
1859–1941

ベルクソン哲学の中心にあるのは時間という概念である。彼は科学的な時間と純粋時間を区別した。前者が時計やその他の装置で計測されるような時間であるのに対して、後者はわれわれが直接的に経験する流れるような一連の連続的出来事であり、彼の主張によれば、その内部ではときとして自由にかつ本当の意味で行為することが可能になるのである。彼は生命の躍動［エラン・ヴィタール］（élan vital）という一種の生命衝動を想定した。これは根本的な実在であり、これを通して宇宙的な力が経験されるのである。また彼は、知性や合理性（rationality）や科学を優越したものと見なすようないっさいの見地に反対した。彼の考えの多くはウィリアム・ジェームズのそれと密接な親近性をもっている。ジェームズはベルクソンのことを、われわれに以下のように勧告する者として描いている。

あなたが実在を知ろうと思うなら、流れそれ自身の中に飛び込みなさい……ひとり不変のもののみが卓越しているという奇妙な信念のもとにプラトニズムがたえずはねつけてきたあの流れの中に。顔を感覚の方に向けなさい。合理主義がつねに罵詈雑言を浴びせかけてきたあの肉体と結びついたものの方に。[★1]

ベルクソンはイギリス人の母と［ユダヤ系］ポーランド人の父のもとにパリで生まれた。彼はそこのコンドルセ高等中学校に通い、その後、高等師範学校に進んで一八八一年に卒業した。続く数年間はアンジェー高等中学校とクレルモン・フェラン大学で哲学を教えていたが、やがてパリに戻り、いくつかの高等中学校で教えた後、高等師範学校に着任した。一九〇〇年にはコレージュ・ド・フランスの教授職に任命された。このときまでに彼はすでに自らの著作を出版し始めていた。一九〇〇年には『笑い』が、そして一九〇七年には『創造的進化』が出た。一九一一年、彼はイギリスを訪問しバーミンガム大学やオックスフォード大学で講義をした。『創造的進化』は彼に国際的な名声を与え、たいへんな人気を博した。一九一四年、彼はアカデミー・フランセーズの会員に選ばれた。同じ年、彼の著書のいくつかがローマの聖務聖省によって禁書目録に加えられた。なぜなら、彼の反主知主義がローマ・カトリック教にとって有害であると考えられたためである。けれども彼の哲学は広く読まれ賞賛され続けたし、それが他の思想家たちに与えた影響にも奥深いものがあった。一九一九年には彼の論文集『精神のエネルギー』が出版され、一九二二年にはアインシュタインの相対性について論じた『持続と同時性』が出された。ベルクソンは一九二一年、健康上の理由でコレージュ・ド・フランスの教授職を辞任した。また一九二七年にはノーベル文学賞を授与された。第一次大戦後の数年間、彼は国際政治にも関心を向け、諸国間の協力態勢と平和的な共存を促進するために働いた。第二次大戦の勃発後まもなく、占領下のパリで暮らしていた彼は、ユダヤ人としての登録を求められた。この要求に応えるため彼は冬の寒いなか何時間も行列にならび、その結果肺炎を起こし、それがもとで一九四一年一月四日亡くなった。

ベルクソンの重要性をはっきりさせたのは、一九〇七年に出版され一九一一年には英訳された『創造的進化』であった。しかし一八八九年に刊行された『時間と自由』のなかで、彼はすでにふたつの時間の対比を入念に論じていた。一方は諸科学において展開されているような時間であり、そこでは時間は、分や時といった分割の印によって定期的に区切られたある種の同質な媒体として考えられている。他方は、力動的かつ能動的でたえず変化し続ける出来事の流れとしての時間であり、それは生命それ自身の流れなのである。彼の主張によれば、最初の意味での時間とともに機能するのはまさに知性なのであって、知性はその際すべてのものを互いに区別される存在物や継起や状態へとまとめて概念化し、まさにそのことによって実在にそれが実際にはもっていないきちんと整理された外観を与えてしまう。彼はこうした主知主義がわれわれをしてみごとに生き延びることを可能にさせるという実際的な効用をもつことは認めているが、しかし同時にそれが、真に生起しているものについてまちがったイメージをもたらすという点で、哲学的な誤りに導くものであると力説する。本当のところ、われわれのことばや知的分類がわれわれに信じ込ませているような「同一状態」などまったく存在していない。そのかわり存在しているのは、たえず異なり流れ去っていくような移りゆく経験の流れなのだ。これが真の時間とか「持続」といわれるものなのである。それはほどけていくひも玉のようなぐあいに空間を通じて延び拡がることはないし、いかなる種類のクロノメーターによっても計測されることはない。それは持続としてのみ現実に存在する。なぜならわれわれ自身がそれに気づいているからである。ベルクソンは次のように述べている。

> 持続の間隔が現実に存在するのはわれわれにとってだけであり、またわれわれの意識状態の相互浸透のゆえにすぎない。われわれの外に見出されるのは空間とそれゆえ諸々の同時性以外の何ものでもないであろうし、それらについては客観的に互いに継起すると言うことさえもできないのである。★2

実在の本性についてのこうした考え方には、人間的自由という観念に対する含みがある。ベルクソンは人格の本質的な核、つまりわれわれが概念化するよりもむしろそれを生きている「深層の自己」を、われわれの身体的な動きと対等ならざるものと考えている。自由はわれわれの直接的で非-空間的な実在経験と関係がある。自由は感じられるものではあるが、説明されうるものではない。自分の行動が自分の存在の全体から発するときにのみ、自由は行使されるのである。それゆえ彼はこう書いている。「われわれの行為がわれわれの全人格から発し、全人格を表現し、ときとして芸術作品と芸術家のあいだに見られるような定義しがたい類似がわれわれの行為と人格とのあいだにあるとき、われわれは自由なのである★3」と。この種の自由にはいかなる客観的な証明もない。なぜなら各人の自由はもっぱらその当人に限られており、他の誰かによって直接的に経験されることなどできないからである。人間は自分たちの十全な自由を、まだ十分行使していない、とベルクソンは主張している。

『創造的進化』においてベルクソンは自らの反主知主義を展開し、**形而上学**に関与している。彼は実在を何らかの目標や目的に向かう運動という観点から記述する理論にくみして、実在についての**唯物論**的で機械論的な説明を退けている。しかし彼はまた、ある個別的な目的がそれぞれの有機体の機能を支配しているという見解をも退けている。彼自身の見解は、生命の躍動という生命力がすべてのものの創造的な進化を生じさせる、というものだ。この基礎的なエネルギーにはいかなる特殊な、あるいは特定化されうるような目標もない。それは創造的であらゆるものを産み出す力であり、限りなくさまざまに変異した形態を生み出すが、そうなるとその力はさらなる変異を創造するために自らが生み出した形と争わなければならない。その活動は、物質の崩壊や物質の惰性的性格を克服することによって自由を増大させる。『創造的進化』のある箇所で、ベルクソンは〈神〉としての生命の躍動について語っている。彼はこう書いている。「このように定義されるならば、〈神〉はできあがったものを何ももたない。〈神〉は不断の生命であり、活動であり、自由である。そして創造はそのように理解されるなら、神秘などではない。われわれが自由に行為するとき、われわれは自分自身のうちにそれを体験するのである」[★4]。一見したところ生命の躍動と同一でありわれわれの行動のうちで直接に体験されるものとしての〈神〉というこの考え方のうちには、**汎神論**の暗示より以上のものがあるようにも思われる。けれども、ジョゼフ・ド・トンケデック宛の手紙のなかでベルクソンは、自分は〈神〉を自由な創造主、生命や物質とは区別されるがそれらを産み出す者と見なしていると主張している。こうして彼は、ひとが往々にして彼に負わせたくなる汎神論の汚名を無効にしているのである。だがそれにしても、彼が主張しているのは以下のようなことである。すなわち、人間の生命は断片化されることのないある大いなる全体の一部であり、その全体がそれとして認知されるのは、われわれが真の時間の継ぎ目のない流れについてのわれわれの直接的で**直観的**な把握と、この流れへのわれわれの直接的で直観的な関与とを信頼するときなのである。そのようにすることをわれわれに可能にしてくれる直観能力は、実在を人為的に不動化し断片化する知性とはまったく異なる何かである。直観は非概念的だ、とベルクソンは主張している。直観は外界に向けられると、「比類なきものであるところから表現不可能でもあるものと一致するようにと」ひとを対象の内面に送りこんでくれる。これとは対照的に、知性は、自らの対象を指示するのに記号を用いるところから、ものを外から眺めることとしかできず、ときとしてパラドックス（**逆説**）や欺瞞化を生み出してしまう。ベルクソンはゼノンの「パラドックス」こそは、運動を概念化して説明しようとする試みが誤りと困惑を引き起こしてしまった実例だと見なした。彼によると、ある物体の移動を諸々の断片や静止状態へとばらばらにすることによって運動を分析しようとするのは正しくない。ひとり直観的態度だけが、歪曲されない純粋な知をもたらすことができるのだ。知性は、範囲を確定して正確を期することであらゆるものを不動化してしまう。その結果、知性がそのようにして用いる諸概念の方が、それらが指示している当のものよりもっとリアルだと思われてしまう[★5]。だが直観は、もともと本能から派生してきたものであるため――それは意識的かつ客観的になった本能なのだ――事物の生き生きした本性に関与することができるのである。とはいえ、知性は価値がないから無視されるべきだというのがベルクソンの真意なのではない。事実、知性は生命の躍動によって産み出される創造的進化において本質的なものである。というのも知性は、さらに深遠でさらに一貫した洞察のための直観能力を発達させるべく、本能と連携して展開されるからである。われわれはこうした創造的な進展を、ふたつの異なったまったく対立する実体同士の争いとして考えるべきではない。それはむしろ、両者の共通の源泉でもあるような何か根源的で原初的なものの分岐として考えるべきである。ここにおいてベルクソンは、自らの形而上学的理論と科学的理論を自由に混ぜ合わせている。彼の主張はこうである。すなわち、生命の躍動ははじめに、原初的な生けるシステムをいくつかの異なる発展方向へと転換させた。こうして植物と昆虫、さらには安定性と本能と知性を表す脊椎動物が生み出された。それ以降、物質と意識は相互に作用しあって進化してきた。ただしそれは、ベルクソンの強調するように、あらかじめ決められた計画に従うかたちでではなく、むしろ進歩と向上が宇宙的な規模でたえず生ずるといったかたちにおいてなのだ。つまり、生命の躍動は全宇宙にくまなく働きかけているのであり、おそらく他の惑星の上にも他の存在を生み出していることだろう。

晩年のベルクソンはその見解においてますます宗教的かつ神秘主義的になっていった。『創造的進化』の二五年後に書かれた『道徳と宗教の二源泉』のなかで彼は、道徳と宗教の起源という問題に対する人類学的および社会学的な解答を、哲学的に検討しようと試みている。ベルクソンにとって道徳や宗教といった現象の源は、ここでもまた人間の精神が生命の躍動とひとつになることのうちに見出されるべきものであり、この合一を最もよく達成しうる精神が神秘家の精神なのである。共同体や社会の通常の道徳は数多くの実践的目的に奉仕し、人々をひとつに結びつけ容易な共存を促進する。だがこうした限定されかつ限定していくシステムを超えて、いまひとつの種類の道徳があるのであって、それは全人類に及ぶようなさらに洞察力に富んだ精神によって気づかれる。個々ばらばらな共同体の世俗的で中途半端な道徳は社会的生活を保護しようとする欲求から生じるが、普遍的な道徳は、すべての人間の尊厳が認められるといった、共同体のさらに高度で洗練された理想についての宗教的認識によって引き起こされる。とはいえ、通常の社会生活の道徳は普遍的な道徳の想像力に溢れた霊的性質の必要条件なのである。

ベルクソンの輝かしく刺激に満ちた哲学のスタイルは、賞賛と同時に厳しい批判をも引き寄せた。彼の批判者たちの筆頭はジュリアン・バンダであった。彼はベルクソンのことを、情緒性や未決定性や受動的で女性的な態度などに味方して分析的で科学的な思考を放棄してしまった、一般的で文化的かつ哲学的な堕落のよい見本だと見なしていた。またアメリカの哲学者、チャールズ・サンダース・パースは、彼の同僚の哲学者、ウィリアム・ジェームズがベルクソンの見解とパースの見解の類似性と見なされる点を指摘した際、自分が悪口を言われているように感じたという。強力な批判的反対意見はまた、フランスのいく人かのローマ・カトリック系哲学者たちからも寄せられたが、そのうちで特にジャック・マリタンは、ベルクソンの反主知主義が伝統的なカトリック信仰に脅威になると感じていた。だが一方では、権威に対するまさにそうした黙従の伝統に疑問を抱いて個人的な宗教経験の意義と重要性を力説していた、ローマ・カトリック内の近代主義者の運動は、ベルクソン哲学に共感していた。一方ベルクソン自身は、齢を重ねるにつれてカトリック信仰に惹かれるようになり、虐げられたユダヤ民族との連帯を主張するのが自分の望みでなかったとしたら、自分は［キリスト教］教会での洗礼を求めていたことだろう、とまで言うようになった。自分が信ずることを望んだ信仰の権威を損なうことが、彼の意図ではなかったことは明らかである。哲学的な啓蒙は結局のところ、宗教の教理一般を純化し高めることしかできないというのが、おそらく彼の確信であったのだろう。

ベルクソンはことばや概念が生命力を奪う硬直したものである点を弾劾したが、こうした弾劾に対する的を射た反論によれば、彼はそうした弾劾を言い表すためにもことばや概念を用いざるをえないのだから、彼はそうすることで、われわれに伝えたいと思っている当の認識を損なってしまうのだという。だが彼なら、われわれに以下の点を喚起することによって、こうした非難に答えることだろう。創造的進化は、ヘーゲル的な総合と似ていなくもない何かに向かって、つまりそこにおいては知性と本能が結びついてより豊かな直観的活動を生み出すような何かに向かって前進するのであり、わたしはわたしの哲学のなかで、自らの言語使用を通してそうした創造的前進の一部を実現したのだ、と。

★注

1　J. Passmore, *A hundred years of philosophy* (Penguin, Harmondsworth, 1968), p. 106 参照。
2　H. Bergson, *Time and free will*, quoted in L. Kolakowski, *Bergson* (Past Nasters, Oxford University Press, Oxford, 1985), p. 16.（ベルクソン「時間と自由」平井啓之訳『ベルグソン全集1』白水社、一九九三年、一一〇頁）
3　Ibid.,p. 129.（同書、一五九頁）
4　Bergson, *Creative evolution*, quoted in L. Kolakowski, *Bergson*, p. 61.（ベルクソン「創造的進化」松浪信三郎、高橋允昭訳『ベルグソン全集4』白水社、一九九三年、二八三頁）
5　本書のゼノンの項参照、三六頁〜。

本書の次の項を参照
アウグスティヌス、ジェームズ、ゼノン、パース、ブラッドリー

ベルクソンの主な著作

- *Time and free will: an essay on the immediate data of consciousness* (1889). trans. F. L. Pogson (Allen and Unwin, London, 1971)（「時間と自由」平井啓之訳『ベルグソン全集1』白水社、一九九三年、「時間と自由」中村雄二郎訳『世界の大思想II-11・ベルグソン』河出書房、一九六七年、『時間と自由』中村文郎訳、岩波文庫、二〇〇一年）
- *Matter and memory* (1896), trans. N. M. Paul and W. Scott Palmer (Allen and Unwin, London, 1970)（「物質と記憶」田島節夫訳『ベルグソン全集2』白水社、一九九三年、『物質と記憶』高橋里美訳、岩波文庫、一九三六年、『物質と記憶』岡部聡夫訳、駿河台出版社、一九九五年）
- *Laughter* (1900), trans. C. Brereton and F. Rothwell (Macmillan, London, 1911)（「笑い」鈴木力衛、仲沢紀雄訳『ベルグソン全集3』白水社、一九九三年、『笑い』林達夫訳、岩波文庫、一九七六年）
- *Creative evolution* (1907), trans. A. Mitchell (Green-wood Press, London, 1976; University Press of America, 1984)（「創造的進化」松浪信三郎、高橋允昭訳『ベルグソン全集4』白水社、一九九三年、『創造的進化』真方敬道訳、岩波文庫、一九七九年）
- *An introduction to metaphysics*, trans. T. E. Hulme (Macmillan, London, 1913)（「形而上学入門」坂田徳男訳『世界の名著53・ベルクソン』中央公論社、一九六九年、「哲学入門」河野与一訳『思想と動くもの』岩波文庫、一九九

八年、「形而上学入門」矢内原伊作訳『ベルグソン全集7』白水社、一九九三年、「形而上学入門」宇波彰訳『思考と運動』下巻、レグルス文庫、二〇〇〇年）

・*The two sources of morality and religion* (1932), trans. R. A. Andre and C. Brereton (Doubleday, New York, 1954; University of Notre Dame Press, 1977)（「道徳と宗教の二源泉」中村雄二郎訳『ベルグソン全集6』白水社、一九九三年、『道徳と宗教の二源泉』平山高次訳、岩波文庫、一九七七年、「道徳と宗教の二つの源泉」森口美都男訳『世界の名著53・ベルクソン』中央公論社、一九六九年）

ベルクソンの著作は、*Œuvres*, ed. André Robinet (Presses Universitaires de France, Paris, 1970) にまとめられている。

参考文献

・Kolakowski, L. *Bergson* (Oxford University Press, Oxford, 1965)
・Lindsay, A.D. *The philosophy of Bergson* (Dent, London, 1911)
・Maritain, J. *Bergsonian philosophy and Thomism* (Greenwood, London, 1955, 1968)
・Pilkington, A.E. *Bergson and his influence: a reassessment* (Oxford University Press, Oxford, 1976)

バートランド・ラッセル

Bertrand Russell
1872–1970

ラッセルの仕事は二〇世紀における哲学の展開に根本的な影響を及ぼすものであった。彼の最も重要な貢献は数学的論理学と論理哲学に対するものであったが、彼はまた多くの哲学的テーマのみならず自然科学や社会科学そして政治学にも該博な理解を示し、その生涯を通して数え切れないほどの社会問題や政治問題に関する公開討論にも参加した。彼はアルフレッド・ノース・ホワイトヘッドとともに『数学原理［プリンキピア・マテマティカ］』を執筆した。そこには、数学を生み出すことによって数学を論理学へと還元する、論理学の体系が提示されている。彼は〈タイプ理論［階層理論］〉と〈記述理論〉というふたつの理論を展開し、真理や意味や信念に関する諸問題に取り組んだ。彼のよく知られた書『哲学の諸問題』［邦訳名『哲学入門』］は今日では広く、哲学ならびに哲学することへの古典的な入門書と見なされている。一九二四年、彼は自らの哲学的立場を論理的原子論の立場として記述した。その主張とは、すべての複合的な存在は分析に基づいて単純な個物へと還元可能であり、この個物は論理的に適切な名称によって指示されることができる、というものである。論理的原子論に関する彼の講義の最初の部分は次のような宣言によって始まる。「世界は諸々の事実を含んでおり、それらの事実は、われわれがそれらについて考えることを選ぶことができるものなら何でも、それらがあるところのものなのである」。彼はその後、論理的原子論についての自らの学説に変更を加えるけれども、それは彼のその後の哲学的発展の全体を通して、実在についての彼の考え方の基盤でありつづけた。彼はまた、〈神〉の実在の論証に対しては**懐疑論**者であり、自分は神性を信ずるいかなる理由も見出さないと述べていた。そして一九二七年に出された『なぜわたしはキリスト教徒でないか』という書のなかでは、〈神〉の実在に関する論証を系統立てて検証し批判している。彼はキリスト教神学やキリスト教の実践に対しても批判的であった。政治的には彼はギルド社会主義の一形態を支持していた。その主要な関心は、共同体全体の可能なかぎり広範な利益をめざして生産者と消費者の利害のバランスをとることにあった。彼はナショナリズムをまったく愚かで危険なものと見なしており、むしろ世界政府を提唱した。ただしその実現はほとんど不可能であることには気づいていたようだ。彼は一九七〇年に亡くなるまで、核軍縮キャンペーンや多くの平和運動において指導的な影響力を発揮した。

ラッセルはジョン・スチュアート・ミルが亡くなる一年前に生まれ、そのミルが彼の世俗の名づけ親になった。彼の母はオールダリーのスタンレー卿の娘であった。彼の父アンバーレー子爵は、一八三二年の改革法案を提出したホイッグ党の政治家、ジョン・ラッセル卿の長男であった。その両親ともラッセルが四歳になる前に亡くなり、それ以降は厳格な祖母の手で育てられ、数学の奨学金をもらってケンブリッジ大学のトリニティ・カレッジに進むまでは家庭で教育を受けた。彼の知的才能は進学後ただちに花開き始めた。彼は徐々に数学から哲学へと関心を移し、〈道徳学（Moral Science）〉の優等卒業試験の第二部に備えて勉強するためにトリニティの第四学年にとどまった。そして一八九五年にはトリニティで特別［有給］研究員の資格をえた。一九〇〇年七月、パリで行われた国際哲学会の場でイタリア人論理学者ペアノと出会い、この人物との意見交換を通じて彼は、数学と論理学は同一でありうるという自らの思想を発展させた。その最終的な成果が、『数学原理』を生み出すための彼とA・N・ホワイトヘッドの共同作業であった。ちなみにホワイトヘッドは、トリニティで奨学金を得る際の彼の試験官であった。この書を執筆する際の細かな作業は主に、諸々の定理を苦労して書き出すことであったが、この仕事はラッセルの役目だった。A・J・エイヤーはラッセルに関する著書のなかで、一九〇七年から一九一〇年までラッセルはこの本のためにそれぞれ年間約八ヶ月、一日一〇時間から一二時間も働いた、と報告している。さらにエイヤーはこう続けている。

原稿が完成したとき、ケンブリッジ大学出版局理事会は、その出版によって六百ポンドの損失が出るだろうと見積もったが、彼らにはその半額以上を負担する意志はなかった。さいわい、一九〇八年にラッセルが選出されることでホワイトヘッドともども会員になっていた英国学士院が、二百ポンドの出資に合意してくれた。とはいえ、著者たちは残りの百ポンドを工面せざるをえなかった。こうして、彼らにとっては十年分の労働に値したこ

の名著のための彼らの財政的見返りは、それぞれに五十ポンドのマイナスとなったのである。★1

『数学原理』の出版に続く数年間、ラッセルは自らの哲学的関心を広げるとともに数多くの社会問題や政治問題にも巻き込まれるようになった。一九〇一年に彼は平和主義者になった。一九〇七年には国会議員に立候補したが落選し、また婦人参政権のための訴訟を支持した。彼は不可知論者で自由思想家でもあり、不敵にも権威というものを軽蔑していた。それゆえ彼はたえずあらゆる種類の論争や紛争で忙しくしており、ひんぱんに公衆の目に触れた。一九一八年、アメリカ陸軍に対するいわゆる誹謗中傷のかどで彼は六ヶ月間投獄されたが、その拘留期間を利用して『数理哲学序説』を書き上げた。このころ、すでに一九一二年にケンブリッジに入学していたウィトゲンシュタインからの影響が哲学の面に現われ始めていた。★2 ラッセルは彼をたいへん賞賛していたが、結局彼の哲学的見解からは袂を分かつことになった。その後数年間、ラッセルは多作だった。一九二一年には『心の分析』が出され、それに続いて相対性・原子理論・諸々の科学的テーマや教育的テーマ・宗教・結婚・道徳を論じた一連の小著が出た。一九三一年には兄の死により彼はラッセル伯爵となった。彼の生活ぶりはいささか危ういところがあり、彼は収入のために主としてアメリカ合衆国での授業や講演旅行に頼っていた。一九三二年、彼の二度目の結婚が失敗に終わると、彼は養育費を支払わなければならなくなった。だが彼が職を求めたまともな施設からは、往々にして彼はばかにされ拒絶された。一九四〇年、彼にニューヨーク市立大学の教授職の申し出がなされると激しい非難の渦が巻き起こり、それは結局、任命の無効を求めるある納税者による訴訟にまでいたった。その結果ラッセルはその地位に就任することができなくなった。しかし一〇年後、彼がノーベル文学賞を授与された後に講演のためニューヨークに戻ったときには、彼は熱狂のうちに迎えられた。一九四四年にはトリニティ・カレッジに特別［有給］研究員として復帰するよう招聘された。おそらく彼の最もよく知られた著書である『西洋哲学史』は一九四五年に、『人間の知識——その範囲と限界』は一九四八年に出版された。一九四九年には三度目の結婚生活が破綻し、一九五二年にはまたまた結婚した。一九五五年からその生涯の終わりにいたるまで、彼は北ウェールズで暮らし、政治や平和運動にますますさかんな関心を向け、たいへん高度な議論や交渉に関与し続けた。一九六四年、彼はバートランド・ラッセル平和財団を設立し、自ら自身の蔵書を売ってつくった基金によってそれを支えた。またその二年後、国際戦争犯罪法廷を発足させ、その著名なメンバーにはフランスの哲学者ジャン＝ポール・サルトルがいた。彼は九八歳で亡くなる三日前、イスラエル－アラブ戦争におけるイスラエル側のふるまいに対する非難を書き取らせた。それは「バートランド・ラッセルよりカイロ国会関係者世界会議に宛てた声明文」であった。

ラッセルの最初期の哲学的仕事は、ヘーゲルとブラッドリーの**観念論**からの影響下に行われた。この両者が主張していたのは、実在は一なるものでありそれは全体として精神である、ということであった。ラッセルは、ある部分ではライプニッツに関する自らの著作を通して、またある部分ではトリニティでの彼の同輩であったG・E・ムーアとの意見交換を通して、こうした学説が意味するものに批判的になっていった。[★3] この学説は、ラッセルによれば、すべてのものが相互に関係づけられていると見なすところから数学を不可能なものにしてしまう。なぜなら数学にあって要求されるのは、ある単位と他の単位の関係が考慮されうるに先立って、それぞれの単位がそれとして同定され知られているのでなければならない、ということだからである。ラッセルはしたがって、ヘーゲルの体系におけるように精神に依存的で相互に関係づけられているのではないような、複数の事物を認める実在論的で原子論的な見解を提起した。この原子論的な見解によると、ある名称の有意味な使用とはその名称に対応する世界の構成要素が実際に存在するかどうかによって左右されるのであり、ある一定の事実は、当の事実を全体のその他すべての部分との関係において考慮する必要なしに、考察し主張することができるのである。

ラッセルはこうしたテーゼを展開するに際して、一九〇三年に「観念論の論駁」と呼ばれる影響力の大きな論文を発表したG・E・ムーアの仕事からヒントを得、それによって支えられていた。ただし、この新たな実在論にまつわる難点は、関係の外在性［という主張］には、そのうちのいくつかは有意味な言説の指示対象として要求されるのに、実際にははっきりそれとは識別されえないような現実の存在物であふれかえった［あいまいな］世界、という世界像がついてまわるという点であった。[★4] そこでラッセルは、オッカムの剃刀に訴えることにした。それはすなわち「存在物は必要もなしに数を増やすべきではない」という格率である。そして彼は、既知の存在物からの構成が未知の存在物への推論に取って代わるような論理分析の方法を考案した。その結果が、堅牢な一種の論理的**経験論**であった。彼は決して首尾一貫した哲学体系のようなものを生み出すことをめざしてはいなかったが、それにもかかわらず、この論理的経験論はいずれのかたちにおいてであれ、ラッセルの仕事全体を性格づけることになる。事実、彼は意識的に体系化を退け、論理的方法を使って問題をひとつひとつ論じていくような漸進的なアプローチを提唱したのである。

〈記述理論〉がラッセルのそうした方法をはっきりと示している。それは、ある種の記述が有意味なものと見なされることができるのはどうしてなのかという難問に対処するためのものであった。たとえば「フランスの現在の国王は禿げである」という文において、「フランスの現在の国王」という指示句は現実には存在しない人物を指し示している。ラッセルのように、有意味な言説は指示対象をもたなければならないと考えれば、この文は無意味であることになる。つまりそれは真であるとも偽であるとも言うことができない。そこでラッセルはこの種の文を次のようなやり方で分析する。彼はまずそれを接続詞で結ばれたふたつの部分に分ける。こうである。「フランスを支配するただひとりの人物が存在する。そして、誰かがフランスを支配しているとすれば、その人は禿げである」。これで、現実には存在しない存在物への指示が取り除かれて文は有意味になる。ところで、「フランスを支配するただひとりの人物が存在する」という主張はまちがった主張である。そして接続詞を含む文は、その部分のいずれかが偽であるときには偽であるのだから、先の文全体は偽であることになり、またそれゆえに有意味でもあることになる。

ラッセルは『哲学の諸問題』［邦訳名『哲学入門』］の最初の章を、「理性的な人間なら誰もが疑いえないほどに確かであるような知識が何かこの世には存在するのだろうか」という問いで始めている。この問いに答えるために彼は、われわれが世界を知覚する際のそのやり方を検討し記述する。彼は「色・［音］・臭い・硬さ・荒さなどといったもの」を指し示すために「感覚与件（sense-data）」という語を導入し、諸々の感覚与件についてのわれわれの意識を感覚（sensation）と呼ぶ。彼はまた、自らが「熟知［直接知］」と「記述知［間接知］」と呼ぶものを区別する。事物の知識が問題である場合、われわれが直接に熟知することができるのは、感覚与件とわれわれ自身ならびにわれわれの心の状態だけである、と彼は主張する。そして彼が論じるところによれば、われわれは物理的対象を直接に熟知しているわけではなく、物体は感覚与件の原因であるのだから、感覚与件から出発してテーブル・樹木・犬・家・人々といった物体を［間接的に］推論しているのである。だがここでもちあがるのは、感覚与件から出発してある物理的対象についての常識的説明を満たしてくれる存在物に到るような推理は、いったいどのようにして為されるのかという難問である。ラッセルは最終的に次のように結論づける。すなわち、物理学は物理的対象なしでも済ますことができるのであり、物理学はまた「可能なときはいつでも、論理的構成体が推論された存在物の代わりをはたしてくれるのだ」という格率に忠実であるべきである、と。彼はまた次のような結論にもいたっている。われわれは自己を直接に熟知しているわけではないが、それにもかかわらず意志すること・信じること・願望することといった心の事実を熟知することができる。彼はそのような心の事実と感覚与件の区別を保持したが、後者の感覚与件が、意志されたり信じられたり願望されたりするもの、一般的にいえば、経験されるところのものなのである。

信念についての命題がラッセルにある問題を提起している。彼は原子命題と分子命題という二種類の命題を区別する。分子命題の真や偽はその命題がそこへと分解されうる原子命題の真や偽によって規定されるが、その一方で、ある原子命題の真理はその命題が描写している事実への指示関係によって規定される。ところが、心の事実に関する命題をこれらのカテゴリーのいずれかに割り当てるのは困難である。たとえば「pはqであると彼は信じる」という命題は、「彼は信じる」と「pはqである」というふたつの部分から成り立った分子命題のようにも見える。けれども検討してみれば明らかなように、「pはqである」の真偽は「pはqであると彼は信じる」という命題全体の真理とは何の関係もなく、それゆえ「xなおかつy」という形式に適したある真理値をそれに割り当てることはできないのである。『心の分析』を書いたとき、ラッセルは信念についての命題を**行動主義**的な線に沿って定式化し直すことによりこの難問を解決しようとした。というのも「アルザス犬は危険だとわたしは信じる」という命題を「わたしはアルザス犬が来るのに出会うと、道を譲る」というように定式化し直すとすれば、信念やその他の「心の事実」は、もはやそれ自身の論理を要求するものと見なす必要がなくなるからである。

ラッセルは自らの見解を発展させ見直しつづけた。彼はいつでも、自分がかつて賛成した学説のうちに欠陥や不十分な点を認めるのにやぶさかではなかったし、自らの観念を再考し定式化し直す心づもりもできていた。一九三三年から一九五三年までケンブリッジの道徳哲学の教授であったチャーリー・ブロードは、ラッセルが数年ごとに真新しい哲学を生み出したと指摘している。そのような指摘にもかかわらず、ラッセル自身は自らの知的自伝『私の哲学の発展』のなかで、個々の哲学的問題への漸進的なアプローチを通してではあれ、その仕事は首尾一貫して発展してきたのだと主張し、ただひとつ根本的な方向転換があったとすれば、それは初期にヘーゲル主義からペアノの論理学と論理的原子論の採用へと移行したことだけだと言っている。オッカムの剃刀の原理への彼の忠実ぶりと、G・E・ムーアに彼が負っている点は――後者からの影響はしばしば否認されているにもかかわらず――彼の著作をみればつねに明らかである。とはいえ、いつも中心にあって目を引くのは科学であり、また科学の一般命題への理由づけを見出そうとする要求である。物理学は永続する物理的対象の実在を要求する。しかし今度はこのことが**実体**といった概念を要求する。ところがこの概念は、最終的にすべてのものを諸々の性質を支える実体という観点からより、むしろ諸々の性質という観点から「のみ」見ようとしてきた哲学にとっては、重大な難問なのである。ラッセルは結局のところ次のように論じている。すなわち、事物の恒常性とか**帰納的**な推理といったいくつかの原理が存在するのであり、それらの原理は経験によって検証されることはできないにしても、科学の基礎づけのためには採用されなければならないのだ、と。それらの原理は経験から何らかの仕方でわれわれによって引き出されてくると彼は考えていたのである。

　ラッセルが哲学的に成し遂げたものは過小評価されていると言われることがある。かりにそうだとしたら、そのような過小評価がなされるひとつの理由は、二〇世紀の中葉に、科学に基盤をおいた哲学的思索から言語の意味の探求や日常言語の分析へと、大勢が決定的に転換した点にあるかもしれない。ちなみに、かつてラッセルは、日常言語の分析とは、「ばかな人々がばかげたことを発言しうるそのさまざまなやり方」の分析にすぎないと評していた。もうひとつのもっと些末な理由としては、ラッセルの文章の多くが尊大で独断的な語り口をもっている点があげられるかもしれない。彼の最も明晰かつ簡潔に表現された議論でさえ、不覚にも権威主義の趣と何らかのあいまいさに対する気短な不寛容を表明してしまっていることが多い。彼の『西洋哲学史』を一瞥するだけで、こうした特徴は十分に示されよう。けれども、そのような考慮がラッセルについての冷静な判断に差し障りを及ぼすようなことがあってはならない。彼の場合にも、ゲーテの次のような観察をかみしめる必要がある。

> 　心の狭い者や心が暗くなっている者たちには、うぬぼれが認められる。だが知的な明晰さや高度な才能をもった人たちには、そのようなものは決して認められない。後者の場合、一般的には喜びに溢れた力強さの感情があるからだ。そしてこの力強さはひとつの現実なのだから、彼らの感情はうぬぼれなどではなく、何かそれとは別も

のなのである。

★注

1　A. J. Ayer, *Russell*（The Woburn Press, London, 1974）, pp. 16,17.（A・J・エイヤー『ラッセル』吉田夏彦訳、岩波現代選書、一九八〇年、一〇頁）
2　本書のウィトゲンシュタインの項参照、三二四頁〜。
3　本書のヘーゲル、ブラッドリー、ムーアの項参照、それぞれ二一四頁〜、二七四頁〜、三〇九頁〜。
4　本書のオッカムの項参照、九五頁〜。

本書の次の項を参照
ウィトゲンシュタイン、オッカム、ブラッドリー、ヘーゲル、ムーア

ラッセルの主な著作

・*A critical exposition of the philosophy of Leibniz*（1900）（Allen and Unwin, London, 1937）
・*The principles of mathematics*（1903）, 2nd edn.,（Allen and Unwin, London, 1937）
・*Principia mathematica*, with A. N. Whitehead（3 vols. Cambridge University Press, Cambridge, 1910, 1912, 1913）（『プリンキピア・マテマティカ序論』岡本賢吾ほか訳、哲学書房、一九八八年）
・*The problems of philosophy*（1912）（Oxford University Press, Oxford, 1973）（『哲学入門』中村秀吉訳、現代教養文庫、一九六四年）
・*Our knowledge of the external world*（1914）, 3rd edn.（Allen and Unwin, London, 1926）（「外部世界はいかにして知られうるか」石本新訳『世界の名著70・ラッセル、ウィトゲンシュタイン、ホワイトヘッド』中央公論社、一九八〇年）
・*An inquiry into meaning and truth*（1940）（Allen and Unwin, London, 1940）（『意味と真偽性：言語哲学的研究』毛利可信訳、文化評論出版、一九七三年）
・*History of Western philosophy*（1945）（Allen and Unwin, London, 1945）（『西洋哲学史』市井三郎訳、みすず書房、一九六九年）

- *Logic and knowledge* (1956) (Allen and Unwin, London, 1956)
- *Autobiography* (3 vols., Allen and Unwin, London, 1967, 1968, 1969) (『ラッセル自叙伝1-3』日高一輝訳、理想社、一九六八〜七三年)

参考文献

- Ayer, A.J. *Russell* (The Woburn Press, London, 1974)
- Clark, R.W. *The life of Bertrand Russell* (Penguin, Harmondsworth, 1975)
- Eames, E.R. *Bertrand Russell's theory of knowledge* (Allen and Unwin, London, 1969)
- Kilminster, C.W. *Russell* (Harvester Press, Hassocks, Sussex, 1986)
- Pears, D.F. *Bertrand Russell and the British tradition in philosophy,* 2nd edn.(Fontana, London, 1968)
- Schilpp, P.(ed.) *The philosophy of Bertrand Russell* (Cambridge University Press, Cambridge, 1944)
- Watling, J. *Bertrand Russell* (Oliver and Boyd, Edinburgh, 1970)

ジョージ・エドワード・ムーア

George Edward Moore
1873–1958

二〇世紀イギリス哲学の流れにおいてG・E・ムーアの名はバートランド・ラッセルの名と結びついている。両者とも一八九〇年代の半ば、ケンブリッジ大学のトリニティ・カレッジに在席していた。そしてムーアに彼の優等卒業試験の第三学年時に古典研究を捨てて道徳学（moral sciences）を専攻するよう勧めたのが、ラッセルだった。それ以降ムーアは、当時の正統派哲学を牛耳っていたヘーゲルやブラッドリーに由来する**観念論**に率先して反抗した。彼の論文『観念論の論駁』は一九〇三年に出版されたが、この論文は彼の仕事の全体を特徴づけている綿密な常識的探求というスタイルを確立したものだった。彼は哲学の三つの主要な関心領域を次のように指定した。第一の関心は、「この宇宙全体についての一般的記述をもたらして、この宇宙内に存在することが分かっている最も重要な種類の事物すべてに言及する」ことに関わっている。第二は、われわれが諸々の事物について知識をもてるようになる際のそのやり方を検討することに関わっている。そして第三は倫理学に関わっている。影響力の大きなムーアの著書『倫理学原理』が提起している見解によれば、善（goodness）とは定義も分析もできないものであって、それゆえ論証も反証も受けつけないものである。彼は、「われわれが知ったり想像したりすることのできる最も価値あるもの」は何かという自分の立てた問いに対して、それは「人間同士の交わりの喜びとか美しい対象の享受などと大ざっぱに記述できるような、ある種の意識状態」★1であると答えている。彼の哲学的な重要性は主として、彼が諸々の意味を解明しようとする際に用いる言語分析という方法と、日常言語の陳述に対する彼の忠実さに依っている。

ムーアはロンドン郊外のアッパー・ノーウッドの生まれであった。彼はダリッチ・カレッジに通った後、一八九二年に古典学を専攻するためにトリニティ・カレッジに入学したが、三年時に道徳学に変更した。一八九六年にはトリニティの特別［有給］研究員に選出され、それ以降数多くの論文や『倫理学原理』を執筆し、バートランド・ラッセルと定期的に議論を交わした。彼は一九〇四年に特別研究職が終わるとケンブリッジを離れたが、一九一一年には講師として復帰するよう招聘され、一九二五年には心の哲学（mental philosophy）と論理学の主任に任命された。一九三九年彼は退職したが、それでもケンブリッジに残り八〇才代まで哲学的思索を続け、ケンブリッジの教え子や同僚たちに力強く親切心溢れる影響力を行使したが、それはその他の点では平穏無事な学究生活のさらに偉大な時期でもあった。彼は、バートランド・ラッセルやルートヴィヒ・ウィトゲンシュタインらと並ぶイギリス哲学の重要な転換源のひとつとなった。ウィトゲンシュタインの初期哲学はラッセル的であり、彼の後期哲学はムーア的であると指摘されている。

すべてのものは〈精神〉なのだとする観念論的テーゼを退けた際、ムーアは、諸々の物理的対象の世界が存在し、われわれは知覚作用のうちでそれらの対象を意識するようになるのだという常識的見解を採用した。彼は観念論に反対して、意識が心的なものであるからといって、そこから、ひとがそれについて意識するものもまた心的であるということにはならないと主張する。彼によれば、黄色はひとが黄色についてもつ感覚と同一であると多くの観念論者たちは考えてきた。だが、ある感覚をもつとは何ものかについての感覚をもつことだと、彼自身の分析は指摘する。それは、「わたしがはっきり知ることのできるものほど嘘偽りなく現実にはわたし自身の経験の一部にはなっていないようなものを知ること」なのだ。彼によると、われわれは外的対象の実在を証明する必要はない。なぜならそれは、われわれがすでに知っている何かであるのだから。「外的世界の証明」と呼ばれる論文で彼は次のように書いている。

> わたしはいまや、人間の二本の手が現実に存在することを証明することができる。どのようにしてか。この二本の手を上に挙げ、まず右手である動作をしながら「これが一本の手だ」と言い、ついで左手である動作をしながら「そしてこれがもう一本の手だ」と付け加えることによってである。★2

右のような宣言の味もそっけもない単純さは、健全でもあればひとを立腹させもするものである。健全であるというのは、それがいかなる思弁的な思想家をもありふれた経験の核心へと引き戻してしまうからであり、その一方でひとを立腹させもするのは、問われている当の問い、すなわち、はたしてわれわれは外的世界が存在するかどうかを知ることができるのかという問いそのものを、それが回避しているようにも思われるからだ。それはまた、そっくりそのまま、哲学に対するムーアのアプローチの特徴でもあり、彼一流の才知あふれる率直さをも例示している。彼は、自分には一〇〇パーセント自明だと思われる真理をわざわざ証明しようと、綿密ではあっても回りくどい知的構築物をきまってもち出す哲学者が仲間にいると、このような率直さをもって応えるのが常だったのである。それはまたさらに、彼が後年ある自伝的注のなかで次のように書いていたこととも一致している。

わたしは、世界や諸科学がこれまでわたしに何か哲学的問題を示唆してきたとは思わない。わたしに哲学的問題を示唆してきたのは、むしろ他の哲学者たちが世界や諸科学について述べてきたことがらの方なのだ……。★3

ムーアは何も常識という前提の不可謬性を主張しているわけでもなければ、そのような前提すべてを無批判に受け入れているわけでもない。そうではなく、彼は常識的な諸前提を批判的に検討することによって、次に述べるような考察に、つまりは、常識的な諸前提のほとんどは普遍的に受け入れられているとか、われわれは常識的な諸前提を保持してそれらによって生きざるをえないという意味で、それらは否定するのがきわめて困難であるとか、常識的な諸前提を否定しようとする試みはえてしてわれわれの信念体系内のどこか別の所に矛盾を引き起こすなどといった考察に、十分な重要性を認めようとするのである。これらの考察は、われわれを常識的信念に同意する気にさせてくれる多くの根拠を提供している。ムーアの主張によれば、これらの考察は、常識的信念を否定するためにもち出される根拠が生み出すものよりさらに強力な、常識的信念を受け入れるための議論を生み出すのである。

ムーアの分析的方法は、年下の同時代人たちの手で哲学が展開させられるときのやり方に多大な影響を及ぼした。彼の考えによれば、われわれが用いる言語の名辞やとりわけ概念などの綿密かつ詳細な吟味は、諸々の哲学的問題の源にもなれば、そうした問題のおぼつかない解決策とも見られるものの源にもなってしまうような、不明瞭さやあいまいさを明らかにすることができる。したがって、彼の全体としての傾向は、諸々の問いに答えをもたらすというより、むしろ問われている問いを理解しようと努めることにある。彼の分析は、ある概念がそれらのうちへと分離されうるさまざまな部分を区別し、それらの部分がお互いにどのような関係にあるのかを見て取ることによって、日常的な表現の意味をあらわにすることへと向けられている。『倫理学原理』のなかで彼が明言しているところによれば、従来の倫理学体系が破綻した理由は、倫理学の問いが不正確な仕方で定式化されてきたからである。彼はそこで、彼に言わせれば「これまでほとんどつねに互いに混同されてきてしまったし、他の問いたちとも混同されてきてしまった」ふたつの問いを識別する。第一の問いは、どんな種類のものがそれ自身のために実在すべきであるか、であり、第二の問いは、われわれはどんな種類の行動を為すべきであるか、というものである。[★4] 彼はまた、内在的な善(good)と外来的な善を区別している。内在的な善とはそれ自身のために実在すべきであるような物事の特性であるのに対して、外来的な善とは、内在的に善であるようなものへといたる手段であるがゆえに善であるような物事に属するものである。ムーアは内在的な善を検討する際、それが分析しえないものであることに気づく。つまり彼によれば、その形容詞的な意味での「善い」は、ある単純で分析不可能な特性を指し示しているのである。彼はこう述べている。「わたしが言いたいのは、ちょうど〝黄色［黄色い］〟が単純な概念であるのと同じように〝善［善い］〟は単純な概念であること、そして黄色をすでに知っていないような者には黄色が何であるかを決して説明することができないのと同様に、あなたは善が何であるかを説明することはできない、ということである」。[★5] それればかりではない。彼によると、善は「自然的ならざるもの」でもある。すなわち、善を何らかの自然的特性という観点から定義づけることはできないのである。善の定義不可能性は、善を単純で分析不可能なものとして性格づけることから帰結する。ただしムーアは、楽しくあることといった何らかの自然の特性と善が等価ではないことを力説することによって、自分が「自然主義的誤謬」と呼んでいるものが犯されないよう気をつけている。諸々の自然の特性はもちろん自然の一部であるが、善は非-自然的なものであるのだから、自然科学の対象に分類されるべき特性ではない。したがって、彼によれば、楽しくあるとか望ましくあるとかいった自然の特性は、われわれが「善」として記述する何かに付け加わる特性ではありうるにしても、善を決定するものだと考えるのは誤りである。しかも、そのような特性が善を決定するものでないことは、われわれが何か楽しくあるものについて、それはまた善くもあるのかと有意味に尋ねることができる点を理解するなら、紛れもないものとなる。というのも、そうした問いを問うとき、われわれは単に何か楽しくあるものが楽しみうるものであるかどうかと問うているわけではないからだ。しかるに、もしも「善」が楽しくあるものといった観点から定義されうるものだとしたら、われわれはまさに**同語反復**［**恒真命題**］的な問いを問うていることになってしまう。いかなるものが善であるのかはどのようにして知られるのかと問うならば、善を主張する倫理学的命題は直観である、というのがムーアの答えである。『倫理学原理』の序説で彼は次のように書いている。「わたしがそのような命題を〝直観〟と呼ぶとき、わたしが主張しようとしているのは、単に、それらの命題が証明を受けつけないということにすぎない点に注意していただきたい。わたしはなにも、それらに関するわれわれの認知の仕方や起源のことを問題にしているのでは、ないからである」[★6]。彼がここで否定しようとしているのは「厳密な意味での直観主義者」が主張していること、すなわち、ある種の行動が正しいとか義務であるとかと断定する命題は証明も反証も受けつけない、ということである。ましてや彼は、自らも言うように、そのような命題が真と見なされるべきなのは、単にそれらが直観的に認知されるからでしかない、と言おうとしているわけでもない。

ムーアは、ある特性として理解された善とは区別されるものとしての「善」が分析不可能だ、と言いたいのではない。この区別について彼は以下のように述べている。

これらふたつのちがいを説明しておかねばなるまい。そうなると、「善い」が形容詞であると認めうるとしよう。「善、つまり善くあるところのもの」はしたがって、「善い」という形容詞が当てはまるところの名詞でなければならない。つまりそれは、かかる形容詞が当てはまるところのものの全体でなければならないし、かかる形容詞はいつでも真にそれに当てはまるのでなければならない。とはいえ善は、そうした形容詞が当てはまるところのものであるとすると、それは当の形容詞それ自身とは異なる何かでなければならない。そしてその異なる何かの全体こそは、それがいかなるものであれ、善というもののわれわれの定義となるであろう[★7]。

ムーアが主張しているのは、彼が最高に価値あるものと同一視した意識状態、すなわち「人間同士の交わりの喜びや美しい対象の享受」が全的なものであること、そしてわれわれはそうした全的なものの個々の構成要素よりはむしろ、まさにその全的なものをこそめざすべきなのだ、ということである。彼の議論によれば、最大の善とは個人の情感の善さである。なぜならそれは、他の人々の優れた心的性質を認めることのうちで経験される美的な喜びを含んでいるからであり、そうした他の人々がこんどはさらに別の人々の善さを認めることになるからである。彼の考えによると、何かの真の美しさとは、「問われている全体が真に善いかどうかという客観的な問い」に依存しているのであって、「その全体が個々の人物のうちに個別的な感情をかきたてるかどうかという問いに依存しているのではない」★8。そうした全体を論じる際に彼は「有機的統一」という観念を導入し、次のように指摘している。すなわち、個別的に善いものごとを寄せ集めても必ずしも善い全体が帰結するとはかぎらないし、だからといって構成された全体は必ずその諸部分の善さや悪さに応じた善さや悪さを生み出すわけでもない。たとえば、ある犯罪とその処罰といったふたつの災いが一緒になると、それらの災いの一方が単独で為しうるよりもさらに善い全体が構成されることもある。同様に、それ自身において善くもあれば美しくもあるような物体も、それについての喜ぶ意識との関係を離れてはほとんど価値をもたない。かくして、ある全体の善さについてのいかなる評価も、その全体の諸部分の有機的関係を考慮に入れなければならないのである。

ムーアが行った最も説得力のある批判のひとつは一種の倫理的主観主義に対するものである。倫理的主観主義は、たとえば「これは善い」といった判断は「わたしはこれを是認する」と言うことと等価であると主張し、そのことによって判断を単に主観的な是認の表現として分析し、いかなる「善」が客観的にありうるかを説明するという難問を捨て去ってしまう。そこでムーアは以下のように指摘する。あるひとがある対象について「これは善い」と言い、別のひとが同じ対象について「これは悪い」と言う場合、主観的理論によればこのふたりの人物のあいだにはいかなる意見の相違も存在しないことになるが、これはすでに述べられた事態についてのわれわれの常識的な理解とはまさに相反している。ここでもふたたび、名辞や概念についてのわれわれの日常的な理解に拠り所を求めることによって、ある説明の不十分さがあばかれているのである。彼は同様にまた、超感覚的実在という概念に基づいた倫理学説に対しても批判的であり、「善」は非-自然的な特性であるにしても、だからといってそれは超自然的な特性であるわけではないと力説している。そして彼は、善がもっぱらある絶対的に〈完璧な存在〉にのみ属しているという信念は、そうした状況に変化をもたらそうとするいかなる人間的な努力の可能性をも除去してしまうことになると指摘している。

ムーアは方法としての分析を用い、またそれを提唱してもいるけれども、分析が哲学を行うただひとつのやり方だと考えていたわけではない。哲学者たちは物事の本性に関する広範な問いにも関心をもつべきだという見解を彼は決して退けてはいないし、事実、善というものは実質的にいかなるものなのかという問いに対する彼自身の注目は、そのような関心を示してもいる。彼の分析からの結論はその大部分が、二〇世紀後半の英語圏の哲学者たちにとっては受け入れがたいものであるにしても、詳細な分析という方法ならびに実践は、彼らの不可欠な道具となったのである。彼の考えは、ヴァージニア・ウルフとレナード・ウルフ、リットン・ストレイチー、デズモンド・マッカーシー、J・M・ケインズら［ケンブリッジ出身の文学者・芸術家・インテリ］を含むブルームズベリー・サークルにも影響を与えた。ある『回想録』のなかでケインズは、「ムーアの心の文字どおり偽りない美しさ、奇をてらっても飾り立ててもいない彼のヴィジョンの純粋で情熱的な強さ」について記し、「彼は目覚めているときにも、愛や美や真理［といった高邁な価値］を家具［のようなありきたりの物］から区別できないたちであった」[★9]と述べている。

★注

1 G. E. Moore, *Principia ethica* (Cambridge University Press, Cambridge, 1962), Ch. 6.§113.（G・E・ムーア『倫理学原理：付内在的価値の概念』深谷昭三訳、三和書房、一九八二年、二四五頁）
2 G. E. Moore, 'A proof of an external world' in *Philosophical papers*, (Macmillan, New York, 1962).
3 In *The philosophy of G. E. Moore*, ed. P. Schilpp (Northwestern University Press, Evanston, 1942).
4 Moore, *Principia ethica*, Preface, p.viii.（ムーア前掲邦訳書、ii頁）
5 Ibid.,p. 7.（同書、九頁）
6 Ibid.,Preface, p. x.（同書、iv～v頁）
7 Ibid.,Ch. 1,§9.（同書、一一～一二頁）
8 Ibid.,Ch. 6,§121.（同書、二六〇～六一頁）
9 J. K. Keynes, *Two memoirs* (Hart-Davis, London, 1949), p. 94.

本書の次の項を参照
ウィトゲンシュタイン、ブラッドリー、ヘーゲル、ラッセル

ムーアの主な著作

- *Principia ethica*（1903）（Cambridge University Press, Cambridge, 1903, 1959）（『倫理学原理：付内在的価値の概念』深谷昭三訳、三和書房、一九八二年）
- *Some main problems of philosophy*, lectures written in 1910 and 1911（Allen and Unwin, London, 1953）（抄訳：「哲学とは何か」国嶋一則訳『観念論の論駁』勁草書房、一九六〇年）
- *Ethics*（1912）（Oxford University Press, Oxford, 1966）（『倫理学』深谷昭三訳、法政大学出版局、一九七七年）
- *Philosophical studies*（1922）（Routledge and Kegan Paul, London, 1960）（抄訳：「道徳哲学の本質」「観念論の論駁」国嶋一則訳『観念論の論駁』勁草書房、一九六〇年）
- *Commonplace book*（1919-53）, ed. C. Lewy（Allen and Unwin, London, 1963）

参考文献

- Passmore, J. *A hundred years of philosophy*（Penguin, Harmondsworth, 1968）, Ch.9
- Urmson, J.O. *Philosophical analysis*（Clarendon Press, Oxford, 1956）
- White, A.R. *G.E. Moore: a critical exposition*（Blackwell, Oxford, 1958）

モーリッツ・シュリック

Moritz Schlick
1882–1936

シュリックは、「論理実証主義」もしくは「論理的経験論」として知られている哲学を定式化した二〇世紀の科学者、数学者そして哲学者たちのグループ、ウィーン学団の創設メンバーであった。彼は、哲学とは一群の学説ではなく活動である、というルートヴィヒ・ウィトゲンシュタインの見解を共有していた。一八九五年にウィーン大学の科学哲学の教授になったエルンスト・マッハの分析からヒントを得て、シュリックは個別科学の基盤をなしている諸概念への批判的アプローチを採り入れた。彼の目的は、それらの概念の意味を理解することによって、どのような概念が知識と見なしうるのかを理解することであった。ウィーン学団の他のメンバーたちとともに彼は、「ある命題の意味とは、その命題の検証方法のことである」というこの学団のよく知られた検証原理を定式化し洗練させるにあたっての責任者であった。彼は自らの哲学的方法を、概念を明晰化するためのソクラテスの探求になぞらえていた。

シュリックはベルリンに生まれた。彼の一族は、ハプスブルグ王朝による抑圧を生き延びたチェック人の新教徒貴族の数少ない家系のひとつであった。一八才のとき彼はベルリン大学に入学し、マックス・プランクのもとで物理学を研究した。一九〇四年に提出された彼の博士論文は光の反射を論じたものだった。彼は講師資格を取得し、ついで一九一一年から一九一七年までロストック大学の準教授になった。一九二二年、彼はウィーン大学の帰納諸科学の哲学教授になったが、彼の主導のもとでウィーン学団が形成されたのはこの頃である。彼はルートヴィヒ・ウィトゲンシュタインをたいへん賞賛していた。そしてこのウィトゲンシュタインの『論理哲学論考』は、一九二四年から一九二六年までこの学団のミーティングの際に綿密に講読された。ただし、ウィトゲンシュタインはこの学団のメンバーには一度もならなかった。というのも彼は、この学団と完全に見解を同じくしていたわけではなかったからである。

とはいえ彼はシュリックとのあいだに継続的な友好関係を保っており、一九二七年に、彼がいったん放棄していた哲学的仕事に復帰するよう彼を説得したのもシュリックであった。ウィーン時代シュリックは二度ほど客員教授としてアメリカ合衆国を訪れている。彼は一連の論文と、一九三〇年には『倫理学の諸問題』という著作を刊行した。一九三六年六月、彼は講義の途中に、以前にも彼を殺害しようとしたことのある精神病質者の学生の手で殺された。その後、ウィーン学団のミーティングは開かれなくなった。それはシュリックの死のせいばかりでなく、科学的精神や分析的精神を備えた候補者には哲学の教授資格を認めないとのオーストリア文化省の政策の結果でもあった。ウィーン学団のメンバーの大半はイギリスやアメリカ合衆国に移住し、そのおかげで彼らの見解がさらに広まることが確実になったのである。イギリスでは論理実証主義はすでに、オックスフォードの哲学者であったA・J・エイヤーの仕事を通して知られていた。エイヤーは一九三六年一月に出版された『言語・真理・論理』のなかではじめて、論理実証主義を明快に説明したのである。

シュリックの仕事の大半は、検証主義の細部を確立し明らかにすることに集中している。検証原理はある言明［＝命題］の意味を、当の言明の検証方法と同一視する。その検証方法は経験的なものである。つまり、われわれがある言明の意味を理解するのは、どんな種類の観察ならそれを検証してくれるのかが、わかったときである。したがって、誰かが「郵便が届いた」と言ったときにわれわれがその言明の意味を理解するのは、その言明の真か偽を証明することができるのはいかなる種類の観察──たとえば正面のドアのドアマットや郵便受けを調べること──なのかがわかったときだ。検証原理を論じた論文でシュリックが主張しているところによれば、これは意味についてのひとつの理論、すなわち意味についてのひとつの**仮説**などではない。なぜなら彼によると、われわれは何らかの仮説を定式化するためには前もって意味を前提していなければならないからだ。そこで彼は次のように論ずる。すなわち、文の意味についてのいかなる説明も、「諸々の語と世界のそれ以外の部分」とのあいだで前もって確立されている結びつきに依存している。もしわたしがその結びつきを理解していなければ、その結びつきを明白にしてくれるような経験に訴えることでそれを教えてもらうしかない。シュリックは言う。「それから先の理解はすべて、そうした経験のおかげだということになるだろう。このように、すべての意味は本質的に経験へと差し向けられる」[★1]。かかる原理それ自身について、彼は以下のように述べている。

われわれはいかなる仮説も立てなかった。われわれはある規則を定式化すること以外には何もしなかった。その規則とは、誰もが自分の意味を説明しようと試みたり、他人の意味を理解しようとしたりするときにはいつでも従っている規則である……。意味と検証の仕方との同一性を明らかにすることで、われわれは何かすばらしい発見をしているのではない。そうではなく、単なる自明の理を指摘しているだけなのだ。[★2]

検証原理からの帰結として、ある言明に対するいかなる検証方法もない場合、その言明はいかなる意味をももたないことになる。したがって、全体としての実在の本質を、あるいは魂や自由意志の実在を記述しているようにみえる**形而上学**的言明は、検証原理によって課せられる有意味性の基準に照らせば、無意味であることが明らかになる。というのも、そうした言明の真か偽を明らかにするのに適したいかなる経験的な観察も存在しないからである。シュリックの主張によれば、いわゆる形而上学の問いは、実際には問いではないがゆえに解答不能である。また、いわゆる形而上学の諸問題も解決不能である。「それは、それらの問題がわれわれの理解力を超えているからではなく、むしろ単にそれらが問題ではないからにすぎない」[★3]。それらの問題は、彼に言わせれば、内容を表現しようとする試みである。だが内容とは、彼の見解によれば伝達不可能な主観的なものである。ひとり構造のみが客観的なのだ。彼はこう書いている。「すべてのさまざまな個人は諸々の構造的形式、諸々のパターンを互いに伝達し合っており、その点に関してはすべての者が同意することができる。しかし……言うに言えない内容に関しては、彼らは同意することも意見を異にすることもできない」[★4]。ここで彼が指摘しているのは、ひとが色彩といったものについての自分の経験を自分自身の意識から取り出して誰か他のひとの意識に置き入れることができると考えることは意味をなさない、ということである。ところが形而上学的な言辞において試みられているのはまさにこうしたことだ、と彼は考える。構造はそれとは対照的に、何らかの仕方で事実に対応していると見なされうる点で客観的であるように思われる。ただし、その対応の正確な本性は不明であり、その点が、検証主義の基盤を確立しようとする哲学者たちにとって困難の源なのだということが明らかになった。

哲学から形而上学を切り離すことが論理実証主義の提唱者たちの主な目的であった。形而上学の言説に無意味さを帰す態度を弁護する際、A・J・エイヤーは、形而上学の言説が事実に基づいて（factually）無意味なものと見なされる、と「事実に基づいて」という語を強調しつつ指摘している。彼はこう述べている。

　言語には、事実に基づいた情報を伝えること以外にも他の使用法があることが、否定されているのではない。そうした他の使用法が重要でないとか、形而上学的言説がそうした他の使用法の役に立たないとか主張されているわけでもない。形而上学的言説はたとえば、人生に対する興味深い挑戦的な態度を表現しているかもしれない。ただ、主張されているのは、形而上学的言説は事実を述べることができない、という点にすぎないのである。[★5]

　ウィーン学団が否定できなかったし否定しようとも思わなかったのが、数学と論理学の言明の有意味性であった。学団のメンバーたちは、数学が論理学から引き出されるというフレーゲの見解に固執していた。[★6]彼らはこう主張した。数学の言明は定義上真であるがゆえに**必然的**に真であるのであり、またそれは世界内の事物がいかにあるかについては何も語らないという点で**恒真命題**［**同語反復**］であるのだ。しかるに価値についての言明は、自然的世界とは区別される価値領域について記述しているものと見なされれば、倫理的で美的なものであるが、検証主義的な基準によって評価されるなら無意味なものと見なされてしまう。そこでシュリックは『倫理学の諸問題』を書いたとき、倫理的言明を経験的なものとして論じている。その第一章は次のように始まっている。

　意味をもち、それゆえ答えることのできるような倫理的な問いが存在するとしたら、そのとき倫理学はひとつの科学だということになる。というのも、その問いに対する正確な答えは真の命題からなるシステムをなすことであろうし、ある対象に関する真の命題からなるシステムとは当の対象についての「科学」であるからだ。[★7]

　彼によれば、倫理学の対象にはたくさんの名称があって、それらのうちには「道徳性」、「道徳的に〝価値あるもの〟」、「善」などがある。そして倫理学はこの対象を理解しようとはするが、道徳性を生み出そうとか確立しようなどとはしない。彼は、単に「善」を定義しようと試みるとか、われわれに「善」を見分けることを可能にしてくれるような特別の「道徳感覚」を打ち立てるとか、「善」についてのわれわれの説明をカントのように純粋に形式的な特性についての言明へと制限するとかいった考えを退けている。道徳的善という概念がそれを「何であるべきか」として記述することによって完全に汲み尽くされるというカントの信念は、彼に言わせれば「倫理学的思考の最悪の誤謬のひとつ」[★8]なのである。彼自身の経験的なアプローチは、諸科学の方法と異ならない方法によって諸々の規範や規則のヒエラルキーを解明することにある。その方法は、いかなる物事が実際に価値があり道徳的に善と考えられるかを単に観察して記録し、そうして見出されたものを規範や規則を確立するための基礎として利用し、それによってさらなる道徳的判断を下そうとする。そのように判断はすでに確立された規範に対応することによって正当化される。そのヒエラルキーのうちでは低級な規範は高級な規範との関係のうちで妥当だと見なされるが、究極の価値の正当化に関する問いは、シュリックによれば「意味がないもの」とされる。「なぜなら、それらの規範がそこへと差し向けられうるようないっそう高級なものなど何もないからである」[★9]。彼は究極の価値に関する問いを定式化することを無意味と見なし、こう指摘している。「究極の規範や最高の価値として認められるようなそうした規範とは、人間の本性や生活から事実として引き出されなければならない」。そして一頁後に彼はこう続けている。「倫理学の問いは、ありきたりの〈ある［存在］〉を指し示すのではなくむしろ純粋な〈べき［当為］〉に関わっているがゆえに最も高貴で最も高尚な問いなのだ、と考えていた哲学者たちの自負は、われわれには無縁である」[★10]と。

シュリックは、行為の規範はいかなるものかの探求と、そうした規範が現にあるところのものであることの、原因の探求とを区別する。そして後者の探求を「説明的倫理学」と呼び、それを倫理学の本来の課題と見なしている。それは、何が道徳的行動に特有なものかを学ぶために、行動一般を支配している自然的な法則を探し求める。かくしてシュリックにとって、倫理学の中心問題は道徳的ふるまいの因果的説明であり、倫理学の方法とは心理学的方法なのである。この結論は、新たな別個の学科を生み出すことよりむしろ諸科学を統一づけることをめざしたウィーン学団の目標とも一致する。シュリックは真の哲学者についてこう言っている。「彼にとってはただひとつの現実とただひとつの学だけが存在するのだ」[★11]と。

ウィーン学団のもうひとりのメンバーであったルドルフ・カルナップは自らが書いた短い「自伝」のなかで、シュリックの哲学的な仕事はそれに値する注目を浴びることがなかったと指摘している。彼はまたシュリックの人となりを次のようなことばで証言している。

学団のミーティングにおける気心の知れ合った雰囲気は、何をおいてもシュリックの人格に、つまり彼の信頼のおける優しさ、寛大さ、慎ましさによるものであった。彼は、明晰さをめざす個人的な性向と物理学におけるその素養との両者によって、科学的な思考方法をしっかりと身につけていた。……シュリックは自らの明晰で冷静で現実主義的な思考方法によって、学団の議論にしばしば健全で穏健な影響力を行使した。ときおり彼は、誇張された主張やあまりに人為的と思われる説明に警告を発し、科学的に洗練された常識とでも呼びうるものに訴えかけた。[★12]

★注

1 In O. Hanfling (ed.), *Essential readings in logical positivism* (Basil Blackwell, Oxford, 1981), p. 34.
2 Ibid.
3 Ibid., p. 36.
4 Ibid., p. 97.
5 A. J. Ayer, 'The Vienna Circle' in *The revolution in philosophy* (Macmillan, London, 1956), p. 74.（エイヤー「ウィーン学団」『哲学の革命：分析哲学叙説』福鎌達夫訳、関書院新社、一九六六年、九九頁）
6 本書のフレーゲの項参照、二七九頁〜。
7 In Hanfling, *Essential readings*, p. 207.
8 Ibid.,p. 213.
9 Ibid.,p. 217.
10 Ibid.,pp. 218,219.
11 Ibid.,p. 224.
12 Rudolf Carnap, *The philosophy of Rudolf Carnap*, ed. P. A. Schilp (Open Court, La Salle,Ill., 1962). pp.20–9を参照。

本書の次の項を参照

ウィトゲンシュタイン、カルナップ、ヒューム、ブラッドリー、フレーゲ

シュリックの主な著作

・*Collected papers* 1926-36, ed. H. Mulder and B. Van der V-Schlick（Reidel, Dordrecht, 1978,1979）
・*Problems of ethics*（1939）（Dover Publication, New York, 1962）（『倫理学の諸問題』安藤孝行訳、行路社、一九八一年）
・*Philosophy of nature*, trans. A. Von Zeppelin（Greenwood Press, London, 1949）

参考文献

・Ayer, A.J. *Language, thuth and logic*（1936）, 2nd edn.（Gollancz, London, 1951）
・Feigl, H. and Sellars, W.（eds.）*Readings in philosophical analysis*（Appleton-Century-Crofts, New York, 1949）
・Hanfling,O. *Logical positivism*（Basil Blackwell, Oxford, 1981）
・——（ed.）*Essential readings in logical positivism*（Basil Blackwell, Oxford, 1981）
・Kraft, V. *The Vienna Circle*（Greenwood Press, London, 1953）
・Popper, K.R. *The logic of scientific discovery*（Hutchinson, London, 1958）
・Urmson, J.O. *Philosophical analysis*（Oxford University Press, Oxford, 1956）

ルートヴィヒ・ウィトゲンシュタイン

Ludwig Wittgenstein
1889 - 1951

ウィトゲンシュタインは疑いもなく天才であった。彼はふたつの異なった哲学を生み出したが、その両者とも深い影響を与えてきたし、いまもなお与え続けている。彼の初期の哲学は、最初一九二一年に出版され英語圏の読者には一九二二年にバートランド・ラッセルによって紹介された短著『論理哲学論考』のうちに具現されている。そのラッセルはこの著について、それは「その幅の広さ・有効範囲・深さなどの点で、哲学界におけるひとつの重大事件と見なすべき値打ちがある」と述べていた。『論理哲学論考』は、現実（reality）の構造が言語の構造を規定しているという見解に基づいている。ウィトゲンシュタインの後期哲学はそうした見解を退け、それに代わって次のような考えを切り開いている。すなわち、現実についてのわれわれの考え方をわれわれに与えてくれるのは、ほかならぬわれわれの言語なのであり、その言語にとって均一な構造などは存在せず、むしろ言語は緩やかな相互関係しかあらわにしないような多様な形式をもっている、と。こうして彼の哲学はその前期と後期ともに、言語とその限界に関わっている。ただし、初期哲学は首尾一貫してまとまりのある全体をなしているのに対して、後期のそれは断片的であり、いかなる主導的理論によっても左右されないような理解をめざす作業へと関与するように読者を誘う一連の指摘、記述、問い、推測といったかたちで書かれている。この後期の仕事から浮かび上がってくるのは、哲学が科学の系統立った手続きとはまったく異なるものであり、あるテーゼや理論の例証というよりむしろそれらを明晰化しようとする活動であるという、哲学についての考え方である。『哲学的探求』のなかでウィトゲンシュタインは次のように指摘している。すなわち、哲学的な諸問題は、

経験的な問題ではない。それらの問題はわれわれの言語の働きを洞察することによって解決されるのであり、

それも、その働きを誤解しようとする衝動にさからって、それをわれわれに認知させてくれるようなやり方で解決されるのである。それらの問題が解決されるのは、新たな情報をもたらすことによってではなく、むしろわれわれがすでに知っていることを整理することによってなのである。哲学とは、言語という手段によって、われわれの知性をまどわしているものに抗おうとする戦いなのだ。[★1]

ウィトゲンシュタインはウィーンで生まれたが、八人兄弟の末っ子だった。彼には四人の兄と三人の姉がいたが、彼らはすべて、とりわけ音楽の才能に恵まれていた。彼は早くから機械に対する関心を示した。ベルリンで工学を学んだ後、一九〇八年には特別研究生としてマンチェスターに行き、そこでジェット反動エンジンやプロペラの設計をした。そうした一方、彼はそこでバートランド・ラッセルの『数学の諸原理』を読み、一九一一年には数学者フレーゲと知り合った後、当時ケンブリッジ大学のトリニティ・カレッジにいたラッセルのもとで学ぶ決心を固める。一九一二年、彼はトリニティへの入学を認められそこで五学期を過ごすあいだ、ひんぱんにラッセルやG・E・ムーアやJ・M・ケインズとの議論に参加した。第一次大戦中、彼はオーストリア軍に従軍しその勇敢な行為によって何度か叙勲を受けたが、最終的に南チロルでイタリア軍の捕虜になった。彼はこの間もずっと哲学研究ノートを携えていた。そのうちの多くは彼の死の直前に彼の手で破棄されたが、そのうちのひとつは『論理哲学論考』としてまとめられ、ウィトゲンシュタインが抑留されていたモンテ・カシノの捕虜キャンプからラッセルのもとへ送られた。解放後ウィーンに戻った彼は、父から相続した財産を姉たちに譲り、教師になるための勉強をした。その後しばらくのあいだ村の小学校で教えていたが、彼はまったく不幸でありときおり自暴自棄になり、すべての面で挫折感を味わった。一九二六年、彼は小学校教師を辞任し、しばらく庭師として働いた。また彼の姉のための邸宅の設計の仕事で二年間を費やしたが、ちょうどそのころ、ウィーン大学の哲学教授であったモーリッツ・シュリックやその他の哲学者や数学者たちとも知り合いになった。こうして哲学的な活力がよみがえった結果、彼はケンブリッジ大学に特別研究生として復帰し、『論理哲学論考』を自らの博士論文として提出した。ラッセルとムーアがその論文の審査員となり、ウィトゲンシュタインはトリニティでの特別研究員の資格を与えられた。そのころ、彼が休暇を過ごしていたウィーンでは、モーリッツ・シュリックの主導のもと、ウィーン学団として知られるグループによって論理実証主義の哲学運動が展開されつつあった。[2] この学団のメンバーたちは『論理哲学論考』の学説を熱烈に賞賛し支持していたが、ウィトゲンシュタインの側は、学団の見解とかなり近しい立場にありながらも、学団に加わることはなかった。というのも彼はすでに、数学と心の哲学の面で彼自身の新たな考えに基づく仕事に着手しており、その両テーマに関してかなりの程度執筆を行っていたからである。ケンブリッジにおける彼の講義は、そのスタイルと内容と説明の点でまったく彼独特のものであったため、だんだんと有名になりつつあった。彼は講義をトリニティの自分の部屋で行った。その際彼はデッキチェアに腰を下ろし、ノーネクタイのシャツとフランネルや皮のジャケットを身につけていた。ゲオルク・フォン・ライトはウィトゲンシュタインに関する伝記的なスケッチのなかでこう述べている。

　彼は原稿もノートももたなかった。彼は学生たちの前で考えた。その姿は途方もない精神集中という印象だった。ふつうは説明から質問になり、その質問に聴講者たちは答えを出すことになっていた。そしてその答えが今度は新たな思考の出発点となり、ふたたび新たな質問が出されるのであった。[3]

一九三三年から一九三五年のあいだにウィトゲンシュタインが彼の哲学クラスに書き取らせた二組のノートは、それぞれ『青色本』と『茶色本』として知られるようになった。それらは、感覚や想像力や自発的行動といった概念を論じることで、心の哲学へと向かう彼の関心の方向性を示している。一九三五年、彼は旧ソビエト連邦を訪問した後、ノルウェーを訪れ、そこで彼は以前の訪問時に独力で建てた小屋で生活した。彼はそこで『哲学的探求』の執筆に取りかかり、それは彼の最もよく知られた著作となった。一九三九年に彼は、それまでG・E・ムーアが就いていたケンブリッジ大学の哲学講座の主任に任命された。だが、彼が着任するよりも前に第二次大戦が勃発した。彼は戦争のあいだ看護兵として奉仕活動をしたため、結局彼がその教授職に就任したのは一九四五年であった。ところがその二年後、彼は職業的哲学者としての生活を耐え難いほど不自然に感じて辞職し、しばらくのあいだアイルランドに暮らした。その後、友人のノーマン・マルコムを訪ねてアメリカ合衆国にわたったが、病気ですっかり弱り果て一九四九年にはイギリスに戻った。その病は癌であることがわかった。彼は晩年の二年間オックスフォードやケンブリッジの友人宅で過ごし、一九五一年四月二九日、彼の主治医であったベヴァン博士の家で亡くなった。彼は死ぬ直前まで哲学の仕事をできうるかぎり続け、最後の数ヶ月間に書かれた論考は、一九六九年に『確実性について』というタイトルで出版された。ウィトゲンシュタインの遺稿管理者は彼の死以降、彼の仕事を整理し徐々に出版を続けてきた。ある論考は失われ、またある論考は彼自身の要請により破棄されもしたが、今日では彼の哲学の相当量のものが活字になっている。彼の生活ぶりや人柄は彼の思想とほとんど同じくらいひとを魅了した。数多くの元教え子、友人、同僚たちが彼の魅力、その怒りっぽさ、人を惹きつける力、その知的卓抜ぶりを証言している。彼の音楽的才能や記憶力、彼の独創性、その無作法さ、その寛大さと奇行をめぐる逸話は、彼との出会いを記した回想に溢れている。彼はアメリカ映画を好み、自らの哲学心を和らげるためによく映画を見に行った。ノーマン・マルコムは、ウィトゲンシュタインが講義をすることでしばしば消耗し自分にあいそをつかしていたと報告している。ウィトゲンシュタインについての『回想録』のなかで彼は次のように述べている。

彼は講義が終わるやただちに映画に飛んでいったものだった。講義のメンバーが椅子を片づけ始めると、何か頼むような目つきをして低い声で友人に「映画に行かないか」と言ったこともあった。映画館への途中でウィトゲンシュタインは、ロールパンや冷えたポークパイを買い込んで、映画を見ながら頬ばっていた。彼はスクリーンが視野を完全に占有するように、最前列の席に座ることを主張した。こうして彼の心は、講義のときに考えたことや自己嫌悪感からまぎらわされるのだった。[★4]

『論理哲学論考』の序言においてウィトゲンシュタインはこう述べている。「本書は哲学の諸問題を論じている。そして、わたしの信ずるところでは、それらの問題が立てられるのは、われわれの言語の論理が誤解されているからにほかならないことを、本書は明らかにする」。彼は『論理哲学論考』が「異論の余地ない決定的な」真理を含んでおり、それらの真理を述べることで自分は「それらの問題の最終的な解決」を見出した、と信じていた。フレーゲやラッセルが論理学を思考法則の科学であると見なしていたのに対して、ウィトゲンシュタインは論理学を現実そのものの形式と見なした。彼の考えによれば、哲学の諸問題が解決されるのは、現実の構造が有意味な言語の範囲を規定しており、論理学の課題は世界（universe）を反映する点にあることを明らかにすることによってなのである。論理学はしたがって、他の諸科学のあいだにあってそれらと並び立つ単なる一科学などではない。むしろそれは、ある絶対的で究極の性格をもつ科学なのである。『論理哲学論考』が展開されてくる出発点は以上のようであった。

『論理哲学論考』は七までの番号をふられたセクションから成り立っている。最初の六つのセクションにはさらに下位区分がなされており、それは小数点以下の数字で示されている。第一の主要なセクションのテーゼは、諸々の命題は像である、つまりそれらは像として諸々の事実を写している、というものである。第二の主要テーゼは、すべての有意味な命題がそこへと最終的に分析されうるところの要素命題は、論理的に適切な名称、つまり当の名称をもつ事物をまちがいなく指示するような名称から構成されている、というものである。第三の主要テーゼは第二テーゼからの帰結である。それはすなわち、世界は諸々の単純な対象から成り立っているが、それらの対象は分析しえないものであり、諸々の事実を構成するほどに整然とした論理的に適切な名称の担い手でもある、ということである。第四の主要テーゼが断言しているのは、すべての命題は論理的に適切な名称から構成された要素命題の真理関数であり、それらの名称は単純な諸対象の可能な布置を写し出すように布置されている、ということである。第五の主要テーゼは、論理学の諸命題は世界内の事物がいかにあるかについては何も語らないという点で、それらの命題は恒真命題〔同語反復〕である、すなわち内容が空虚である、というものである。第六のテーゼによれば、われわれが意味あるものと見なしているわれわれの発言の多くは、単純な諸対象の論理像として分析できないという点で、実際には意味あるものではなくむしろ「語りえないもの」なのである。そのような発言には、何が善や悪であるのかについての指摘、そして『論理哲学論考』それ自身の主張をも含めて哲学の諸命題——それはいまや疑似命題だと考えられねばならない——が含まれる。第七セクションは次のようなただひとつの指摘から成り立っている。すなわち、「語りえないものについては、われわれは沈黙しなければならない」。

命題が表す事実は可能な事実である。ウィトゲンシュタインはそのような可能性を「原子的事実」として記述する。原子的事実とは、諸々の命題を真もしくは偽たらしめるものである。ある命題は、ある種の原子的事実が成立しているとき真であり、それが成立していなければ偽となる。論理学はそれゆえ、あらゆる可能な事実と関わっている。ある論理像は、それが表す状況の可能性を含んでおり、そのため現実と比較されることによって真か偽と見なされる。複合命題の真理はその要素部分の真理に依存しているが、例外がある。それはまず「雨が降っているか、それとも雨が降っていないかである」といったような恒真命題の場合であり、そうした命題はすべての可能な条件下で真となる。あるいはまた、「雨が降っているが、しかし雨は降っていない」といった矛盾命題の場合も、あらゆる条件下で偽となる。これらふたつの場合とも、命題を現実に照らして検証する必要はない。『論理哲学論考』の4・462のなかでウィトゲンシュタインはこう書いている。「恒真命題と矛盾命題は現実の像ではない。両者は何らかの可能な状況を写し出しているのではない。前者は可能な状況のすべてを許容し、後者はそのいずれをも許容しないのだから」。

ウィトゲンシュタインは恒真命題と矛盾命題とを「無意味なもの（senseless）」として記述している。なぜならそれらの命題が帰属するようないかなる地点も、現実のうちには存在しないからである。一方彼は、倫理学、美学、宗教、そして**形而上学**の諸命題を「非意味的なもの（nonsensical）」として記述する。なぜならそれらの命題は、言語の限界を超えようとする試みのうちで言語を使用しているからであり、有意味に語られうるものを超えていこうとするからである。つまり倫理学、美学、宗教、そして形而上学は、『論理哲学論考』の最後の指摘がわれわれに放棄させ「沈黙する」ことを勧めている事柄について語ろうとするわけだ。「語られうるもの」は自然科学の命題から成り立っている。『論理哲学論考』の末尾で、ウィトゲンシュタインは次のように論じている。

哲学の正しい方法は、ほんとうのところは次のようなものであろう。語られうるもの、すなわち自然科学の諸命題――すなわち哲学とは何の関わりもない何ものか――以外には何も語らないということ、そして他の誰かが何か形而上学的なことを語りたがっているときにはいつでも、そのひとは自分の命題中のしかじかの記号に意味を与え損なっていることをその当人に論証してあげるということ、こうした方法である。★5

ウィトゲンシュタインは倫理的、美的、宗教的言説を「非意味的なもの」として記述したからには、彼はそうした発言をすべてくだらない価値のないものと見なしていた、とある者たちは考えた。だがこれはあたっていない。彼はポール・エンゲルマン宛の書簡のなかで、『論理哲学論考』の論点は倫理的なものであって、この書のいっそう重要な部分は自分が現に書かなかった部分であると述べている。彼は、一方の自然科学の言語と他方の倫理学や美学や宗教の言語とを根本的に区別することによって、前者の言語へすべてを還元したり翻訳したりしようとするいかなる試みからも後者の言語を救い出しているのである。さらに、

『論理哲学論考』の第六セクションにおける彼の指摘からは、彼が倫理学や美学や宗教の言説をその語の日常的な意味においてナンセンスなもの（nonsensical）と見なしているなどと、いささかも示唆されはしない。その6・52ではこう言われている。「われわれは、かりに可能なかぎりのすべての科学的な問いに答えが与えられたとしても、人生の問題はいぜんとしてまったく手つかずのままであるように感じる」。また6・42にはこうある。「倫理学の命題などはありえない。およそ命題は、より高きものなどを何ら表現できないからである」。これらの指摘からして、論理学的な意味で非意味的なものと見なされるものが「より高きもの」でもあると判断されていることは明らかである。語りうるもののカテゴリーからこれまた除外されている哲学の発言については、こう述べられている。

わたしの諸命題は、次のような仕方で解明として役立つだろう。すなわち、わたしのことを理解する者なら、わたしの諸命題を利用し——それらの上に立って——それらを乗り越えていくとき、最終的にそれらの命題が非意味的なものであると認めることになる、といった仕方でである。（ひとは梯子を登り詰めた後は、それをいわば投げ捨てなくてはならない。）★6

一九一八年にウィトゲンシュタインが完成した『論理哲学論考』と、彼が持続的な哲学の仕事を再開する時期とは、約一〇年のギャップによって隔てられている。一九五三年に発表された『哲学的探求』は、彼の初期の仕事と後期の仕事とのちがいをはっきり示すとともに、両者のあいだの共通性をあらわにしてもいる。というのも、『哲学的探求』のなかのウィトゲンシュタインは『論理哲学論考』のときと同様に言語に関心を寄せているが、その一方で、その関心の本質は異なっているからである。『論理哲学論考』は簡潔でアフォリズム的な文体であったのに対して、『哲学的探求』の方は論証的であり、言語と世界のあいだにいかなる明白な構造も、また両者の関係についていかなる前提も明示してはいない。『論理哲学論考』は命題の本質を論じていたのに対して、『哲学的探求』は主として心的生活を記述するような命題に関心を集中させている。『論理哲学論考』でのウィトゲンシュタインはすべてのものを、意味や意味の欠如は命題が現実に対してもつ形式的関係によって左右されるという考えの上に基づけていた。ところが『哲学的探求』の場合、意味とはわれわれが語をどのように使用するかというその機能であると見なされている。つまり、人間の目的や人間が関与する生活形式こそが、言語にその意味を与えているものなのである。世界の単純な対象の名称であるような論理的に適切な名称へと諸々の命題が最終的に分析されることなどありえない。それどころか、言語は自然な人間的現象と見なされ、哲学の課題は言語がときおり引き起こす混乱をなくすために、われわれの実際の言語使用を思い出させる資料を集めることだとされる。哲学は「ただあらゆるものをわれわれの前に置くだけであって、何かを説明することもなければ推論することもない」。その帰結とは「いくつかの明らかな非意味（non-sense）をあらわにすることである」。哲学的な諸問題が解決されるのは「新たな情報をもたらすことによってではなく、むしろわれわれがすでに知っていることを整理することによってなのである」[★7]。そしてウィトゲンシュタインが主張するところによれば、「哲学者によるある問いの取り扱い方は、病気の治療に似ている」。すなわち、哲学的な取り扱い方は〈問いプラス答え〉というかたちをとるのではなく、むしろ病気の場合のように、問題が適切に治療されるなら、その問題は消失するのである[★8]。

　意志についての難問をウィトゲンシュタインが論じる際のやり方を、彼の初期哲学と後期哲学とで簡単に比較してみるならば、彼の思考に生じた変化について何かが明らかになってくる。『論理哲学論考』の学説は、すでにみたように、世界とは論理空間における諸々の事実の全体であり、その世界は、ウィトゲンシュタインが論じているところでは「わたしの意志とは独立している」[★9]というものであった。その『論理哲学論考』に向けての予備的作業の大半が含まれる『草稿一九一四―一九一六』のなかで、彼は「わたしは何よりもまず善と悪の担い手を〝意志〟と呼ぶことにしよう」[★10]と書いていた。それゆえ意志は、倫理的事柄とは切り離せないものであり、意志に関する命題はその結果、「語りえないもの」のカテゴリーに区分されることになる。ところが『論理哲学論考』のこうした前提は、意志と世界のあいだに鋭い分岐を打ち立てることで、ある哲学的な問題を引き起こす。というのも、意志は『論理哲学論考』の観点からすればともかくも世界の「外」であるにもかかわらず、実際には意志が「世界に浸透して」おり、意志の日常的な理解ではそれが世界内で働くものと見なされていることを、ウィトゲンシュタインは敏感に意識してもいるからである。しかるに、意志が世界の諸事実とは区別されるものだと見なすことの帰結として、「わたしは世界の出来事をわたしの意志にかなうように曲げることはできない。わたしはまったく無力である」[★11]とされている。物事がいかにあるかについての自分自身の説明に囚われたまま、『草稿一九一四―一九一六』のなかで彼はこう書いている。

「われわれが世界内に、いうなれば意志のための足場を必要としていることは明らかである」[12]。こうして彼は、意志を——おそらくは——「世界に対するある態度」と考えようとする意志についての説明を与えようとあがくのだが、このあがきの結果にはまったく満たされることがない。というのもいま一度いうが、意志は特徴的なことに世界に対してある種超然としたスタンスのうちでよりもむしろ、世界のうちで、身体運動のうちで、そして諸々の事態の変化が実現されることのうちであらわにされるからである。

以上すべてにおいて重要なのは、ウィトゲンシュタインが語っているのはたいへん広い一般的な意味での「意志」や「意志すること」だという点に注意することである。後に彼は、まさにそうした一般化しようとする傾向こそがしばしばわれわれを道に迷わせるのだという見解を展開している。『青色本』のなかで彼は「一般的なものへのわれわれの渇望」について書き[13]「〝個々の事例を見下げる態度〟と言うこともできただろう」と述べている。彼はこれを、科学の方法に対するわれわれの執着に、つまりそれのおかげでわれわれができるだけ最少の自然法則によって説明しようとするようになる、そうした執着に結びつけている。彼に言わせると、こうした傾向が「形而上学の真の源であり、哲学者をまったくの暗闇に導く」[14]のである。『論理哲学論考』での意志についての考え方から後期哲学における意志についての考え方への移行は、一般的なものから個々の事例の検討への転換なのだ。実際のところ、ウィトゲンシュタインは個々の意志された行動を検討している『草稿一九一四—一九一六』のなかで、ほとんどそうした転換を成し遂げていたのであり、その結果次のように結論づけてもいる。「意志行為は行動の原因ではなくて、行動それ自身である。ひとは行為することなしに意志することはできない」[15]。とはいえ彼は、これら初期の論考のなかでは、意志と世界の二項対立的イメージから決別できてはおらず、この新たなアプローチの可能性にも気づいていなかったように思われる。『茶色本』(pp.150-5)と、それから『哲学的探求』(I,611-28)においてはじめて、意志に関する諸問題を生み出すと同時に、たしかに、心の哲学におけるそれに関連した広範囲の諸問題をも生み出してきた、形而上学的構造を打ち壊すことにようやく彼は成功し、個々の事例において語が実際にどのように使用されているかの検討へと真剣に向かってゆくことになる。この検討によってわれわれは、意志とは物理的領域とは別個のある存在ないしは力なのであって、それはともかくも変化を引き起こすためのレバーを動かしたり、あるいは物理的領域に対するある種の「態度」であったりするのだ、といった考え方から解放されるのである。自発的［意志的］行動の実際の場面を考えてみれば、われわれはそのほとんどの場合に、「意志行為」として識別されうるようなもの、したがって意志された行為を「自発的［意志的］なもの」として性質づけているようなものは何もないことに気づき始める。たとえば、朝になって「起きる自分に気がつく」人物の場合、そこにはいかなる「意志行為」も存在しない。そのひとはまさしくただ、起きるのである。なるほど、「自発的［意志的］行動」という用語が適用可能な広い範囲の状況が存在する。だが、われわれは誤って、筋肉を動かす努力の経験を他から切り離してそれだけを意志の原型として扱い、かくして困難に立ち至ってしまう傾向がある。ここでもまた、行動が自発的［意志的］か否かを判断するための尺度を求めることのうちに、われわれの「一般的なものへの渇望」と「個々の事例を見下げること」があらわになっている。自発的［意志的］行動を性格づけているのは、一種類の心的状態よりもむしろさまざまな種類の要因であるという見解を、ウィトゲンシュタインは繰り返し説いている。『哲学的探求』のなかで主張されているところによれば、「意志すること」はある行動の名称でもなければ、あるプロセスの一段階でもない。それはまた、ある人格において自己の永続的な核をなしているようなものでもない。意志することとは行動それ自身なのである。個々の事例を検討することで、ウィトゲンシュタインは現実の構造への執着から、そしてすべての言語をそうした構造に適合するものと見なそうとする試みから決別している。その代わり、彼はわれわれが語ったり行ったりすることに注目し、われわれの言説の表面的な見かけからその背後にある構造を推論しようとする誘惑に抵抗し、「この意志をわたしはわたしの身体なしで実際に思い描くことはできない」というショーペンハウアーの主張などの訂正不可能性を認めている。[★16]ウィトゲンシュタインのこうしたアプローチの持続的な展開は、まことにもって格別な成果へと結実したが、その影響には深遠なものがあった。たとえばそれは、理論化することを拒否して「われわれがすでに知っていることを整理すること」によって哲学的難問を解くことを勧めるような、そうした哲学の流行を生み出したのである。

その初期哲学において、ウィトゲンシュタインは固く防御された思考の伝統を根絶しようと努めた。ところがその後期哲学の場合、彼はそうした伝統を受け入れ、利用し、さらに変形している。哲学者としての彼の偉大さの大半は、彼のそうした点に存しているのである。

★注

1 Wittgenstein, *Philosophical investigations*, 109.（ウィトゲンシュタイン「哲学探究」藤本隆志訳『ウィトゲンシュタイン全集8』大修館書店、一九七六年、九九頁）

2 本書のシュリックとカルナップの項参照、三一七頁〜、三四五頁〜。

3 Georg von Wright, 'A biographical sketch', reprinted in N. Malcolm's *Memoir cited in note 4 below.*（G・H・フォン・ライト「ウィトゲンシュタイン小伝」ノーマン・マルコム『ウィトゲンシュタイン：天才哲学者の思い出』板坂元訳、講談社現代新書、一九七四年、一五九頁）

4 Norman Malcolm, *Ludwig Wittgenstein: a memoir* (Oxford University Press, London, 1958; paperback, 1962), p. 28.（同書、一五〜一六頁）

5 Wittgenstein, *Tractatus logico-philosophicus*, 6.53.（ウィトゲンシュタイン「論理哲学論考」奥雅博訳『ウィトゲンシュタイン全集1』大修館書店、一九七五年、一一九頁）

6 Ibid., 6.54.（同書、一一九〜一二〇頁）

7 Wittgenstein, *Philosophical investigations*, 126,119,109.（ウィトゲンシュタイン「哲学探究」藤本隆志訳『ウィトゲンシュタイン全集8』大修館書店、一九七六年、一〇五、一〇二、九九頁）

8 Ibid., 255.（同書、一八二頁）

9 Wittgenstein, Tractatus, 6.373.（ウィトゲンシュタイン「論理哲学論考」奥雅博訳『ウィトゲンシュタイン全集1』大修館書店、一九七五年、一一五頁）

10 Wittgenstein, Notebooks, 21.7.16.（「草稿一九一四—一九一六」奥雅博訳『ウィトゲンシュタイン全集1』大修館書店、一九七五年、二六一頁）

11 Ibid., 11.6.16.（同書、二五四頁）

12 Ibid., 4.11.16.（同書、二八〇頁）

13 Wittgenstein, *Blue and brown books*, pp. 17,18.（ウィトゲンシュタイン「青色本・茶色本」大森荘蔵、杖下隆英訳『ウィトゲンシュタイン全集6』大修館書店、一九七五年、四六、四七頁）

14 Ibid.（同書、四七頁）

15 Wittgenstein, *Notebooks*,4.11.16.（「草稿一九一四—一九一六」奥雅博訳『ウィトゲンシュタイン全集1』大修館書店、一九七五年、二八一頁）

16　本書のショーペンハウアーの項参照、二三二頁〜。

本書の次の項を参照

カルナップ、シュリック、フレーゲ、ムーア、ラッセル

ウィトゲンシュタインの主な著作

・*Notebooks 1914-1916* (1969), trans. G. E. M. Anscombe (Blackwell, Oxford, 1969)（「草稿一九一四―一九一六」奥雅博訳『ウィトゲンシュタイン全集1』大修館書店、一九七五年）

・*Tractatus logico-philosophicus* (1921), trans. D. F. Pears and B. F. McGuiness (Routledge and Kegan Paul, London, 1961)（「論理哲学論考」坂井秀寿訳『論理哲学論考』法政大学出版局、一九六八年、「論理哲学論」山元一郎訳『世界の名著70・ラッセル、ウィトゲンシュタイン、ホワイトヘッド』中央公論社、一九八〇年、「論理哲学論考」奥雅博訳『ウィトゲンシュタイン全集1』大修館書店、一九七五年、『「論考」「青色本」読解』黒崎宏訳・解説、産業図書、二〇〇一年）

・*Philosophical investigations* (1953), trans. G. E. M. Anscombe (Blackwell, Oxford, 1953)（「哲学探求：抄訳」藤本隆志訳『論理哲学論考』法政大学出版局、一九六八年、「哲学探究」藤本隆志訳『ウィトゲンシュタイン全集8』大修館書店、一九七六年、『哲学的探求』第一部・第二部、黒崎宏訳・解説、産業図書、一九九四〜九五年）

・*Remarks on the foundations of mathematics* (1956), trans. G. E. M. Anscombe, 3rd. edn (Blackwell, Oxford, 1978)（「数学の基礎」中村秀吉、藤田晋吾訳『ウィトゲンシュタイン全集7』大修館書店、一九七六年

・*The blue and brown books* (1958), 2nd edn (Blackwell, Oxford, 1969)（「青色本・茶色本」大森荘蔵、杖下隆英訳『ウィトゲンシュタイン全集6』大修館書店、一九七五年）

・*Zettel* (1967), trans. G. E. M. Anscombe (Blackwell, Oxford, 1967)（「断片」菅豊彦訳『ウィトゲンシュタイン全集9』大修館書店、一九七五年）

・*On certainty* (1969), trans. D. Paul and G. E. M. Anscombe (Blackwell, Oxford, 1969)（「確実性の問題」黒田亘訳『ウィトゲンシュタイン全集9』大修館書店、一九七五年）

参考文献

・Fann, K.T. *Wittgenstein's conception of philosophy* (Blackwell, Oxford, 1969)

- Hacker, P.M.S. *Insight and illusion* (Clarendon Press, Oxford, 1972)
- Kenny, A. *Wittgenstein* (Penguin, Harmondsworth, 1973)
- Passmore, J. *A hundred years of philosophy* (Penguin, Hardmondsworth, 1975)
- Pears, D. *Wittgenstein* (Fontana/Collins, London, 1971)
- Stenius, E. *Wittgenstein's Tractatus, a critical exposition of its main lines of thought* (Blackwell, Oxford, 1960)
- Zemach, E. 'Wittgenstein's philosophy of the mystical' in *Essays on Wittgenstein's Tractatus,* ed. I.M. Copi and R.W. Beard (Routledge and Kegan Paul, London, 1966)

マルティン・ハイデガー

Martin Heidegger
1889 - 1976

ハイデガーは自らの哲学を〈存在の探求〉と表現していた。彼は実存主義者たちと同じ部類に入れられ彼らとは切り離せないにもかかわらず、自らは断固としてこうした関連づけを拒否し、自分の主要な関心は個人的実存よりもむしろ〈存在そのもの〉にあると主張している。彼の仕事は、「存在者が存在する」という驚くべき事実の核心に横たわるある種の意味の探求によって支配されている。その仕事はかなりの部分を、キルケゴールと、ハイデガーの恩師であったエトムント・フッサールとに負っている。そしてハイデガー自身が今度はサルトルに強力な影響を及ぼしたのである。彼は人間の存在仕方を記述するために〈現存在《ダーザイン》(Dasein)〉という用語を用い、次のように論じている。すなわち、人間の生はそれ以外のかたちの生とは根本的に異なっている。なぜならそれは自分自身を意識し自分の〈存在〉について反省することができるからである、と。彼の考えによれば、人間は、世界内での自らの状況について十分な感覚をもつことによって本来的に生きることを選択することもできるし、また、既成の型にはまった行動パターンに無意識に適合することでほとんど自動人形のように非本来的に生きることもできる。彼の哲学的主著は一九二七年に出版された『存在と時間』である。

ハイデガーはドイツのバーデンで生まれた。彼は、一九一六年から一九二九年までフッサールが教えていたフライブルク大学で哲学を学び、やがてそこで講師になったが、一九二三年にはマールブルク大学の教授になった。一九二八年にはフライブルク大学に教授として復帰し、一九三三年にはこの大学の総長にまでなった。その就任講演のなかで彼は、熱狂的に国家社会主義を賞賛してはっきりとナチスの運動と手を組み、当時もてはやされていた政治の言語と自分自身の哲学的言語との融合を唱えた。だが一〇ヶ月後、彼は自分が重大な過ちを犯したことに気づいて総長を辞任し、政治への積極的な参加からは身を引いた。一九六六年九月『シュピーゲル』誌とのインタビューの中でハイデガーは、三〇年以上にもわたって彼に向けられてきた非難に答えたが、自分が死ぬまではそのインタビュー記事の公開を禁じた。そして結局、彼が亡くなって五日後の一九七六年五月三一日にそれは活字になった。そのインタビューのなかでハイデガーはこう述べている。すなわち、彼はドイツの大学の自己決定を保護することを望んでいたのだが、自分は「妥協しなければ切り抜けてはいけないだろう」ということが彼にははっきりしていた、と。がそれと同時に、彼の言うところでは、彼は国家社会主義のなかに「ここには何か新しいものがある、ここにはある新しい発端がある」という可能性を見てもいたのである。一九三三年、彼は学生たちにこう命じていた。「学説とか理念とかを諸君の〈存在〉の規則にしてはならない。総統自身が、そしてひとり総統のみが、今日および将来のドイツの現実であり、またその規則であるのだから」と。そのインタビューにおいて彼はこう述べている。「いま引用なさったような文章をわたしは今日もはや書きません。そのようなことをわたしはすでに一九三四年にも、もはや言いはしませんでした」。

『存在と時間』のなかでハイデガーは人間の実存を分析している。彼はその分析を、〈存在そのもの〉の了解にいたるための通路と見なしている。彼の方法は、フッサールから学んだ現象学の方法である。[★1] それがめざしているのは、直接的経験の諸々の所与をそれらがあるがままに、つまりそれらに構成的な概念を付け加えたり、それらから抽象化を行ったりすることなしに、指示し記述することである。現象学的観点からすると、世界とはわれわれが関わり合っておりその内に住まっている条件である。つまり世界はわれわれの生の構成要素なのだ。われわれは世界を単に物理的対象として、つまりそれに対してわれわれが個人的な考える主体として対峙しているような対象として見るべきではない。むしろわれわれは「世界-内-存在」なのであって、われわれの人間的現実ないしはわれわれの存在仕方である〈現存在〉とは、われわれが生に住まう際のその多様なやり方なのである。すなわち、ハイデガーは「何かに関わり合っている、何かを生み出す、何かを処理し世話する、何かを役立てる、何かを放棄し紛失する、企てる、やりとげる、探知する、問いかける、考察する、論じあう、規定する……」[★2] といったことによって、人間が世界に「出会うこと」をはじめその出会いの際の「気分」を、世界にある価値を付与することとして描いているのである。われわれは、生に対するわれわれ自身のパースペクティヴの内に住まい、われわれの周りに見いだすものを利用するという意味で、世界を占有しているのであり、それがわれわれの事実性なのである。彼はまた、それぞれのひとが世界を我有化していること、つまり世界における自分の状況を所持していること、そしてまた、ひとは諸々の出来事の激動によって運ばれるというよりはむしろ、自分が心に描くものになろうとしたり自分がもくろむことを為そうとしたりできると了解していることについても語っている。だが、この世の生とのまさにこうした関わり合いは、自分の自己実現と「世人」の無自覚的な共同体的実践とのあいだに緊張を生み出す。わたしは、日々の生存の機械的な習慣や因習に屈服し、平均的で驚きもなくしばしば月並みでもあるようなものに適合することで、自分を失った状態に、つまりもっぱら他者たちの利用に供されるただの物体になってしまうことがある。ハイデガーはこのような人物を「ひと［匿名の自分］」、自分の真の自己から疎外された人間、要するに本来性を欠いた誰かとして記述している。とはいえ、わたしが本来的である場合、わたしは必然的にひとを驚かすような奇抜な仕方でふるまうことになるかといえば、そうではない。むしろその場合、わたしの行動は奇抜なものであれありきたりのものであれ、外的な要因からよりむしろわたし自身のパースペクティヴから生じるのである。

ハイデガーは〈現存在〉の一般的態度を記述するために、英語では「ケア」と訳されている「気遣い（Sorge）」という用語を用いる。人間はすでに現実に存在する世界の内にいわば「投げ出されて」おり、しかる後に自分自身に対して責任をもち、自らが見出す世界にしかじかの仕方で関わり合わねばならない。こうして気遣いは、われわれが見出したり利用したり関わりをもったりするすべてのものとわれわれとの、たえざる相互作用を性格づけている。気遣いとは、われわれが生に住まうその住まい方の構造、つまり活動的な関係であり〈現存在〉の構成的で不可欠の条件なのである。ハイデガーによる人間と世界のこうした相互依存の強調ならびにその解明は、考える主体と外部の客観的世界との伝統的な区別に対する拒絶や、またそこから帰結するかかる世界の実在や真の本性を証明するといった問題に対する彼の拒絶などを、いっそう説得的なものにしている。彼は次のように論じる。すなわち、そうした区別はまちがった区別であり、物事がいかにあるかについての正確な現象学的説明は、外部世界の実在を証明しようと企てる存在がすでに当の世界の一部であることを明らかにする。かかる存在は「世界‐内‐存在」なのであって、世界からは切り離され区別されるものではない、と。とはいえハイデガーは、包括的な現象学的説明の内部で、理論科学の物理的対象や空間と時間に関するわれわれの理性的構築物のつじつまをなんとか合わせようとしているわけではない。たとえばハンマーといった世界内の道具は、彼に言わせれば、何か「手許的」なもの、「使用中のもの」、そしてわたしの現在の活動における世界-内-存在の一要素と見なすことができる。あるいはそれはまた、世界内で入手できる「手前」にある所与対象と見なすこともできる。これらは単に、ハンマーに対する別々のパースペクティヴにすぎない。まちがっているのは、科学的な考え方が実践的な考え方よりも優れており、現実の本性について根本的で優れた真理を述べるものだと見なすことである。

「気遣い」と結びついているのが、実存主義哲学の主要テーマたる不安という概念である。キルケゴール同様にハイデガーは、恐れが何らかの対象についての恐れであるのに対して「不安の対象は、脅かすものがどこにもないということによって性格づけられる」[★3]と指摘することによって、「不安」と「恐れ」を区別している。不安は世界の存在の認知である。それは、存在の逃れがたい現前とまったくの無意味さについての圧倒的な感覚として経験される。不安はひとが自分自身の実存を生き生きと意識するように強制し、またとりわけ、自分自身にとって存在する将来の可能性について熟考するように強制する。かくして、気遣いは以下のような経験全体を特徴づけている。すなわち、ひとは現在の状況を気遣い、自分の前に開けている将来を気遣い、自分が他者や事物と関わるその関わり方を気遣う。ただしハイデガーの主張によれば、人間は自らの自由と責任のこうした経験からたえず目をそらして無反省な共同体的生の匿名性のうちに自らを隠蔽しようとする。そしてこれがまさに〈現存在〉という名の逃れがたい状況である。だが、われわれは、共同体の一部として実存するばかりでなく、孤立した個人としても実存するのである。このふたつの実存様態はいずれもが、世界内での人間の存在仕方を成している。それらは人間の普遍的構造なのだ。不安という経験はわれわれに、われわれがそう望むならわれわれは自分自身を選択できるということをあらわにするとともに、他方では、われわれがそうしたたえざる選択をなすという責任を回避できることをもあらわにしているのである。

ところでハイデガーは、自分の死の実感こそが本来性への鍵であると主張している。彼が言うには、死がすべてを無意味にしあらゆる可能性を終わらせることに気づくことで、われわれは、われわれにできるのは、この事実に直面することか、あるいはそれから気を紛らわそうとすることかのいずれかであることを、理解するようになる。この事実を十分に受け入れることは、この世での生への関与を退けることではない。それは単に、この世での活動を死についての意識という文脈内で理解すること、それに先立つものや続くものが何もないような生の内に住まっている自分に気づくという不条理に直面することにすぎない。そしてこうした実感こそが、ある人物が自分の実存に対する責任を受け入れることを可能にしてくれるのである。啓示のような明晰さでもって理解されるのは、自分の実存を取り巻いている無がすべてのものを無意味にしてしまうということ、そしてひとり自分自身のみが意味や価値をもたらすことができるのだということである。自分は存在するものを、それが現にあるようにあることをあたかも自分が意志したかのように捉え、そこから何かを作り出していかなければならない。以上すべてにおいてハイデガーは、本来的な生が非本来的な生よりも道徳的に優れていると言おうとしているわけではない。彼の主張によれば、彼は〈現存在〉の構造を述べ立てているにすぎないのであって、彼がそうするのは全体としての〈存在〉の了解にとって必要な予備作業としてなのである。個人の実存をひとつの全体へと結びつけているのは時間性であると彼は論じている。なぜならある個人は、単に時間のなかに実存する誰かであるばかりでなく、自らが時間的な存在、つまり過去と現在と未来をたずさえた存在でもあるからであり、それら三つの次元は個人の実存を構成するためにたえざる相互作用と再創造のうちにあるからである。こうした実存の時間的構造は、自己意識や行動の条件であり、さらにはまた、それに関してそのような〈存在〉が全体として存在するのはなぜかと問うことのできるような、より広い世界やその他すべての存在者を定立することができるための条件でもある。時間性はまた歴史の条件でもあり、ハイデガーによれば、〈存在〉の了解は歴史的運動の動的性格の認識に依存している。そうしたより広範な運動を見分けることは歴史家の仕事である。本来的な生とは自己意識や個人の時間性によって生きられるような生であるばかりでなく、歴史性や運命といった枠組みにおいて生きられるような生でもあるのである。

ハイデガーの文章は一般にはきわめて難解だと思われている。それは彼の思考が究極の抽象的事柄を洞察しようと試みているからだけではなく、彼がまったく独特のやり方で言語を使用しているからでもある。『存在と時間』の英訳者であるジョン・マッカリーはその本の序文のなかで、ハイデガーがいかに並外れたやり方で諸々の語を使用し自分自身の用語を生み出し、新たな合成語を作り出すドイツ語の能力を乱用しているかを説明している。マッカリーは次のように書いている。

副詞、前置詞、代名詞、接続詞が名詞として代用される。長い歴史を経て意味の変化を被ってきた語が、ふたたびその古い意味において用いられている。特殊な近代の慣用句が、通常それが適用される限界を超えて一般化されている。語呂合わせは決してまれなことではなく、あるキイワードが次々と、あるいは同時に複数の意味で使われることもしばしばである。[4]

ハイデガーの後期の文章はその初期の著作よりもさらに難解であり、神託めいた口調と暗号めいた簡潔な文体で書かれている。その結果、彼は多くの者たちからいらだちと崇敬の入り混じった眼で見られるようになった。彼が書き残したものは膨大な量にのぼり、論理学、科学哲学、歴史哲学、存在論、形而上学、言語、テクノロジー、詩、ギリシア哲学、そして数学といった広闊なテーマをカバーしている。その思想の深遠さにもかかわらず、彼の影響は広範に及んでいる。彼は自らを、文明を救済する使命をもった哲学者と見なしていた。なぜなら、彼によれば文明は、テクノロジーや科学や計算する理性［合理性］(rationality)へと寝返って「〈存在〉からはぐれてしまった」ために、いまいちど〈存在〉の内なる「故郷へ」と呼び戻されねばならないからである。彼が首尾一貫してこうしたテーマを詳論し宣言するときのその気迫は注目に値する。『八〇歳のマルティン・ハイデガー』と題された文書のなかで、ハンナ・アーレントはこう書いた。「ハイデガーは決して何かを〝めぐって〟考えているのではない。彼はまさにその何かを考えているのである」[5]と。

★注

1 本書のフッサールの項参照、二八六頁〜。
2 Heidegger, *Being and time*, trans. John Macquarrie and Edward Robinson (Blackwell, Oxford, 1962), p.83 (Part One, Division I, II).（ハイデガー「存在と時間」原佑、渡辺二郎訳『世界の名著62・ハイデガー』中央公論社、一九七一年、一四〇頁）
3 Ibid., p. 231.（同書、三三三〜四頁）
4 Ibid., Translators' Preface, p. 14.
5 Hanna Arendt, 'Martin Heidegger at eighty' in *Heidegger and modern philosophy*, ed. M. Murray (Yale University Press, New Haven and London, 1978), p. 296.

本書の次の項を参照
キルケゴール、サルトル、ドゥンス・スコトゥス、フッサール

ハイデガーの主な著作

・*Being and time* (1927), trans. John Macquarrie and Edward Robinson (Blackwell, Oxford, 1962; Harper and Row, New York, 1962)（『存在と時間』上中下巻、桑木務訳、岩波文庫、一九六〇〜六三年、「存在と時間」原佑、渡辺二郎訳『世界の名著62・ハイデガー』中央公論社、一九七一年、『存在と時間』上下巻、松尾啓吉訳、勁草書房、一九六〇〜六六年、『存在と時間』上下巻、細谷貞夫訳、ちくま学芸文庫、一九九四年、『ハイデッガー全集2・有と時』辻村公一、ハルトムート・ブフナー訳、創文社、一九九七年）
・*What is metaphysics?* (1929), trans. William Kluback and Jean T. Wilde, German/English text (Twayne Publishers, New York, 1958; Vision Press, London, 1958)（「形而上学とは何か」大江精志郎訳『ハイデッガー選集1』理想社、一九六一年、「形而上学とは何であるか」辻村公一、ハルトムート・ブフナー訳『ハイデッガー全集9・道標』創文社、一九八五年）
・*An introduction to metaphysics* (1953), trans. Ralph Manheim (Doubleday, New York, 1961)（『形而上学入門』川原栄峰訳、平凡社ライブラリー、一九九四年、『ハイデッガー全集40・形而上学入門』岩田靖夫、ハルトムート・ブフナー訳、創文社、二〇〇〇年）
・*What is called thinking?* (1952), trans. Fred D. Wieck and J. Glenn Gray (Harper and Row, New York, 1968)（『ハイデッガー全集別巻3・思惟とは何の謂いか』四日谷敬子、ハルトムート・ブフナー訳、創文社、一九八六年）
・*The origin of the work of art* (1956), trans. Albert Hofstadter in A. Hofstadter and R. Khuns (eds.) *Philosophies of Art and Beauty* (Ransom House, New York, 1964)（「芸術作品のはじまり」菊池栄一訳『ハイデッガー選集12』理想社、一九六五年、「芸術作品の起源」茅野良男、ハンス・ブロッカルト訳『ハイデッガー全集5・杣径』創文社、一九八八年）

参考文献

・Biemel, W. *Martin Heidegger* (Routledge and Kegan Paul, London, 1977)
・Blackham, H.J. 'Martin Heidegger' in *Six existentialist thinkers* (Routledge and Kegan Paul, London, 1961)

- Macquarrie, J. *Existentialism* (Penguin, Harmondsworth, 1973)
- Mehta, J.L. *The philosophy of Martin Heidegger* (Harper and Row, New York, 1971)
- Murray, M.(ed.) *Heidegger and modern philosophy* (Yale University Press, New Haven and London, 1978)
- Steiner, G. *Heidegger* (Harvester Press, Hassocks, Sussex, 1978)

ルドルフ・カルナップ

Rudolf Carnap
1891-1970

カルナップは、一九三〇年代に論理実証主義の哲学を定式化し展開した科学者や哲学者や数学者たちのあのグループ、ウィーン学団の最も傑出したメンバーである。彼は、論理分析の方法をすべての科学の**経験的**データに適用することによって、「統一科学」を実現することができると考えていた。ウィーン学団のすべてのメンバー同様、彼の考えによれば、言明が有意味であるのはそれが何らかの仕方で検証可能な場合だけであり、**形而上学**的な言明はそうした基準に照らせば、事実的な意味をもたないことが明らかになる。彼の行った仕事は広く論理学と数学の基礎づけに関わっており、その後年には、**帰納**とプロバビリティ［蓋然性、確率］に関わっている。

カルナップはドイツのロンスドルフで生まれた。彼はフライブルク大学とイエナ大学で物理学と数学と哲学を学び、特にイエナ大学ではゴットロープ・フレーゲの教えを受けた。このフレーゲからの影響は彼の仕事にはっきりあらわれている。第一次大戦中は従軍したが、その後、科学哲学に関する博士論文を完成させるためにイエナ大学に復帰した。物理学と数学と哲学において使用される空間という概念の比較研究である彼の博士論文は、諸概念の論理分析を行うことの重要性を強調していた。一九二六年、当時ウィーン大学の帰納諸科学の哲学教授であったモーリッツ・シュリックが、カルナップをウィーン大学の私講師の職へと招聘した。カルナップはたちまちウィーン学団の主導的人物となり、一九二九年には『世界の論理的構築』を出版した。同じ年、彼はオットー・ノイラートやハンス・ハーンとともに『ウィーン学団――科学的世界観』というその学団の目的と方法に関する声明文を発表した。また彼はハンス・ライヘンバッハとともに科学哲学の機関誌である『エアケントニス［認識］』誌を創刊し、一九三一年にはプラハのドイツ大学の自然哲学の主任に任命された。その後、『言語の論理的構文論』が公刊された。一九三五年の末、ナチズムの侵攻によりそこでの仕事が困難であると判断した彼は「プラハの」ドイツ大学を去ってアメリカ合衆国にわたった。そこで彼は数ヶ月の後にシカゴ大学の教授職に任命された。彼はその地で一九五二年まで教え、論理的構文論や意味論に関する自らの関心を発展させ、チャールズ・モリスとともに『統一科学国際百科事典』(International encyclopaedia of unified science) を編集刊行した。その後彼はプリンストンの高等研究所で二年間を過ごした後、カリフォルニア大学ロサンゼルス校の哲学の主任へと移った。そして一九六一年には専任の授業から引退し、一九七〇年に亡くなった。

論理実証主義の哲学、あるいはむしろこちらの方がしばしば好まれた名称だが論理的経験論の哲学は、デイヴィド・ヒュームをその先駆者としている。ヒュームは、〈神〉の実在や魂の不死性といった形而上学的な事柄についての認識の主張を退けた。なぜなら、そのような主張の基になっている観念は単純な感覚的印象にまでさかのぼられることができないが、彼の考えでは、そうした観念もまた認識に数えられるべきだとすれば、単純な感覚的印象こそがかかる観念の源であらねばならないからである。[★1] 似たようなやり方で、ウィーン学団のメンバーたちは経験的に検証できないようないかなる言明をも無意味として退けた。彼らはそうした検証可能性 (verifiability) の基準によって、形而上学的言明を無意味と見なしたのである。学団のマニフェストである『ウィーン学団――科学的世界観』のなかには次のように記されている。

誰かがもし「〈神〉は存在する」とか「世界の第一原因は〈無意識〉である」とか「生物のうちには主導的原理となるようなエンテレキー［生命力］が存在する」などと断言すれば、われわれは「あなたの言っていることはまちがっている」とは言わずに、むしろ「あなたはご自分の言明によって何を意味しているのか」とそのひとに訊ねる。してみると二種類の言明のあいだにはっきりとした区別があることは明らかである。そのうちの一方は、経験科学において行われるような言明を含んでいる。そうした言明の意味は論理分析によって、あるいはもっと正確にいえば、経験的に与えられるものについての単純な文へとそれを還元することによって規定することができる。右に言及したような言明を含むもうひとつの種類の言明は、形而上学者が意図しているような具合にわれわれもそれを捉えるならば、まったく無意味であることが明らかになる。[★2]

有意味性を規定するための基準に関するこうした初期の定式は、いくつかの難問を引き起こし、それがもとでウィーン学団の内部には意見の相違と広範な議論がまきおこった。右の引用で言われている「経験的に与えられるものについての単純な文」とは当初、何であれそのような単純な文のなかで記述されるものについてある人物が経験をもつことによって、それ自身が検証されるものだと考えられていた。ところがこうした見解は次のような反論を招き寄せる。すなわち、人々はそれぞれに異なった経験をもつのであり、ある文はしたがって、異なった人々にとっては異なった意味をもつことになる。つまりある文の意味は、自分の私的な経験に全面的に依存していることだろう。モーリッツ・シュリックはこの問題を、経験の形式から経験内容を区別することによって解決しようとした。彼の主張によれば、内容は私的なものであるが、使用される語ならびにその語の論理的秩序（logical ordering）の方は証明可能なものであり、これら後者、つまり形式的特徴こそが論理分析にとって必要なすべてである。カルナップは一時期この見解を採用したが、やがて、形式的特徴を記述するために使用される語は内容を記述するために使用される語と同様にやはり私的経験に依存しているという理由からその見解を拒否するようになった。そこで彼は『科学の統一』のなかで、検証のために要求される観察命題が観察者にとって私的ではないようなやり方を考え出す。

彼の解決策とは、ある命題が検証可能であるのはそれが一群の観察命題へのある論理的関係のうちにある場合である、というものである。これは、命題を検証する論理的な可能性を示している。彼は観察命題のことを「プロトコル命題」と呼ぶ。プロトコル命題は「所与を指示し、所与の経験や現象を直接に記述する」ものであるが、カルナップの主張によると、プロトコル命題がそうするのはただ、彼が「実質的様態」と名づけるやり方においてだけなのだ。すなわちそのやり方とは、われわれが「もっぱら言語的形式を」指示するような形式的な発話様態とは区別される、われわれが諸々の事実や現象や物体を指示するときの発話様態なのである。形のうえから見ると、プロトコル命題は「いかなる正当化をも必要とはせず、かえって科学の残りのすべての命題にとって基礎として役立つような命題」[★3]として記述される。カルナップはこうしたプロトコル命題を用いることで、私的経験へのいっさいの指示関係を排除し、検証可能性をもっぱら命題間の論理的関係の問題だとする。形式的様態を用いる場合、ひとが発話しているのは、当の体系内でしかじかの表現がしかじかのやり方で使用されるということにすぎないのである。

検証可能性（verifiability）についてのこうした新たな考え方のうちでは、何らかの命題の決定的な検証が要求するのは、当の命題とそれを検証する観察命題とのあいだに論理的等値が成り立つことである。ところがこうした要求は次のような非難を引き起こす。すなわち、科学法則を表現するような命題も含めて**普遍的**な命題は、そうした検証可能性の基準に従えば無意味であることが示されてしまう。なぜなら、無限数の事例を指示するようないかなる命題も、それを検証するための有限数の観察命題と論理的に等値であることはできないからである、と。こうした反論ならびにその他これに関連した反論に対処するべく、カルナップは、ある命題とそれに関する観察命題とが相互に含意し合うという要求を放棄し、そのかわりに確証可能性（confirmability）という概念に拠り所を求めた。一九三六年から三七年にかけて彼は『テスト可能性と意味』と名づけられたふたつの論文を執筆したが、その最初の論文は次のようなことばで始まっている。

　検証ということで真理の決定的かつ最終的な確立が意味されているのだとすれば、そのときいかなる（総合）文も決して検証可能ではない……われわれはある文をしだいに多く確証することができるようになるにすぎない。したがって、われわれは検証という問題よりもむしろ確証という問題について語ることにしよう。[★4]

　彼は文をテストすることと確証することを区別する。ある文がテスト可能であるのは、われわれがそれをテストするための経験的［実験的］な方法を知っている場合であるが、一方ある文が確証可能であるのは、それがいかなる条件下で確証されるのかをわれわれが知るときである。こうしてある文は、テスト可能であることなしにも確証可能であることはできる。なぜなら、われわれはいかなる手続きがそれを確証するかを知ることができても、実際にはそうした手続きを行えない場合があるからである。とはいえこれは、検証に関する問題に終止符を打つ考えではなかった。というのも、この考えを洗練させようとする新たな試みが登場するたびに、それに付随する問題が巻き起こったからである。A・J・エイヤーは『言語・真理・論理』の一九六七年版への序文のなかで、検証可能性の基準のいくつかの定式化に関する問題を考察している。[★5]

　カルナップの思想はウィーン学団の他のメンバーの思想よりもウィトゲンシュタインの初期思想に近い、と指摘されることがある。ウィーン学団に対するウィトゲンシュタインの影響には甚大なものがあり、彼の『論理哲学論考』

はこの学団のメンバーによって綿密に研究された。だが彼は学団に加わることは決してなかった。形而上学を退けようとする学団の戦略のための多くのヒントが『論理哲学論考』から汲み取られたにもかかわらず、形而上学に対するウィトゲンシュタインの根本的な態度は、学団のそれとはまったく異なっていた。だがそれにしても、「形而上学の克服［排除］」という論文のなかで示された哲学についてのカルナップの記述は、『論理哲学論考』におけるウィトゲンシュタインの結論とかなり近しいものがある。カルナップはこう尋ねている。「何ごとであれ何かを主張しているすべての命題が経験的な本性をもつものとして事実科学に属しているのだとすれば、そのとき哲学にとってはいったい何が残されているのだろうか」[★6]。これは『論理哲学論考』の4・11と4・111におけるウィトゲンシュタインの指摘を思い起こさせるが、それらの箇所で彼は、真なる命題の総体が自然科学の全体なのであって、哲学は自然科学のひとつではない、と述べている[★7]。ウィトゲンシュタインはそこから、哲学とは諸々の命題を明晰化することに帰着するひとつの活動である、と結論づけている。一方カルナップは、哲学とは「命題でも理論でも体系でもなく、ただ方法であるにすぎない……それは有意味な概念や命題を明晰化するのに役立つ」と結論している。

カルナップの確証という概念は、一九四〇年代における「プロバビリティ」に関する彼の仕事の出発点となった。彼は「プロバビリティ」という用語のふたつの別々の意味を説明している。［蓋然性という］第一の意味は確証の度合いに関するものであり、ある仮説とそれを支える観察命題とのあいだの論理的関係に関わっている。第二の意味は、相対的な頻度の計算から帰結する統計学的な確率に関わっている。一九五〇年、カルナップは重要な著作『プロバビリティの論理的基礎』を出版したが、彼はそのなかで帰納的な手続きと演繹的な手続きの形式的類似の可能性を探っている。それと同時に彼は自らの仕事を様相論理学にまで押し広げ、有意味な表現には指示（reference）と意義（sense）の両方があるというフレーゲの見解を発展させた。カルナップのこうした仕事の重要な帰結として、言語の意味の研究である意味論は今日、論理学のあらゆる部門のうちでもこのうえない意義をもつものであると見なされているのである。

★注

1 本書のヒュームの項参照、一八〇頁〜。

2 R. Carnap, O. Neurath and H.Hahn, *The Vienna Circle: the scientific conception of the world* in M. Neurath and R. S. Cohen (eds) *Empiricism and sociology: the life and work of Otto Neurath* (Reidel, Dordrecht, 1973).

3 R. Carnap, *The unity of science*, trans. M. Black (Routledge, and Kegan Paul, London, 1934), p. 45.

4 R. Carnap, 'Testability and meaning' (1936,1937) in *Philosophy of science*, vol.III (1936) pp. 419-71, and vol. IV (1937), pp. 1-40. Reprinted in H. Feigl and M. Brodbeck (eds), *Reading in the philosophy of science* (Appleton, New York, 1953)(カルナップ「テスト可能性と意味」『カルナップ哲学論集』永井成男、内田種臣編、内井惣七、竹尾治一郎共訳、紀伊国屋書店、一九七七年、九八頁)

5 A. J. Ayer, *Language, Truth and Logic* (Gollancz, London, 1967), pp. 5-16.

6 R. Carnap, 'The elimination of metaphysics through logical analysis of languege' (1932), trans. A. Pap, in A. J. Ayer (ed.), *Logical positivism* (The Free Press, Glencoe,III. 1959), pp.61-81.(カルナップ「言語の論理的分析による形而上学の克服」『カルナップ哲学論集』永井成男、内田種臣編、内井惣七、竹尾治一郎共訳、紀伊国屋書店、一九七七年、二九頁)

7 本書のウィトゲンシュタインの項参照、三二四頁〜。

本書の次の項を参照
ウィトゲンシュタイン、シュリック、ヒューム、ブラッドリー、フレーゲ

カルナップの主な著作

- *The logical structure of the world* (1928), trans. R. A. George (Routledge and Kegan Paul, London, 1967)
- 'The elimination of metaphysics through logical analysis of language' (1931), *Erkenntnis II*(右の注6参照)(「言語の論理的分析による形而上学の克服」『カルナップ哲学論集』永井成男、内田種臣編、内井惣七、竹尾治一郎共訳、紀伊国屋書店、一九七七年)
- *The unity of science* (1934), trans. M. Black (Routledge and Kegan Paul, London, 1934)
- *Philosophy and logical syntax* (1935) (Routledge and Kegan Paul, London, 1935)
- 'Testability and Meaning' (2 papers, 1936 and 1937)(右の注4参照)(「テスト可能性と意味」『カルナップ哲学論

集』永井成男、内田種臣編、内井惣七、竹尾治一郎共訳、紀伊国屋書店、一九七七年）

・*Introduction to semantics*（1942）（Harvard University Press, Cambridge, Mass., 1942）（『意味論序説』遠藤弘訳、紀伊国屋書店、一九七五年）

・*Logical foundations of probability*（Chicago University Press, Chicago, 1950）

参考文献

・Ayer, A.J.（ed.）*Logical positivism*（The Free Press, Glencoe, Ill.; Allen and Unwin, London, 1959）

・Feigl, H. and Brodbeck, M.（eds）*Readings in the philospohy of science*（Appleton, New York, 1953）

・Hanfling, O. *Logical positivism*（Blackwell, Oxford, 1981）

・――（ed.）*Essential readings in logical positivism*（Blackwell, Oxford, 1981）

・Passmore, J. *A hundred years of philosophy*（Penguin, Harmondsworth, 1966）, Ch.16

・Schilpp, P.A.（ed.）*The philosophy of Rudolf Carnap*,vol.X in the Library of Living Philosophers（Open Court Publishing Company, La Salle, Ill., 1962）

・Urmson, J.O. *Philosophical analysis*（Oxford University Press, Oxford, 1956）

・Waismann, F. *The principles of linguistic philosophy*,ed. R. Harré,（Macmillan, London, 1968）, Ch. 16

ジャン＝ポール・サルトル

Jean-Paul Sartre
1905–1980

サルトルは無神論的実存主義の主導的な代表者であった。彼は哲学者であると同時に小説家、批評家でもあった。後年彼は実存主義から離れて、彼独自のスタイルのマルクス主義的社会学を展開した。

彼はパリの高等師範学校で教育を受けた後パリやその他のいくつかの高校で教えた。第二次世界大戦中は兵士となり、九ヶ月間ドイツの戦争捕虜となった。解放された後、レジスタンス活動で活躍し、大戦が終結すると、社会主義や実存主義の専門の月刊誌『レ・タン・モデルヌ［現代］』の編集者になった。一九六四年、彼はノーベル文学賞を授与されたが、これを拒否した。一九六八年の五月革命以降、政治的にたいへん積極的になった。彼の最後の哲学的主著は『弁証法的理性批判』であるが、彼によれば、この書は実存主義とマルクス主義を和解させるために書かれたものである。彼の三部作の小説『自由への道』は二〇世紀文学の古典と見なされている。

実存主義は、その「主義」という語尾が示唆しているように、広範囲の見解をカバーするのに使われる用語であるが、それはつねに、人間として存在［実存］するとはいかなることかという経験に根差している。実存主義の探求は、個人の実存に関わっているという点ではある意味でまったく個人的なものであるが、しかしまた、あらゆる人間の個人的実存の構造や条件に関わっているという意味では普遍的なものでもある。実存主義の第一の関心は、個人の意識は実存をどのように理解するのかを説明する点にあるが、こうした関心からは、個人の意識にとって重要な次のようなテーマが発現してくる。すなわち、自由・選択・個人の本来性・世界や他人との関係といったものについての考察をはじめ、個人が個人的実存の意識のみを出発点として諸々の意味や価値を生み出していくときの様子についての考察といったテーマがそれである。

サルトルの最もよく知られた哲学的著作『存在と無』が

最初に出版されたのは、一九四三年であるが、以来この書は、実存主義の主要な文書となった。その表扉でサルトルはこの書を「現象学的存在論の試み」と記している。現象学とは、簡単にいえば、諸々の事物が意識にあらわれたり現前したりするときのその仕方についての研究である。現象学は諸々の意識内容を歪めることなく、それらがわれわれにあらわれているとおりの姿で取り扱う。いいかえれば、それらがもつかもしれない他のいかなる資格をも参照せずに、たとえばそれらについてのわれわれの意識からは独立に存在する物理的対象といった資格など一切参照することなしに、それらをただ現われている姿そのままに取り扱う。とはいえ現象学は、諸々の意識内容をただ記録するだけではない。それは意識構造の分析もするのである。これに対して存在論は、いったい何が存在するのか、いかなる種類のものが実際に世界（universe）に含まれるのかを、わけても特に語ろうとする。ただしここでもまた、単に項目をリストアップすることだけが問題なのではない。存在論は世界を成り立たせている存在の種類を解明するために働くのである。したがって現象学的存在論は、世界の諸事実とそれらについてのわれわれの意識の関係を検討するのである。

サルトルの最初の問いは、人間であるとはいかなることか、である。彼は自らが最も一般的な観点から「人間的現実」と呼ぶものについて記述しようとする。先の問いに対する答えは、すでに主著のタイトル、『存在と無』に要約されている。というのも彼によれば、人間的現実は存在と無のふたつの存在仕方から構成されており、存在と非存在の両方のうちに存立しているからである。人間は一方では〈即自〉、つまりは物体や事物として存在すると同時に、他方では〈対自〉、つまりは何ものでもあらぬような意識として、しかしまた単に自らが意識しているものでもあらぬような意識として実存している。彼は〈即自〉の存在、つまりはある現象や事物の存在を、「それ自身にとって不透明なもの……なぜならそれはそれ自身によって満たされているから」と記述している。事物にはいかなる内面もなければいかなる外面もなく、それ自身についてのいかなる意識もない。それはただ存在する。彼は言う。「〈即自〉にはどんな秘密もない。それはかたまり的である」からであり、「存在のうちには、いささかの空虚もなく、無が忍び込むおそれのあるようないささかの裂け目もない」[★1]からだ。これとは対照的に、〈対自〉もしくは意識はそのような存在充実をまったくもたない。なぜならそれは、いかなる事物でもないような無（no-thing）だからである。

サルトルは自らの小説『嘔吐』のなかで、事物の圧倒的な現前と密度をわれわれにはっきり意識させようと努めている。この小説の主人公アントワーヌ・ロカンタンは、一連の興味深いエピソードのなかで、自分の体験の奇妙に常軌を逸した本性をおそるおそる意識するようになる。彼は海岸に立って小石をひとつ拾い上げ、その確固とした圧倒的存在のおかげで吐き気を催しぞっとする。後からその出来事を反省しつつ、彼は次のように述べる。

物体、それに触れるべきではない……だが物体がわたしに触れてくるのであり、それは耐え難いことだ……いまなら分かる。わたしははっきりと思い出す。あの日わたしが海辺にいて、あの小石を手にしていたときに感じたことを。それは甘ったるい嫌悪のようなものだった。それはどんなに不愉快だったろう！　そしてそれはひとつの小石が原因だった。わたしは確信する。それは、手のなかの小石から起こったのだ……手のなかにあったいわば吐き気のごときもの。★2

ロカンタンのおびただしい吐き気体験を描くことで、サルトルはわれわれに彼が存在の偶然性と呼ぶものを実感させようとしている。ロカンタンは、事物のなまの存在を説明してくれるような理由など何もないことを実感するにいたった。ひとが「存在」を定義づけようとするなら、言わなければならない本質的なことは、ただひとつ、存在が意味するのは何かがたまたまそこにある、ということだけで、存在に先立ち存在にとって理由となるようなものは何もないのだ。事物はただ、たまたまそこにあるだけだ。言えるのはそれだけで、説明など何もない。偶然性が基盤なのだ。ロカンタンは自らの体験を反省して記述するとき、次のように言う。「〈不条理〉という語がいまわたしのペンの下で生まれた……いましがたわたしは絶対的なもの、絶対的なものあるいは不条理なものを体験した」★3。彼が気づいたのは偶然性という不条理である。つまりそれは、それぞれの事物の、そしてすべての事物の説明しがたい存在であり、世界がまったくいかなる意味もなしにそこにあるという不合理さなのだ。そしてこのことは、〈対自〉の次のような欲望を引き起こす。存在する事物のような存在充実をもって存在したい、ただし偶然性も意識のいかなる喪失もないままに……。『嘔吐』の末尾近くでロカンタンはこう述べている。

わたしもまた存在することを望んだ。事実わたしはそれ以外には何も望まなかった。それがわたしの生活の底にあるものである。結びつきがないように見えるこれらすべての試みの背後にわたしが見出すのは、その同じ欲望である。つまり実存をわたしの外へ追い出すこと、諸々の瞬間からその脂肪分を抜くこと、それらの瞬間を絞って乾かすこと、わたし自身を純化し強固にすること……。[★4]

だがそうした欲望の具体化は決して実現しない。意識は事物になると同時に意識のままでいることはできないからだ。ふたつの存在領域はまったく別々なのであり、両者を融合させるという理想は、サルトルが『存在と無』のなかで「〈対自〉につきまとい〈対自〉の存在をまさに存在の無として構成しているような、実現不可能な［実感不可能な］全体」と呼んでいるものなのである。そして彼はこう述べている。

> 〈神〉と呼ばれうるのはこの理想である。それゆえ、人間的現実の根本的企てを思い描く最良のやり方は、人間は〈神〉であろうと企てる存在なのだ、と言うことである。……人間であるとは、〈神〉であろうとすることを意味する。あるいはいうなれば、人間は根本的に〈神〉でありたいという欲望なのだ。[★5]

意識は自らが無であるために、かえって「未来の世界に効果的に関与して」いることを欲する。そしてサルトルによれば、これがまさしくわれわれの人間的自由の状況にほかならない。自由とは、われわれがそれであらぬものをわれわれが意識するとき、われわれが経験するこの無のことである。そしてこれは、われわれが未来においてそれであるであろうものを選択するという可能性を、われわれに意識させる。われわれの自由とは無であるがゆえに、われわれの為す選択はこの何ものでもないものを基盤にして為されるのであり、そうした選択は価値や意味の選択なのである。ある行動を遂行するためには、われわれは存在する事物の世界への関与から身を引いて、存在しないものを熟考することができるのでなければならない。この空虚のうちに、われわれはある行動を置き入れることができる。サルトルによると、われわれが選択するとき、ある行動の選択はまた自分自身の選択でもある。とはいえわたし自身を選択することで、わたしは存在することを選択するわけではない。存在は与えられているのであり、ひとは選択するためにも存在しなければならない。わたしが選択するのはわたしの**本質**、つまりわたしが存在するであろうときのその個別的な様子・あり方である。わたしは自分が思い描くとおりにわたし自身を選択する。こうしてわたしは、ある個別的な状況においてわたし自身を、本質的に思案する自己として、あるいは逆にせっかちな自己として、あるいはおそらくはまったく別の自己として、たとえば他者たちに従順な者として、あるいは実力者に逆らう者として選択することもできる。これが自分の本質を選択するということである。わたしがわたし自身を本質的に「思案する者」として選択すれば、わたしがわたし自身について選択するのはまさにその選択においてなのであって、それに引き続いて起こる何らかの個別的な思案においてなのではない。「わたしが思案するとき、すでに賭は為されている」[★6]とサルトルが言うのも、まさにそのゆえである。わたしはすでにわたし自身を「思案する者」として選択してしまっているのであって、実際の思案の内容はその後の問題にすぎない。以上の分析から、実存主義の有名なスローガンが出てくる。すなわち「存在は本質に先立ち、本質よりも優位を占める」[★7]。

　これは理解するのがなかなか難しい考えである。自分の存在を意識するようになるというまさにその行為においては、わたしは自分のことを、自ら意味や価値を選択している当事者なのだと考えることが、必要になる。つまり、意識するようになるということは、それ自体、評価を行っているということなのである。わたしがわたし自身をある個別的な存在として意識することは、とりもなおさず、わたしがわたし自身を選択するということなのだ。ただし、わたしがわたし自身をいま選択しているように選択することにはいかなる理由もない。わたしはわたし自身のために別の意味を選択することもできただろうし、わたしの選択が正当化されず無根拠のままであるのも、そもそも選択にはいかなる理由もないからだ。これが終始一貫した人間的現実なのだ。われわれは同時に事物でもあれば意識でもあるような存在として世界内に存在する。意識の出現は、それがいつ起ころうともただちにわたしを歴史的な存在たらしめ、わたしがそれではあらぬものに気づかせることによって、いまはまだ空虚に開かれている未来に向かってわたしを投げ出す。われわれは、われわれがそれであるものを否定してはわれわれがそれであったものとすることによって、つまりはわれわれ自身を何か別のものとして選択することによって、たえず自分を選択しなければならない。意識の出現においては、わたしは、わたしがそれであった存在を眺めながらわたしがまだそれではあらぬ存在へと移動していく存在として、自分をそのつど新たに選んでいるのだ。サルトルはこれを「根底的な決断」と称している。彼は、人間はもともと何の性格ももたない基礎的な実体だからこそ、遺伝や環境や学習された行動パターンがこの実体を個人としての存在にまで仕立て上げてくれるのだ、とするような人間分析は、一切退ける。そのかわりに彼が語るのは、未規定かつ偶然的であるような「還元不可能な心的存在」である。人間は固有性を備えた実体なのではなく、むしろ「非実体的な絶対者」なのである。こうして彼は、視線に開かれているものの先にであれその下にであれ、それを越えてさらに遠くまで行こうとする説明にはどんなものにも抵抗し、そのような説明に訴えようとする通常の心理学的方法を退ける。彼が実存的精神分析と呼ぶ彼自身の方法は、ある人物の根源的選択を了解しようとするものである。この方法は、自分が望むならば自らの選択を変えることができるよう、ある人物の選択の意味を当人にあらわにしてやるために働く。無意識という観念も拒否される。というのも、実存的精神分析で探し求められるのは選択であるが、サルトルにとって選択とは意識と同一であるがゆえに、そうした選択が無意識のうちに見出されることなどありえないからである。とはいえ、無意識を退けることで彼が主張しているのは、われわれがわれわれ自身について知り尽くしているといったことではなく、われわれは、われわれがそれについて意識している物事から自分を解読することができる、ということなのだ。われわれの前にあるものを、見たこともない原因のリストを引き合いに出すことによってその理由をうまく言い繕おうとする必要などない。ある人物とは「白昼公然の神秘」である。それはある全体であって、諸々の固有性の単なる寄せ集めではない。それはまた、概念化されるべき誰かではなく、むしろ了解されるべき誰かである。なぜなら、根源的選択を概念化しようとする試みはどんなものも挫折せざるをえないし、ある人物についての可能な了解は、厳密には「認識」として言い表すことができないからだ。それはまた、ある者は現に彼があるような仕方で存在するのであって、それ以外の仕方では決して存在してはいないのだと認めることでもあれば、彼が現にあるように存在することに対しては彼が自分自身をそうした仕方で選択したという以外にはいかなる究極の理由もないのだと認めることでもある。ある人物の生活が意味を得るのは、その人物がその意味に対して全体的に責任を負うからなのである。

「自己欺瞞」はおそらく、実存主義の最もよく知られたテーマのひとつであろう。自己欺瞞的な行為が生まれるのは、自分がまったく自由な存在であり、自分が自分の存在を選択するのはあれこれの事柄を基盤にしてではなくまさに無を起点としてなのだと実感することから来る不安を何とか避けようとする結果である。自己欺瞞には多くのかたちがあるが、そのひとつは、ただの紋切り型の役割やライフスタイルを生きている人たちのうちにあらわれている。自分の人生に対する意味や価値を選択する責任に圧倒されると、ひとは、自分が自らの力で作り出す必要のない意味をもたらしてくれるような既成の役割を受け入れることのうちに、逃げ道や皮相な慰めを見出すことがある。自らの自由を身をもって体験するひとりの主体として生きるかわりに、彼は自分を、何らかの果たすべき指定された機能をもった物体や事物として扱うわけである。サルトルの最も有名な例はカフェのボーイに関するものである。

　ここにいるカフェのボーイを考えてみよう、彼の敏捷できびきびした身ぶりは、いささか正確すぎるし、いささかすばしこすぎる。……彼の声や眼は、客の注文に対するいささか注意のあふれすぎた関心をあらわしている。……彼は事物のもつ非情な迅速さと敏捷さを自分に与える。……カフェのボーイは自らの身分をもてあそぶことによって、その身分を実現する。★8

　自己欺瞞的であることのもうひとつのやり方は、ことによると自分の悪い習慣を変えるとか大酒飲みや怠惰な生活をやめるなどと誓うことによって自分が現にそれであるところのものを否認すること、しかもその際、自分が決意するそのたびごとに自分は実際にそれを守るだろうと信じ込みながらも、決してそうはしないままに否認することである。自己欺瞞にあっては、われわれはわれわれ自身を欺く。それはことのほか複雑な欺きである。そもそも欺くためには、ひとは真実を知っているのでなければならない。さもなければ、ひとが為すことは欺きではなく、単なる誤りか無知のままに為された何ごとかにすぎないことになる。それゆえ自己欺瞞は、自分自身に嘘をつくひとつのかたちである。ある単一の意識の統一性のうちで、真実に直面することとその真実に関して自分を欺くことの両方がどのようにして可能になるのかを理解するのは難しい。とはいえこれは、人間が自らふつうに関わり合っている事柄なのである。すなわちそれは、真実と認められた何かを無視したり回避したりしつつ、ある幻想を固く守ろうとすることである。

　サルトルにとって、自己欺瞞的に行為したり生きたりすることは、自分の自由から、そして自分自身で意味を作り出すことから目を背けることである。自己欺瞞的に生きることは、物体として存在すること、そして自由に選択するよりはむしろ物体のように自然法則や因習によって規定されることである。ただし、自己欺瞞に陥ろうとする選択は、他のいかなる選択ともまったく同様に自由である。それは特殊なやり方で世界内に存在することの選択である。われわれはたとえば次のような印象をもつかもしれない。すなわち、「自己欺瞞」は道徳的に悪いものである。自己欺瞞的に生きることは人間としての責任を放棄すること、人間であることの「核心」を成している自由を否認すること、そして意味や価値をわれわれ自身に帰属させる仕事を回避することなのだ、と。しかしながら、サルトルがはっきり述べているように、彼の探求は人間の実存の記述として意図されたものにすぎない。彼の第一の関心は、人間はいかにあるべきかではなく、人間は現にいかにあるかを、語ることである。たとえば彼が語るのは、われわれは自由な選択を為すべきであるということではなく、かえって、われわれはそうした選択を為さないわけにはいかないということがまさに人間的実存の条件なのだ、ということである。

彼は哲学的倫理学に関する著作を一度も公表しなかったが、『存在と無』の自己欺瞞の議論への少しばかり謎めいた脚注で、自己欺瞞を避ける可能性があることを示唆している。彼はこう述べている。「このことはあらかじめ頽落した存在の自己回復を予想している。われわれはこの自己回復を本来性と名づけるのであるが、ここではそれについて記述する余裕はない」[★9]。

サルトルは自己欺瞞的に行為する人物を、「くそまじめな精神」で生きる者として記述している。くそまじめにはふたつの主要な特徴がある。第一にそれは、諸々の価値が人間とはまったく独立に存在していると考えている。第二にそれは、そうした価値がともかくも事物のうちに具現されていると見なしている。たとえばそれは、「栄養」がパンの実際の構成要素であると考えたりする。それは型にはまった価値や意味を受け入れ、ともかくもそれらのものが客観的にそこにあるのだと信じ込む。要するに、そうした価値や意味をまじめに受けとるのである。だがそれは、あらゆるものの不条理な偶然性についてはまったく気づかないし、われわれをして意味を作り出すように誘う空虚さについてはいかなる感覚ももちあわせない。たとえば芸術作品を前にした場合、わたしが「くそまじめな精神」だとすれば、その作品について自分自身の判断を下すというわたしの自由を無視して、そのかわりその作品のうちに具現していると考えられる諸々の価値をわたしは熱心に探し求めるだろう。

サルトルによれば、われわれが自由から目をそらすのは、それを認めるとわれわれは不安を体験するからである。不安が感じられるのは、選択を決定すべきものが何もないところでは何でも可能だからである。ひとは、自分がいまは怖がって考えるのを避けている何かぞっとする恐ろしいことを、次の瞬間には自分で選択してしまうことさえありうる。サルトルは、断崖の端に沿ってつづく狭い小径を通り抜けるという例をあげている。諸々の困難の予測や計算、自らの慎重で制御された動きなど、そのような状況において為されるあらゆる配慮にもかかわらず、災難やアクシデントが起こる可能性があるし、それればかりか、自分が向こう見ずになったり無謀にふるまったりすることを選択する可能性や、自ら断崖に身を投げることを選択する可能性もいぜんとしてある。たしかにそうするように導くものは何もないかもしれないし、そのような選択には何の理由もなく、それを予想するだけでもぞっとする。にもかかわらず、自分はそうするかもしれないのだ。彼は言う。

わたしは、まさにわたしの側の行為が可能でしかないがゆえに、不安なのである。このことは次のことを意味する。すなわち、この状況を押しのけるための諸動機の総体を立てながらも、同時に、わたしはこの諸動機を十分には有効でないものとして捉えている。わたしがわたしの存在を断崖に対する恐怖として捉えるまさにそのとき、わたしはこの恐怖をわたしの可能な行為に関しては非決定因として意識している。ある意味で、この恐怖はひとつの慎重な行為を呼び起こす。この恐怖はそれ自身でそうした慎重な行為の粗描である。また他の意味では、この恐怖はこの行為につづく展開を単に可能的なものとしてしか立てない。というのもまさに、わたしはこの行為を、それにつづく展開の原因としては捉えないからである。[10]

不安という概念は、実存主義の何かトレードマークのようなものになった。とはいえもちろん、不安は、自由を実感することとの唯一の帰結では決してないし、ましてや必然的な帰結でもない。全面的自由という感覚は、事物のうちに意味を求めようとする落ち着きのない探求からひとを解放することで、まさに陽気さや冒険心を生み出すこともある。実存思想はたしかに、不条理に直面しての絶望からのみ生じてくるものだと解釈すべきではないだろう。サルトル自身、ペシミズム［悲観主義］ではないのかという非難に対して自らの考えを弁護する際、実存主義をそう見なすことはできないとして、こう続けている。「というのも、人間の運命は人間自身のうちにあるとする以上、これほど楽観的な主義もないからである」[11]。

第二次世界大戦後のサルトルの政治活動は、自らに深い失望感をもたらし、自身の思想を根底的に再構築する試みへと導いた。彼は二巻からなる『弁証法的理性批判』を構想し、第一巻では理論的かつ抽象的な研究を展開し、第二巻では歴史を論じるつもりであった。けれどもこの『弁証法的理性批判』は完成されなかった。サルトルは第二巻のわずかの章を書いた後、その巻を放棄した。第一巻は一九六〇年に刊行されたが、「おそろしく読みにくい本」と評された。『弁証法的理性批判』のなかでサルトルは、個人の自由に関する自らの初期の見解の多くを退けている。彼はこう述べている。

> 人間はあらゆる状況において自由であるとわたしが主張しているなどとは、まかりまちがっても解釈しないでいただきたい。……わたしが言おうとしているのはまさに正反対のことである。それはすなわち、すべての人間の生活経験が実践的=惰性態の領域でいとなまれていくかぎり、またこの領域が稀少性によって根源的に条件づけられているまさにそのかぎりにおいて、すべての人間は奴隷である、ということである。★12

「実践的=惰性態」という用語は、初期には自由な行動によって規定されていたような生活分野を指示している。そして、『弁証法的理性批判』におけるサルトルにとっての主要な関心事は、個人の実践の相互作用、あるいはもっと正確にはそうした実践の**弁証法**であり、歴史的事実という相続された重荷なのである。一般に認められているところでは、この著作は社会学としても人間学としても哲学としても成功しているとは言い難い。しかし同様に広く認められているところでは、サルトルは、彼の内容豊かで才能溢れるすべての著述と同じくこの書においても、最も深い関心と重要性にかかわるような問題を表明し照らし出してもいるのである。

★注

1 J. P. Sartre, *Being and nothingness*, trans. Hazel E. Barnes (Methuen, London, 1969), pp. xlii, 74.（サルトル『存在と無』新装版、松浪信三郎訳、人文書院、一九九九年、上巻一六一頁）

2 J. P. Sartre, *Nausea*, trans. R. Baldick (Penguin, Harmondsworth, 1965), p. 22.（サルトル『嘔吐』白井浩司訳、サルトル全集6、人文書院、一九七二年、一七頁）

3 Ibid., p. 185.（同書、一四九頁）

4　Ibid., p. 248.（同書、二〇〇頁）

5　Sartre, *Being and nothingness*, p.566.（サルトル『存在と無』新装版、松浪信三郎訳、人文書院、一九九九年、下巻一〇四〇頁）

6　Ibid., p. 451.（同書、下巻八五四頁）

7　Ibid., p. 438.（同書、下巻八三三頁）

8　Ibid., p. 59.（同書、上巻一三六～七頁）

9　Ibid., p. 70, note.（同書、上巻五三二～三頁）

10　Ibid., p. 31.（同書、上巻九四～五頁）

11　J. P. Sartre, *Existentialism and humanism*, trans. Philip Mairet（Methuen, London, 1975）, p. 44.（サルトル『実存主義とは何か』増補新装版、伊吹武彦ほか訳、人文書院、一九九六年、六四頁）

12　J. P. Sartre, *Crituque of dialectical reason*, quoted in A. Manser, *Sartre*（Oxford University Press, 1966; paperback, 1967）, p. 207.（サルトル『弁証法的理性批判Ⅰ』竹内芳郎、矢内原伊作訳、サルトル全集26、人文書院、一九六二年、三九四頁）

本書の次の項を参照
キルケゴール、ハイデガー

サルトルの主な著作

- *The psychology of the imagination*（1940）（Methuen, London, 1983）（『想像力の問題』平井啓之訳、サルトル全集12、人文書院、一九七五年）
- *Being and nothingness: an essay of phenomenological ontology*（1943）,trans. H. E. Barnes（Methuen, London, 1958; paperback, 1969）（『存在と無』新装版上下巻、松浪信三郎訳、人文書院、一九九九年）
- *Existentialism and humanism*（1946）, trans. P. Mairet（Methuen, London, 1948）（『実存主義とは何か』増補新装版、伊吹武彦ほか訳、人文書院、一九九六年）
- *What is literature ?*（1947）, trans. B. Frechtman（Methuen, London, 1950）（『文学とは何か』改訳新装版、加藤周一、白井健三郎、海老坂武訳、人文書院、一九九八年）
- *Critique of dialectical reason*（1960）, trans. A. Sheridan-Smith（Verso Books, London, 1982）（『方法の問題』

平井啓之訳、サルトル全集25、人文書院、一九六二年、『弁証法的理性批判 I II III』竹内芳郎、矢内原伊作、平井啓之、森本和夫、足立和浩訳、サルトル全集26-28、人文書院、一九六二～七三年）
・*War diaries*（1919-40), trans. Q. Hoare（Verso Books, London, 1983; paperback, 1985）（『奇妙な戦争：戦中日記』海老坂武、石崎晴己、西永良成訳、人文書院、一九八五年）
・*Words*（autobiography, 1964）trans. I. Clephane（Hamish Hamilton, London, 1964）（『言葉』白井浩司、永井旦訳、サルトル全集29、人文書院、一九六七年）

小説作品

・*Nausea*（1938), trans. R. Baldick（Penguin, Harmondsworth, 1965）（『嘔吐』白井浩司訳、サルトル全集6、人文書院、一九七二年）
・*The age of reason*（1945), trans. E. Sutton（Penguin, Harmondsworth, 1961）（『自由への道、第一部：分別ざかり』佐藤朔、白井浩司訳、サルトル全集1、人文書院、一九五八年）
・*The reprieve*（1945), trans. E. Sutton（Penguin, Harmondsworth, 1963）（『自由への道、第二部：猶予』佐藤朔、白井浩司訳、サルトル全集2、人文書院、一九五九年）
・*Iron in the soul*（1949), trans. E. Sutton（Penguin, Harmondsworth, 1963）（『自由への道、第三部：魂の中の死』佐藤朔、白井浩司訳、サルトル全集3、人文書院、一九六一年）

参考文献

・Blackham, H.J. *Six existentialist thinkers*（Routledge and Kegan Paul, London, 1961）
・Cranston, M. *Sartre*（Oliver and Boyd, Edinburgh, 1962）
・Danto, A.C. *Sartre*（Viking Press, New York, 1975）
・Macquarrie, J. *Existentialism*（Penguin, Harmondsworth, 1972）
・Manser, A. *Sartre*（Oxford University Press, New York, 1967）
・Meszaros, I. *The work of Sartre* vol.I.（Harvester Press, Hassocks, Sussex, 1979）
・Murdoch, I. *Sartre, romantic rationalist*（Bowes and Bowes, Cambridge, 1953）
・Warnock, M. *The philosophy of Sartre*（Hutchinson, London, 1972）

用語解説

ア・プリオリ（「より先なるものから」）a priori
ア・ポステリオリ（「より後なるものから」）a posteriori

ア・プリオリとア・ポステリオリは、ある判断が真であるかどうかを知る方法に関する用語である。ある判断が真であるか偽であるかは、知っているとする主張が経験に訴えることも観察に訴えることもなしに正しいとされる場合には、ア・プリオリに知られると言う。例えば、三角形とは三辺をもつ図形のことだということを知っているとする主張は、三角形の特殊な事例を点検することによって（つまりは、経験や観察に訴えることによって）正しいとされるのではなく、「三角形」および「三辺」という言葉の意味を考えることによって正しいとされるからである。ア・プリオリに真であるものは必然的に真である。つまりそれは、偽であることができず、それの否定は必然的に偽となるのである（必然的／偶然的を見よ）。

ある判断の真理値は、知っているとする主張がただ経験や観察に訴えるだけで正しいとされる場合には、ア・ポステリオリに知られると言う。「その猫はマットのうえにいる」ということを知っているとする主張は、その主張のなかで言及されている特殊な猫とマットを点検することで（つまりは、経験と観察によって）、正しいとされる。ア・ポステリオリに真であるものは、必然的に真であるのではなく、偶然的に真であるのである。つまりそれは、たまたま真であるだけのため、それが別様にあることも、論理的には可能なわけである。それが否定されるときは、偶然的に偽とされているのである。

必然的／偶然的を見よ。

一元論 Monism

一元論というのは、実在はただ一つの実体から出来ているのだとする見解のことである。唯一の実体は、物質であることも、精神であることも、あるいはことによれば、アナクシマンドロスが示唆したように「無限定的なもの」であることもある。〈物理的一元論〉とは、唯一の実体は物質であるとするもののことであり、時としてそれは、〈一元論的唯物論〉とか単純に〈唯物論〉と呼ばれたりする。

〈心霊的一元論〉という言葉は、唯一の実体は霊的、心的、もしくは非物質的なものだとする見解を記述するのに用いられる。

アナクシマンドロス、**スピノザ**、**ホッブズ**を見よ。

宇宙発生論 Cosmogony

宇宙発生論というのは、宇宙の起源についての理論もしくは説明のことである。これには、科学的説明、推理による説明、思弁による説明、神話的説明など、さまざまなものがある。

初期ギリシャ哲学者たち、**タレス**から**デモクリトス**までを見よ。

宇宙論 Cosmology

宇宙論というのは、物理的宇宙についての研究のことである。これは、空間、物質、有限なもの、無限なものといった概念について検討と推理を重ねるものである。これは、ものの本質について考察することによって、物理学の実験活動と哲学の批判的推理の相互交流を促す。

初期ギリシャ哲学者たち、**タレス**から**デモクリトス**までを見よ。

演繹的 Deductive／**帰納的** Inductive

演繹法というのは、専門的（学術的）な意味で妥当だとされる論証のことである。妥当な演繹法では、結論はいくつかの前提から生ずる。たとえば、次のように。

どの哺乳動物にも心臓がある。
すべて馬は哺乳動物である。
［だから］どの馬にも心臓がある［はずだ］。

演繹法では、結論における情報は、すべて、（暗黙のうちに）前提に含まれている。そこで、もしも前提がすべて真であれば、結論もまた当然真となる。

帰納法は、妥当な論証法とはされていない。それは、その前提「から必然的に出てくる」のではなく、かえってその前提によって［たまたま］支持されるような推論を導くだけのものだからである。たとえば、次のように。

これまでに観察されたどの馬にも心臓がある。
［だから］どの馬にも心臓がある［はずだ］。

帰納法では、もしも前提がすべて正しければ、結論は〈多分［＝蓋然的に］〉真であるだろうが、必然的に真であるわけではない。結論は、暗黙のうちにでさえ、前提のうちに存在しているわけではないからである。

スピノザ、**デカルト**、**ホッブズ**、**ミル**、**ライプニッツ**を見よ。

懐疑論 Scepticism

哲学的懐疑論というのは、概して、はたして知識というものは成立しうるのかという問題をめぐる疑いのことである。したがって懐疑論者は、そもそも感覚的経験が知識を与えてくれるのだろうかとか、はたして神や、外界や、他人が実在するのだろうかなどと、疑うことになる。懐疑論というのは、究極的には、何が知識と見なされるべきなのかという問題をめぐる論議のことだということになる。

認識論、**デカルト**を見よ。

仮説 Hypothesis

仮説というのは、それを支持するどんな証拠もなしにまかり通っている主張のことである。この主張は、いったん立証されたあかつきには、もはや仮説とは言われない。

観念論 Idealism

観念論というのは、世界の本質をめぐる一つの形而上学的教説のことである。その主張によれば、実在は究極的には精神と観念とからなり、物質には物質についての私たちの観念から独立した実在はない。「超越論的観念論」というのは、経験の対象は、単なる現象にすぎず、それらは私たちの思考の外部に実在するのではないのだとする、カントの見解を記述するのに用いられる用語である。カントの見解では、私たちが外的世界についての考え方を定式化していくときの構造もしくは心的原理は、それ自体、経験の基盤をなすものであるがゆえに「超越論的」であり、「心のうちに」あるものであるがゆえに「観念論的」である。そこで「超越論的観念論」と言われるのである。

カント、**ショーペンハウアー**、**バークリ**を見よ。

帰納的 Inductive

演繹的／**帰納的**を見よ。

逆説（パラドックス） Paradox

一連の論証が逆説におちいるのは、それが、どこにも破綻は含んでいないのにたがいに両立しないような結論に帰着する場合である。よく知られた例としては、「嘘つきの逆説（パラドックス）」と言われるものがある。あるクレタ島の住民曰く「クレタ島の住民は全員嘘つきだ」というのが、それである。彼はクレタ島の住民なのだから、彼の言うことが真（本当）ならば、彼の言うことは、また同時に偽（嘘）でもあることになる。それと言うのも、クレタ島の住民が全員嘘つきであるならば、「クレタ島の住民は全員嘘つきだ」と言う主張がクレタ島の住民によってなされたときには、その主張自体が嘘だということになってしまうからである。

偶然的 Contingent

必然的／**偶然的**を見よ。

計算法 Calculus

計算法というのは、規則によって支配され、推理や計算が行いうるようデザインされた、一つの記号システムのことである。現代記号論理学で用いられている二つの最も一般的な計算法は、〈命題計算〉と〈述語計算〉である。〈微分学〉や〈無限算法〉などは、数学的算法である。

ゼノン、**ライプニッツ**を見よ。

経験論 Empiricism

経験論というのは、世界についての知識は感覚的経験にもとづいて引き出されるのだとする見解のことである。哲学の歴史では、「最初感覚のうちに存在しなかったようなものは、どんなものも、心のうちには存在しない」という主張は、「私たちの知識のなかには、生具的観念という形をとって私たちのうちに存在しているものもあるのだ」とする主張に対立する。ある知識を経験的という言葉で説明するときとは、「経験的 empirical」という言葉は、主として知識はどのようにして獲得されるのかという点が問題にされている。

カルナップ、**シュリック**、**ヒューム**、**ロック**を見よ。

形而上学 Metaphysics

アリストテレスは、形而上学というのは、「存在としての［かぎりでの］存在についての、また存在自身の本質によって存在のうちに内在している諸特性についての、研究」のことだと説明した。それはまた、「何が存在するのか」についての研究のことだとも説明された。つまり、形而上学というのは、実在するもの一切の最も究極的で最も一般的な本質についての考察のことだというのである。「根本的にはただ一つの実体しか存在しない」とか、「どんな出来事にも原因がある」といった主張は、存在するもの全体についての主張を含んでいる点で、形而上学的主張である。形而上学が実在の、すなわち存在の、本質に［ついての研究に］限定されるときには、それは〈存在論〉と呼ばれる。

「形而上学は可能であるか」というカントの問いは、形而上学の内部での認識論的問いである。それは、はたして私たちには「どんな出来事にも原因がある」といった形而上学的原理についての知識をもつことができるのか、という問題をめぐる問いだからである。

認識論、**カント**、**スピノザ**、**ライプニッツ**を見よ。

形相（イデア） Form

プラトンは、完璧で非物質的な「形相（イデア）」の世界は、形相の模倣もしくは不完全な実例からなる、感覚的対象の世界とは別個に実在しているのだと主張した。アリストテレスは、形相とはあるものをしてあるものたらしめるゆえんのもののことで、そのものを他の種類のものごとから区別するもののことなのだと主張したが、プラトンの見解のように、形相はその実例とは別個に実在するのだとは考えなかった。中世の哲学者たちは、天使というのは、他のどの天使とも別の、一つの独自の「形相」のことなのだと信じていた。フランシス・ベーコンは、形相とは「単純性質」のことだと記して、そうした形相が、世界の根本的自然構造を支配する法則になっているのだと考えた。

普遍(的)、**アウグスティヌス**、**アクィナス**、**アリストテレス**、**プラトン**、**ベーコン**を見よ。

恒真命題 Tautology

恒真命題というのは、そこに単語や記号を反復させるところから、明らかに、あるいは必然的に真であるような主張のことである。そこで、「茶色い犬は犬である」とか、「4＝4」などは、恒真命題だということになる。記号論理学では、恒真命題というのは、それを構成する命題たちの真理値のいかんにかかわらず真であるような命題をもたらす命題形式のことを言う。「雨は降っているか、降っていないかの、どちらかである。」というのは、この種の恒真命題の一例である。これは、雨が降っていても真であるし、雨が降っていなくても真である。

真理値を見よ。

行動主義 Behaviourism

哲学的行動主義の一般理論によれば、精神の行う判断については、観察可能な行動もしくは傾向という点からすべて完全な評価が下せるのだと言う。しかしこれは、夢や信念や推理などの活動について評価を下そうとすると、困難にぶつかってしまう。これらの活動は、「観察可能な行動」を欠いても、生まれることができるからである。

合理論 Rationalism

この言葉は、ひとり理性だけでものごとの存在や本質についての知識は得られるのだと信じたデカルト、スピノザ、ライプニッツなど、多くの一七世紀の哲学者たちの見解を説明するのに用いられる。これはまた、実在は一つの統一ある、一貫した、説明可能なシステムだとする見解を説明するのにも用いられる。

スピノザ、**デカルト**、**ライプニッツ**を見よ。

誤謬 Fallacy

誤謬というのはある論証のなかで冒された妥当でない推理のことを言う。もしも何か複合的論証のなかで誤謬が生じたときには、その誤謬は当の論証の妥当性（つまりは形式的構造）をそこなってしまうが、だからと言ってその論証の結論が、必然的に偽もしくは間違いになるわけではない。

三段論法 Syllogism

三段論法というのは、二つの前提と一つの結論の、併せて三つの主張からなる演繹法のことである。これはアリストテレスが最初に提出したもので、二〇世紀初頭まで論理学のベースになっていた。

誤謬、**妥当性**、**論証**、**アリストテレス**を見よ。

実体 Substance

アリストテレスは、実体とは「それが実在するのにそれ以外のいかなるものにも依存することのないもの」のことだと説明した。伝統的には、実体というのは、さまざまな性質や特性を支える基体のことで、しかもそれは、自分が支える性質や特性からは独立して実在するのだと、考えられてきた。

アリストテレス、**デカルト**、**スピノザ**、**ライプニッツ**、**ロック**を見よ。

新プラトン主義 Neo-Platonism

この用語は、プラトン哲学の復活もしくは転進を指すのに用いられる。主要な復活は三度あった。最初の復活はキリスト教紀元の初頭に起こって、三世紀のプロティノスの哲学において頂点に達した。第二の主要な復活はイタリアに起源をもって、プラトン主義に加えて初期ギリシャ思想の多くの他の面をも擁している。これは一五世紀にピークに達した。第三の主要な復活は、凝り固まったアリストテレス主義的正体暴露への一つの反動として、一七世紀にケンブリッジ・プラトン学派によって始められた。これら三つの復活は、すべてプラトン思想における神秘主義的要素を強調するものであった。

真理値 Truth-value

ある主張の真理値というのは、その主張が真であるか偽であるか、ということである。一般に、真理値はこの二つしかない（二値論理）が、真理値が三つもしくはそれ以上あるような論理体系（多値論理）も存在しうる。三値論理は、第三の真理値として、「真、偽のどちらでもない（不定）」をもつ。多値論理は、その真理値のなかにさまざまな程度の蓋然性を含むことになる。

同語反復を見よ。

スコラ哲学 Scholasticism

スコラ哲学というのは、一二世紀、一三世紀を支配した、主としてアリストテレスに立脚した中世哲学のことである。これは、三段論法にもとづく推理を援用するものであったが、細々した微妙な問題をめぐって論争を延々と繰り広げるものという評判を得るにいたった。トマス・アクィナスが最大のスコラ哲学者である。
アクィナス、**オッカム**、**ドゥンス・スコトゥス**を見よ。

前提 Premiss
論証を見よ。

綜合的 Synthetic
分析的／綜合的を見よ。

疎外 Alienation
カール・マルクスは、自分の生活・生存に必要不可欠な社会・経済的要因から遠ざけられてしまった人たちの、生きがいを奪われ、非人間化されてしまった状態を説明するのに、「疎外」という用語を用いた。ヘーゲルは、現実性からの、現実的存在からの、――ヘーゲル自身にとっては、理性的にも首尾一貫した一つの精神的全体からの――離反という、人間の一般的状態について記した。マルクスは、離反についてのこういう考え方を物質的用語に置き換えて、これを、個人が自分の生産力から疎外されて、もはや自分の生産力を自由に支配できなくなっている状態のことだと考えた。
ヘーゲル、**マルクス**を見よ。

ソフィズム Sophism／**詭弁** Sophistry
紀元前五世紀に活躍したギリシャの哲学者たちは、多くの科目、それも特に修辞学と討論術を伝授する教師もしくは「大家」であった。彼らは、理屈をこねたり信用ならない議論を展開してはポイントをかせぐ人たちという評判を得るにいたったが、ひとが「詭弁」を弄する者と非難されるときには、こうした特徴が引き合いに出されている。
ソクラテスを見よ。

存在論 Ontology
形而上学を見よ。

妥当性 Validity
「妥当」と「非妥当」という用語は、主張の内容にではなく、論証の形式に当てはまるものである。ある論証は、それの結論がそれの前提となる仮定から出てくるときには、妥当だと言われる。妥当か非妥当かを明らかにするのは、論証の構成要素と構成要素の関係である。したがって、ある論証は、その前提のすべてもしくはいくつかが偽であるのに、形式としては妥当であることも、ありうるわけである。ある論証が妥当だと言うときには、その論証の前提が真だと言っているのではなく、かえってただ、もしもその前提が真であれば、その結論もまた当然真であるはずだとだけ言っているのである。

誤謬、**論証**を見よ。

直観的知識 Intuitive knowledge

直観的知識というのは、仲立ちをするステップも手続きもなしに得られるような、無媒介的で、直々の知識のことである。それは、命題をめぐるものであることも、感覚的対象をめぐるものであることも、精神的現象をめぐるものであることもある。カントは、感覚的対象についての私たちの知識を「感覚的直観」という言葉で記している。プラトンでは、「形相（イデア）」についての無媒介的な知識は直観的知識であって、感覚的知識ではない。

カント、**スピノザ**、**プラトン**、**ロック**を見よ。

抽象 Abstraction

抽象というのは、多くの対象に共通な様相や性質を分離したり抽出したりすることによって、その性質について何らかの観念を形成するプロセスのことを言う。抽象は、[多様な対象に共通な性質としての]赤さ、三角形性、鋭さ等々といった一般的もしくは普遍的な観念が定式化されるにいたるときの、その方法を説明するものとして、提出されてきた。

普遍（的）、**唯名論**を、また**バークリ**、**ロック**を、見よ。

同語反復 Tautology

恒真命題を見よ。

特殊（的） Particuar

普遍（的）／特殊（的）を見よ。

二元論 Dualism

二元論とは、実在は、相反する二つの別々の根本的実体、すなわち物質と精神からなっているのだ、とする理論のことである。この理論は、これら相反する二つの実体同士の間に何か関係があるのだとしたら、それはどのようなものなのかという点をめぐって、いろいろな問題や理論を生み出すことになる。二元論は、実在はただ一つの実体からなっているのだとする一元論に対立する。

デカルトを見よ。

認識論 Epistemology

認識論というのは、知識についての理論のことである。それは、何が知識と見なされるのか、どんなことがらが知られうるのか、そもそも確実に知られうるものが何か存在するのかといった問題への、批判的問いのことである。したがって認識論は、ひとが知っていると見なされるためには、どのような条件が満たされなければならないのかを尋ねて、知っているとする主張が正当だとされるときの仕方を網羅的に検討することになる。

スピノザ、**デカルト**、**バークリ**、**ヒューム**、**プラトン**、**ホッブズ**、**ライプニッツ**、**ロック**を見よ。

汎神論 Pantheism

汎神論というのは、自然界も精神界と同じように神の一部なのだから、一切が神なのであり、神が一切なのだとする教説のことである。これは時として無神論だという非難を招いてきた。

スピノザを見よ。

必然的 Necessary／**偶然的** Contingent

必然的に真であるような主張は、どのような条件のもとにあっても真である。もしもその主張の真理が〈論理的に〉必然的なものであれば、それを否定することには一つの矛盾が含まれる。

彼は、ここにいるか、いないかの、どちらかである。

という主張は、論理的に、したがってまた必然的に、真である。そのことは、あらゆる可能的世界おいて真であり、これを否定することは自己矛盾的である。同様に、必然的に偽であるような主張は、どのような条件のもとにあっても偽である。もしもそれが論理的に偽であれば、その主張は自己矛盾的である。

もしも彼が兄（弟）であれば、彼は女性である。

という主張は、論理的に、したがってまた必然的に偽であるということは、どのような可能的世界においても通用する。〈偶然的に〉真であったり偽であったりするような主張は、それの真もしくは偽が、状況のいかんによるような主張のことである。したがってそれは、〈真〉であることもあれば〈偽〉であることもあるだろう。

フレッドは食堂に座っている。

は、状況のいかんによっており（偶然的であり）、真であることもあれば偽であることもあるだろう。それが主張していることがらも、それが否定していることがらも、論理的には同じように可能だというときには、その主張は偶然的である。論理的必然性のほかに、多くの哲学者たちは物理的必然性や自然的必然性について語る。例えば、空気より重い物体は大地に落ちる傾向にある。という物理的もしくは自然的必然性についての主張は、私たちには、空気より重い物体が大地に落ちる傾向にないような可能的世界を考えることも出来るという点で、論理的必然性についての主張とは異なっている。

同語反復を見よ。

普遍（的） Universal／**特殊（的）** Particular

「犬」、「美」、「親切」などの一般的用語は、「この犬」、「この美しいもの」、「この親切な行為」などの「特殊」と区別するために「普遍」と呼ばれることがある。すると、はたして普遍は特殊から離れてそれだけで実在するのかという問いがもちあがる。例えば「美」は、特殊な美しいものたちから離れてそれ自体で実在するのか、という具合に。ここにある哲学的問題は、たがいに異なるさまざまな特殊を一つのグループに分類したり、それらを私たちが行っているようなもろもろの仕方で区分したりするときの、正当な根拠は何か、という問題である。

抽象、**唯名論**、**アリストレス**、**ドゥンス・スコトゥス**、**バークリ**、**プラトン**、**ホッブス**、**ロック**を見よ。

分析的 Analytic／**綜合的** Synthetic

分析判断というのは、述語が主語のなかに含まれているような判断のことである。「独身男性とは未婚の男性のことをいう」という判断では、述語の「未婚の男性」という言葉の意味が、主語の「独身男性」という言葉のなかに、暗に、あるいははっきりと含まれている。分析判断を否定することは、自己矛盾的であるか、自己矛盾を含むかのどちらかである。分析判断は、経験や観察への訴えかけによって制約されることも反論されることもないという点で、ア・プリオリな判断である。

綜合判断というのは、述語が、主語のなかに、暗黙のうちにも、またはっきりとも、含まれていないようなことがらを主張する判断のことである。「すべて独身男性は自転車に乗る」という判断は、その述語の「自転車に乗る」が、主語の「すべて独身男性は」に含まれている情報についての情報を与えるばかりか、さらにはその情報を拡大しもすると称するがゆえに、綜合的である。綜合判断を否定することは、自己矛盾的ではない。

ア・ポステリオリ、**カント**を見よ。

弁証法 Dialectic

プラトンでは、弁証法とは、たがいに対立する論証についての注意深い考察と解明によって、知識の最高形態と見なされるものを手に入れるのに役立つような、合理的討論の手続きのことを言う。一七世紀になるとヘーゲルが、実在の本質は弁証法であるとする見解を採用した。つまり、テーゼ（定立）とアンチテーゼ（反定立）という相反する合理的見解が発展的解消をとげて、一つの新しいジュンテーゼ（綜合）が生まれると、今度はそこから、さらにまた弁証法的プロセスをたどるような相反するテーゼが生まれて――というのである。ヘーゲルはこうした弁証法のプロセスは、絶対精神の働きであると考えた。弁証法はマルクスとともに、物質的なものとされて、弁証法的プロセスというのは、よりよい社会への発展的解消を目指す物質的並びに経済的諸力の闘争のことだと、見なされるようになる。
サルトル、**プラトン**、**ヘーゲル**、**マルクス**を見よ。

本質 Essence
何かの本質というのは、そのものの真の性質もしくは［必要にして不可決の］本質的な性質のことだと考えられるといってよいだろう。つまりそれを欠いては、そのものがもはやそのものたりえなくなってしまうような性質のことだ、と。アリストテレスは、あるものの正しい定義とはそのものの本質を表現したもののことだと主張した。それ以後哲学者たちは、この考え方をさまざまな仕方で批判し、発展させてきた。
アクィナス、**アリストテレス**、**サルトル**、**ロック**を見よ。

唯物論 Materialism
唯物論というのは、世界の本質をめぐる一つの形而上学的教説のことである。その主張によれば、実在するもの一切は物質である。唯物論の異説のなかには、精神を物質に依存するものに含ませるものもあれば、精神を物質から生まれたものに含ませるものもある。
一元論、**ホッブズ**を見よ。

唯名論 Nominalism
唯名論というのは、「赤さ」とか「固さ」といった普遍的もしくは一般的用語は、単なる名称にすぎず、「赤さ」とか「固さ」といった何か実在するものを指し示すものではないとする見解のことである。したがって唯名論者ならば、例えば「正義」とか「経験」とか「勇気」といったプラトン的形相（イデア）がそれらの個々の事例を離れてそれ自体で実在しうるなどと主張することは、ないだろう。
形相（イデア）、**オッカム**、**ホッブズ**を見よ。

類比 Analogy
類比とは、あるものごとと別のものごとを比較して、それによって両者のまだよく知られていない方についての理解を深めようと、両者の類似を示すことをいう。
バトラー、**プラトン**を見よ。

論証 Argument

論証というのは、それ自身、自分に対する証拠となるような一つもしくはそれ以上の判断とのかかわりをもった判断から、構成される。証拠となる判断は〈前提〉と呼ばれる。前提は事実判断であるため、真であることも偽であることもある。論理学は、判断の真や偽にかかわるものではなく、判断同士の関係にかかわるものであるところから、論理的正しさと誤りは、前提の真や偽から独立している。正しい論理的形式をもった論証は、〈妥当な〉論証と言われる。ある論証が妥当だと述べることは、その前提が真だと述べることではなく、かえって、〈もしも〉その前提が真であれば（あったならば）、その結論もまた真であるはずだと述べることである。妥当な論証には多様なパターンがあり、論理学の一つの課題は、それらのパターンを割り出して分析することである。

帰納的／演繹的、**誤謬**、**妥当性**を見よ。

訳者あとがき

本書は *Fifty Major Philosophers* by Dianê Collinson, Routledge, 1987 (Taylor and Francis Books) の全訳である。

本書の特色については、本書の「はじめに」において著者自身が簡明に述べているので、まずはそちらからお読みいただけたら幸いであるが、ここでは訳者の立場から、本書および著者の特色について少しく記してみたい。

私が本書の翻訳を思い立ったのは、先年青土社より出版されたジョン・レヒテ著『現代思想の50人』の翻訳をすすめていたときであった。まえ書きに、同じラウトレッジ社から発行されている本書が「素晴らしいモデル」になったと記されていたので、早速本書を取り寄せてみたのである。一読した感想は、「これで学生諸君の求めに応えられる」であった。

私は大学で哲学史の講義をするときなど、学生によい参考書を求められて答えに窮してしまうことが多かった。それは、世に哲学史のよい参考書がないからではない。それどころか、世の中はむしろ哲学史のすぐれた書物であふれているといってもよいのだが、きわめて意欲の高い、正真正銘の初学者に相応しい書物となると、意外とピッタリのものがないというのが、私の知るかぎりでの「実情」だったからだ。ラッセルの書物ではいかにも浩瀚にすぎるし、「ソフィーの世界」ではあまりにもあっけないではないか。

著者のコリンソンは、五〇人の哲学者についての記述を、イギリス人らしくみずからエッセイと呼んでいるが、この「エッセイ」という言葉に本書の特色がよく出ていると思う。読み手に負担を与えぬほどの長さで私見を試みに述べるというさりげない形式をとおして、モンテーニュはその『エセー』で一切を通して己れを語り、ベーコンはその『エッセイ』で己れを虚しくして天下国家を語ったが、どちらにも共通しているのは、古今の思想を向こうにまわしての、その「志」の高さであり、その「思い」の深さである。

本書でのコリンソンは、五〇本のエッセイのいずれにおいても、初学者に向かって親しみぶかく呼びかけてはいるが、通りいっぺんの解釈を目指すというより、個人の書き下ろしに相応しく、おだやかでまことに公平なかたちをとりながらも、ある種のかくれたチャレンジ精神によって人類の思想史と互角にわたりあおうという気迫をしめしている。

それは、私の印象では、科学と道徳もしくは広義の宗教への、著者の同じように真摯な思いに発するものであるのにちがいない。ホッブズ、カント、ウィトゲンシュタインなどについての記述には、おそらく科学と道徳もしくは宗教の統合を目指す、そうした著者自身の熱意が溢れているように思うのは、多分私の個人的思いなしではない。この姿勢はまた同時に、パースやホワイトヘッドの哲学などにも見られるとおり、科学哲学が期せずしてたどることを強いられたものと、あるいは今なお強いられつつあるものと、そのまま重なっているといってもよい。

著者のコリンソンは、ロンドンの「ロイヤル・アカデミー・オヴ・ミュージック」で作曲を学んだのち、哲学に転じて「心の哲学」の分野で学位を取ったというユニークな学者で、著書には、本書のほかにも、『哲学的美学』や『二〇世紀哲学者伝記辞典』の共著や編著がある。近年、哲学・思想系の辞典類の出版では世界的注目を集めているイギリスのラウトレッジ社からの刊行という点からもうかがわれるように、コリンソン女史が、鋭く一貫した問題意識をかかえた、この道のベテラン学者であることは、間違いない。ともあれ、私としては、これで学生諸君の要望に大きく応えられるようになったのが、何よりの歓びである。

最後に、翻訳の分担および手順について記しておきたい。本書の翻訳は、教場での参考資料になるようにと、学生諸君のために必要に応じて私があちこちピック・アップしながらあらかじめ進めていたものに、急遽二人の協力者が参加して完成したものである。基本的には、前半のタレスからルソーまでは、阿部文彦が、後半のカントからサルトルまでは、北村晋が、そして「はじめに」と「用語解説」は、私が分担したが、全体の文体や用語を統一するなどの作業は、すでに私が行っていたものをベースに、私山口があらためて行っている。編集の仕事は、前回のレヒテの『現代思想の50人』の場合と同様、青土社編集部の水木康文氏のお世話になった。ここに記して感謝申し上げる。

二〇〇二年一月一日　　山口泰司

著者紹介

ディアーネ・コリンソン　Diané Collinson

イギリス、エセックス生まれ。ロイヤル・アカデミー・オヴ・ミュージックで作曲を学んだのち、哲学に転じ「心の哲学」の分野で学位を取得。オープン・ユニヴァーシティで哲学のシニアー・レクチュラーとスタッフ・チューターをつとめる。本書の他に、『哲学的美学』『20世紀哲学者伝記辞典』などの共著・共編書がある。

訳者紹介

山口泰司　（やまぐち・やすじ）

1941年生まれ。早稲田大学大学院人文科学研究科博士課程修了。明治大学文学部教授。ケンブリッジ大学客員研究員（1994-96）。哲学専攻。著書『心の探求』（文化書房博文社）他。訳書、レヒテ『現代思想の50人』（共訳）、デネット『ダーウィンの危険な思想』（共訳）『解明される意識』、ヴァレーラ他『心と生命』（以上、青土社）、カーンバーグ『内的世界と外的現実』、ジェイコブソン『精神的葛藤と現実』（以上、文化書房博文社）、ストー『人格の成熟』『性の逸脱』（以上、岩波書店）、ライクロフト『精神分析学辞典』（河出書房新社）、フェアベーン『人格の精神分析学』（講談社）他。

阿部文彦　（あべ・ふみひこ）

1955年生まれ。早稲田大学大学院文学研究科博士課程修了。哲学専攻。早稲田大学・明治学院大学・東海大学ほか非常勤講師。訳書、ノイマン『こども』、ジャニコー『現代フランス現象学』（ともに共訳、文化書房博文社）、メーヌ・ド・ビラン『人間の身体と精神の関係』（共訳、早稲田大学出版部）他。論文「メルロ＝ポンティの哲学の展開」「生命倫理学への問い」“Others in Institution” 他。

北村晋　（きたむら・すすむ）

1954年生まれ。早稲田大学大学院文学研究科博士課程修了。哲学専攻。早稲田大学・慶應義塾大学ほか非常勤講師。訳書、レヒテ『現代思想の50人』（共訳、青土社）、ジャニコー『現代フランス現象学』（共訳、文化書房博文社）、メーヌ・ド・ビラン『人間の身体と精神の関係』（共訳、早稲田大学出版部）、ミシェル・アンリ『現出の本質』（共訳、法政大学出版局、近刊）。論文「初期サルトル哲学における意識の問題」「超越から差異へ」「非-表象的コギトの系譜」他。

哲学思想の50人

2002年4月1日　第1刷発行
2011年3月30日　第7刷発行

著者――ディアーネ・コリンソン
訳者――山口泰司＋阿部文彦＋北村晋
発行者――清水一人
発行所――青土社
東京都千代田区神田神保町1-29市瀬ビル　〒101-0051
［電話］03-3291-9831（編集）　03-3294-7829（営業）
［振替］00190-7-192955
印刷所――シナノ（本文）
方英社（カバー・表紙・扉）
製本所――小泉製本

装幀――戸田ツトム

ISBN4-7917-5951-6　Printed in Japan